High Top

3권

물리학 Ⅰ 정답과 해설

I 역학과 에너지

1. 힘과 운동

01 속도와 가속도

집중 분석 1권 19쪽

유제 ④

유제 ㄱ. 0~2초 동안 속도가 0에서 2 m/s로 일정하게 증가하므로, 가속도의 크기는 $\frac{2\text{ m/s}}{2\text{ s}}=1\text{ m/s}^2$으로 일정하다.

ㄷ. 2초~3초 동안 속도의 크기가 감소하므로 속도와 가속도의 방향은 반대이다.

바로 알기 ㄴ. 속도-시간 그래프에서 그래프와 시간축이 이루는 넓이는 변위를 나타낸다. 이때 물체의 운동 방향이 변하지 않았으므로 변위의 크기와 이동 거리가 같다. 따라서 2초~3초 동안 이동한 거리는 1 m이다.

[별해] ㄱ. 속도-시간 그래프에서 기울기는 가속도를 나타낸다. 따라서 0~2초 동안 가속도의 크기는 1 m/s^2이다.

개념 모아 정리하기 1권 21쪽

❶ 변위 ❷ 같다 ❸ 속도 ❹ 가속도
❺ 증가 ❻ 감소 ❼ 가속도 ❽ 운동 방향

개념 기본 문제 1권 22쪽~23쪽

01 이동 거리: 35 m, 변위의 크기: 5 m **02** (1) 2.5 m/s (2) 12 m **03** 평균 속도의 크기: 1.5 m/s, 순간 속도의 크기: 3 m/s **04** 운동 방향이 계속 변하기 때문이다. **05** $\frac{2v_1v_2}{v_1+v_2}$ **06** (1) (가) 5 m/s, (나) 2 m/s (2) (가) 4 m/s, (나) 0 **07** 평균 가속도의 크기: A=B=C, 평균 속력: C>B>A **08** 20초 **09** (1) 4 m/s^2 (2) 24 m **10** (1) 4 m/s (2) 20 m **11** $\frac{v^2-v_0^2}{2l}$ **12** (1) ㄹ (2) ㄱ (3) ㄴ, ㄷ (4) ㅁ

01 철수의 이동 거리와 변위는 다음과 같다.
- 이동 거리: 20 m+15 m=35 m
- 변위: 20 m−15 m=5 m(동쪽)

02 (1) 위치-시간 그래프에서 기울기는 속도를 나타낸다. 이때 그래프의 기울기가 일정하므로 두 물체는 속도가 일정한 등속 직선 운동을 한다. A는 0~4초 동안 16 m−6 m=10 m를 이동하였으므로 속도는 $\frac{10\text{ m}}{4\text{ s}}=2.5\text{ m/s}$이다.

(2) A의 속도는 2.5 m/s이고, B의 속도는 2 m/s이므로 0~12초 동안 변위는 다음과 같다.
- A의 변위: 2.5 m/s×12 s=30 m
- B의 변위: 2 m/s×12 s=24 m

따라서 A가 B보다 30 m−24 m=6 m 더 이동하였고, 0초일 때 A가 B보다 6 m만큼 앞서 있었으므로 12초일 때 A가 B보다 6 m+6 m=12 m만큼 앞서 있다.

03 물체는 0~6초 동안 9 m를 이동하였으므로 평균 속도의 크기는 $\frac{9\text{ m}}{6\text{ s}}=1.5\text{ m/s}$이다. 6초일 때 순간 속도는 P점에 접하는 접선의 기울기 $\frac{9-0}{6-3}=3$(m/s)와 같으므로 순간 속도의 크기는 3 m/s이다.

04 속력이 일정하더라도 운동 방향이 변하면 속도는 변하므로 자동차는 곡선 도로를 따라서 일정한 속도로 달릴 수 없다.

05 A점과 B점 사이의 거리를 s라고 하면 A점에서 B점까지 이동하는 데 걸린 시간은 $\frac{s}{v_1}$이고, B점에서 A점까지 되돌아오는 데 걸린 시간은 $\frac{s}{v_2}$이다. 따라서 시간 $\frac{s}{v_1}+\frac{s}{v_2}$ 동안 거리 $2s$만큼 이동하므로, 평균 속력은 $\frac{2s}{\frac{s}{v_1}+\frac{s}{v_2}}=\frac{2v_1v_2}{v_1+v_2}$이다.

06 (1) 트랙을 반 바퀴 도는 동안 철수의 이동 거리는 100 m이고, 걸린 시간은 20초이므로 평균 속력은 $\frac{100\text{ m}}{20\text{ s}}=5\text{ m/s}$이다. 또, 트랙을 반 바퀴 도는 동안 철수의 변위는 40 m이고, 걸린 시간은 20초이므로 평균 속도의 크기는 $\frac{40\text{ m}}{20\text{ s}}=2\text{ m/s}$이다.

(2) A와 B 사이를 왕복하는 동안 영희의 이동 거리는 80 m이고, 걸린 시간은 20초이므로 평균 속력은 $\frac{80\text{ m}}{20\text{ s}}=4\text{ m/s}$

이다. 또한, A와 B 사이를 왕복했을 때 영희의 변위는 0이므로 평균 속도의 크기는 0이다.

07 물체의 평균 가속도는 $\frac{\text{속도 변화량}}{\text{걸린 시간}}$이다. 0~5초 동안 세 물체의 속도 변화량이 -10 m/s로 같으므로 세 물체의 평균 가속도의 크기는 모두 같다.

물체의 평균 속력은 $\frac{\text{이동 거리}}{\text{걸린 시간}}$이다. 속도-시간 그래프에서 그래프와 시간축이 이루는 넓이는 변위를 나타내며, 0~5초 동안 세 물체의 운동 방향이 변하지 않았으므로 변위의 크기와 이동 거리는 같다. 따라서 평균 속력은 C가 가장 크고, A가 가장 작다.

08 터널의 길이가 300 m이고, 기차의 길이가 100 m이므로 기차의 앞부분이 터널에 진입하여 뒷부분이 빠져나올 때까지 이동한 거리는 400 m이다. 이때 평균 속력은 다음과 같다.

$\frac{15\text{ m/s}+25\text{ m/s}}{2}=20\text{ m/s}$

따라서 걸린 시간은 $\frac{400\text{ m}}{20\text{ m/s}}=20$ s이다.

09 (1) 속도-시간 그래프에서 기울기는 가속도를 나타낸다. 0~2초 동안 가속도의 크기는 $\frac{8\text{ m/s}}{2\text{ s}}=4\text{ m/s}^2$으로 일정하므로 1초일 때 가속도의 크기는 4 m/s^{2}이다.

(2) 속도-시간 그래프에서 그래프와 시간축이 이루는 넓이는 변위를 나타낸다. 이때 물체의 운동 방향이 변하지 않았으므로 변위의 크기와 이동 거리는 같다.

• 0~2초 동안 이동 거리: $\frac{1}{2}\times2\times8=8$(m)

• 2초~4초 동안 이동 거리: $2\times8=16$(m)

따라서 전체 이동 거리는 8 m+16 m=24 m이다.

10 (1) 가속도-시간 그래프에서 그래프와 시간축이 이루는 넓이는 속도 변화량을 나타낸다. 따라서 0~2초 동안 속도 변화량은 $2\text{ m/s}^2\times2\text{ s}=4$ m/s이다. 물체는 처음에 정지해 있었으므로 2초일 때 순간 속도의 크기는 4 m/s이다.

(2) 가속도-시간 그래프에서 그래프와 시간축이 이루는 넓이는 속도 변화량을 나타내므로 이를 구하여 속도-시간 그래프로 변환하면 오른쪽과 같다.

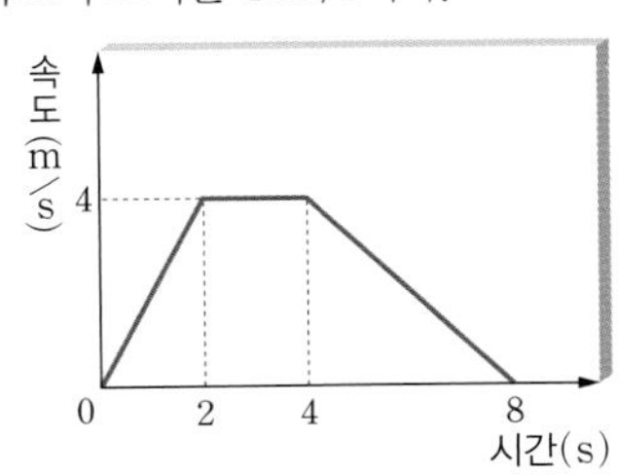

속도-시간 그래프에서 그래프와 시간축이 이루는 넓이는 변위를 나타내고, 물체의 운동 방향이 변하지 않았으므로 변위의 크기와 이동 거리는 같다. 따라서 0~8초 동안 물체가 이동한 전체 거리를 구하면 다음과 같다.

$\frac{1}{2}\times(2+8)\times4=20$(m)

11 전동차가 거리 l만큼 달리는 동안 전동차의 속도가 v_0에서 v로 변하였다. 등가속도 직선 운동 식인 $2as=v^2-v_0^2$을 통해 가속도 a를 구하면 $2al=v^2-v_0^2$이므로 $a=\frac{v^2-v_0^2}{2l}$이다.

12 (1) 돌은 운동 방향이 연직 아래 방향으로 일정하고, 속력이 일정하게 증가한다.

(2) 선풍기 날개 끝부분은 속력이 일정하고, 운동 방향이 원 궤도의 접선 방향으로 계속 변한다.

(3) 롤러코스터와 축구공은 올라갈 때 속력이 감소하고, 내려올 때 속력이 증가한다. 또, 운동 방향은 운동 경로의 접선 방향으로 계속 변한다.

(4) 에스컬레이터는 속력과 운동 방향이 모두 변하지 않는다.

개념 적용 문제 1권 24쪽~27쪽

01 ③ **02** ② **03** ① **04** ⑤ **05** ⑤ **06** ⑤ **07** ⑤ **08** ④

01 ㄱ. 위치-시간 그래프에서 기울기의 절댓값은 속력을 나타낸다. 따라서 2초일 때 속력은 $\frac{4-2}{2-0}=1$(m/s)이다. 마찬가지로 3초일 때 속력은 $\frac{5-4}{4-2}=0.5$(m/s)이다. 따라서 1초일 때 속력은 3초일 때 속력의 2배이다.

ㄴ. 4초일 때까지 위치가 증가하다 그 후 감소하므로 4초일 때 운동 방향이 반대가 되었다.

바로 알기 ㄷ. 0~6초 동안 변위는 $0-2\text{ m}=-2$ m이다. 따라서 평균 속도의 크기는 $\frac{|-2\text{ m}|}{6\text{ s}}=\frac{1}{3}$ m/s이다.

02 • 0~2초 동안 속력이 일정한 운동을 하므로, 위치는 시간에 따라 일정하게 증가하거나 감소하여야 한다.

• 2초~4초 동안 속력이 감소하다가 4초일 때 속력이 0이 되는 운동을 하므로, 기울기는 감소하다가 0이 되어야 한다. 따라서 위로 볼록한 곡선 형태가 된다.

• 4초~6초 동안 처음 운동 방향과 반대 방향으로 속력이 증가하는 운동을 하므로, 위치는 시간에 따라 감소하고, 기울기의 절댓값은 증가하는 곡선 형태가 되어야 한다.

바로 알기 ③ 4초~6초 동안 처음 운동 방향과 반대 방향으로 운동하여 위치가 감소하여야 하나 증가하고 있다. 이는 이동 거리와 시간의 관계를 나타낸 그래프 형태이다.

④, ⑤ 0~2초 동안 위치 변화가 없으므로 속도가 0인 경우이다.

03 A는 가속도가 일정한 등가속도 직선 운동을 하며, B는 속도가 일정한 등속 직선 운동을 한다.

ㄴ. 등가속도 직선 운동 식인 $s=v_0t+\frac{1}{2}at^2$을 통해 0~3초 동안 A가 이동한 거리를 구하면 $4\times3+\frac{1}{2}\times2\times3^2=21$(m)이다. 또, 0~3초 동안 B가 이동한 거리를 구하면 $7\times3=21$(m)이다. 0초일 때 A가 B보다 20 m 뒤처져 있었으므로 3초일 때 A와 B 사이의 거리는 20 m이다.

바로 알기 ㄱ. 가속도-시간 그래프에서 그래프와 시간축이 이루는 넓이는 속도 변화량을 나타낸다. 0~5초 동안 A의 속도 증가량은 $2\times5=10$(m/s)이고, 0초일 때 속도가 4 m/s이므로 5초일 때 A의 속도의 크기는 14 m/s이다.

ㄷ. 0~5초 동안 A, B가 이동한 거리를 구하면 다음과 같다.

• A의 이동 거리: $4\times5+\frac{1}{2}\times2\times5^2=45$(m)

• B의 이동 거리: $7\times5=35$(m)

따라서 0~5초 동안 이동한 거리는 A가 B보다 크다.

04 ㄱ. A는 PQ 사이에서 v_0의 속도로 등속 직선 운동을 하고, QR 사이에서 등가속도 직선 운동을 하여 R에서 속도가 0이 된다. 따라서 QR 사이의 평균 속도는 $\frac{v_0+0}{2}=\frac{v_0}{2}$이므로 PQ 사이를 이동하는 데 걸린 시간은 $\frac{T}{3}$이고, QR 사이를 이동하는 데 걸린 시간은 $\frac{2T}{3}$이다. $\frac{2T}{3}$ 동안 속도가 v_0만큼 감소하므로 가속도는 $\frac{0-v_0}{\frac{2T}{3}}=-\frac{3v_0}{2T}$이다. 즉, QR 사이에서 A의 가속도의 크기는 $\frac{3v_0}{2T}$이다.

ㄴ. B가 Q를 통과할 때 시간을 t라고 하면 0~t초 동안 이동한 거리는 0~T초까지 이동한 거리의 $\frac{1}{2}$배이다.

따라서 B의 가속도를 a라고 할 때 등가속도 직선 운동 식인 $s=v_0t+\frac{1}{2}at^2$을 통해 t를 구하면 $\frac{1}{2}at^2=\frac{1}{2}\left(\frac{1}{2}aT^2\right)$이므로 $t=\frac{T}{\sqrt{2}}$이다.

ㄷ. 0~T초 동안 A의 이동 거리는 $v_0\times\frac{T}{3}+\frac{v_0}{2}\times\frac{2T}{3}=\frac{2}{3}v_0T$이고, T초일 때 B의 속도를 v라고 하면 B의 평균 속도는 $\frac{v}{2}$이므로 0~T초 동안 B의 이동 거리는 $\frac{v}{2}T$이다.

이때 A와 B의 이동 거리는 같으므로 $\frac{2}{3}v_0T=\frac{v}{2}T$에서 $v=\frac{4}{3}v_0$이다.

[별해] A가 PQ 사이를 v_0의 속도로 운동한 후 QR 사이를 평균 속도 $\frac{v_0}{2}$로 운동할 때 PQ와 QR 사이의 거리가 같으므로 A가 PQ 사이를 이동하는 데 걸린 시간은 $\frac{T}{3}$, QR 사이를 이동하는 데 걸린 시간은 $\frac{2T}{3}$이다.

A와 B의 속도를 시간에 따라 나타내면 다음과 같다. T초일 때 B의 속도를 v라고 한다.

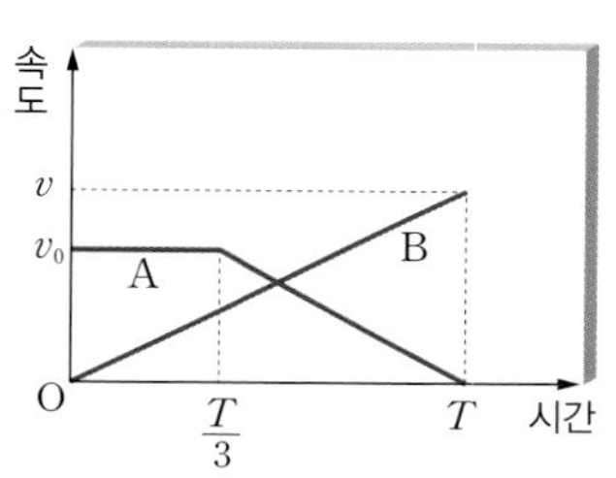

ㄱ. QR 사이에서 A의 속도가 $\frac{2T}{3}$ 동안 v_0만큼 감소하므로 가속도의 크기는 $\frac{v_0}{\frac{2T}{3}}=\frac{3v_0}{2T}$이다.

ㄴ. B가 Q를 통과할 때 시간을 t라고 하면 0~t초 동안 이동한 거리는 0~T초까지 이동한 거리의 $\frac{1}{2}$배이다. 속도-시간 그래프에서 그래

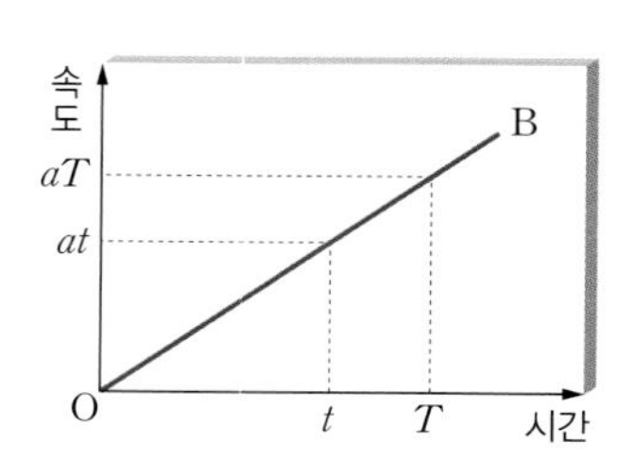

프와 시간축이 이루는 넓이는 변위를 나타낸다. 이때 물체는 운동 방향이 변하지 않았으므로 변위의 크기와 이동 거리는 같다. B의 가속도를 a라고 하고 등가속도 직선 운동 식인 $v=v_0+at$를 이용하여 t를 구하면 다음과 같다.

$\frac{1}{2}\times at\times t=\frac{1}{2}\left(\frac{1}{2}\times aT\times T\right)$

따라서 $t=\frac{T}{\sqrt{2}}$이다.

ㄷ. $0\sim T$초 동안 A, B가 이동한 거리를 구하면 다음과 같다.

• A의 이동 거리: $v_0\times\frac{T}{3}+\frac{1}{2}\times v_0\times\frac{2T}{3}=\frac{2}{3}v_0T$

• B의 이동 거리: $\frac{1}{2}vT$

이때 A와 B의 이동 거리는 같으므로 $\frac{2}{3}v_0T=\frac{1}{2}vT$에서 $v=\frac{4}{3}v_0$이다.

05 ㄱ. 자동차의 가속도를 a라고 하고, 등가속도 직선 운동 식인 $v=v_0+at$를 통해 T초, $2T$초, $3T$초일 때 자동차의 속력을 구하면 v_0+aT, v_0+2aT, v_0+3aT이다. 이때 평균 속력은 다음과 같다.

• $0\sim T$초 동안 평균 속력: $\frac{v_0+v_0+aT}{2}=v_0+\frac{aT}{2}$

• $T\sim 2T$초 동안 평균 속력: $\frac{v_0+aT+v_0+2aT}{2}=v_0+\frac{3aT}{2}$

걸린 시간이 일정할 때 속력은 이동 거리에 비례한다. $T\sim 2T$초 동안 이동한 거리가 $0\sim T$초 동안 이동한 거리의 2배이므로 $2\left(v_0+\frac{aT}{2}\right)T=\left(v_0+\frac{3aT}{2}\right)T$에서 $a=\frac{2v_0}{T}$이다.

따라서 $3T$초일 때 속력은 $v_0+3aT=v_0+3\frac{2v_0}{T}T=7v_0$이다.

ㄴ. T초일 때 속력은 $v_0+aT=v_0+\frac{2v_0}{T}T=3v_0$이고, $0\sim T$초 동안 평균 속력은 $\frac{v_0+3v_0}{2}=2v_0$이므로 $0\sim T$초 동안 이동한 거리 s는 $2v_0T$이다.

ㄷ. $0\sim T$초 동안 속력이 v_0에서 $3v_0$로 증가하고, 이동 거리가 s이므로 등가속도 직선 운동 식인 $2as=v^2-v_0^2$을 통해 가속도 a를 구하면 다음과 같다.

$2as=(3v_0)^2-v_0^2$

따라서 $a=\frac{4v_0^2}{s}$이다.

06 ㄱ. PQ 사이의 거리는 12 cm이고, PQ 사이를 이동하는 데 걸린 시간은 0.2초이므로 평균 속력은 $\frac{12\text{ cm}}{0.2\text{ s}}=60\text{ cm/s}=0.6\text{ m/s}$이다.

ㄴ. RS 사이의 거리는 24 cm이고, RS 사이를 이동하는 데 걸린 시간은 0.2초이므로 평균 속력은 1.2 m/s이다. 공은 등가속도 직선 운동을 하고, PQ, QR, RS의 시간 간격이 0.2초로 같으므로 QR 사이의 평균 속력은 PQ, RS 사이의 중간값인 0.9 m/s이다. 따라서 QR 사이의 거리는 다음과 같다.

$0.9\text{ m/s}\times0.2\text{ s}=0.18\text{ m}=18\text{ cm}$

ㄷ. 공이 등가속도 직선 운동을 하므로 PQ 사이의 평균 속력은 P와 Q 사이에 있는 공의 순간 속력과 같다. 따라서 PQ 사이의 평균 속력이 0.6 m/s이고, RS 사이의 평균 속력이 1.2 m/s일 때 두 구간 사이의 시간 간격은 0.4초가 되므로 가속도의 크기는 $\frac{1.2\text{ m/s}-0.6\text{ m/s}}{0.4\text{ s}}=1.5\text{ m/s}^2$이다.

07 ⑤ PQ와 QR 사이의 거리는 같지만 평균 속력이 PQ 사이가 QR 사이의 $\frac{3}{5}$배이므로 걸린 시간은 PQ 사이가 QR 사이의 $\frac{5}{3}$배이다.

바로 알기 ① 물체는 PQ와 QR 사이에서 각각 등가속도 직선 운동을 하므로 평균 속력은 다음과 같다.

• PQ 사이의 평균 속력: $\frac{v_0+2v_0}{2}=\frac{3v_0}{2}$

• QR 사이의 평균 속력: $\frac{2v_0+3v_0}{2}=\frac{5v_0}{2}$

따라서 PQ 사이의 평균 속력은 QR 사이의 평균 속력의 $\frac{3}{5}$배이다.

② 등가속도 직선 운동 식인 $2as=v^2-v_0^2$을 통해 PQ와 QR 사이의 가속도를 구하면 PQ 사이의 가속도는 $\frac{3v_0^2}{2s}$이고, QR 사이의 가속도는 $\frac{5v_0^2}{2s}$이다. 따라서 PQ 사이의 가속도의 크기는 QR 사이의 가속도의 크기의 $\frac{3}{5}$배이다.

③ PQ와 QR 사이를 이동하는 데 걸린 시간은 다음과 같다.

• PQ 사이를 이동하는 데 걸린 시간: $\frac{s}{\frac{3v_0}{2}}=\frac{2s}{3v_0}$

• QR 사이를 이동하는 데 걸린 시간: $\frac{s}{\frac{5v_0}{2}}=\frac{2s}{5v_0}$

따라서 PR 사이의 평균 속력은 $\frac{2s}{\frac{2s}{3v_0}+\frac{2s}{5v_0}}=\frac{15v_0}{8}$이다.

④ PQ와 QR 사이의 거리는 같지만 방향이 다르므로 PQ 사이의 변위와 QR 사이의 변위는 같지 않다.

08 ㄴ. (나)에서 물체의 높이가 낮아질수록 물체 사이의 거리가 멀어지므로 물체의 속력은 높이가 낮아질수록 증가한다.

ㄷ. (나)에서 일정한 시간 간격으로 나타낸 물체 사이의 거리가 계속 변하므로 속력도 계속 변한다. 또, 물체가 곡선 운동을 하므로 운동 방향도 계속 변한다.

바로 알기 ㄱ. (가)에서 물체의 속력은 일정하지만 운동 방향이 계속 변하므로 속도는 일정하지 않다.

02 뉴턴 운동 법칙

탐구 확인 문제 1권 39쪽

01 ④ **02** (1) A>B>C (2) A: $\frac{2}{3}m$, C: $2m$

01 ㄱ. 물체에 힘이 작용할 때 가속도의 크기는 힘의 크기에 비례하고, 질량에 반비례한다. 따라서 수레의 질량이 일정할 때 가속도의 크기는 수레에 작용한 힘의 크기에 비례한다.

ㄷ. 속도-시간 그래프에서 기울기는 가속도를 나타낸다. 물체에 작용하는 힘의 크기가 일정할 때 물체의 가속도는 질량에 반비례하므로 수레의 질량이 증가할수록 기울기는 작아진다.

바로 알기 ㄴ. 수레에 작용하는 힘의 크기가 일정할 때 수레의 질량을 2배로 증가하면 수레의 가속도의 크기는 $\frac{1}{2}$배로 감소한다.

02 (1) 속도-시간 그래프에서 기울기는 가속도를 나타내므로, 기울기가 클수록 가속도가 크다. 따라서 A의 가속도의 크기가 가장 크고, C의 가속도의 크기가 가장 작다.

(2) 수레에 작용하는 힘이 일정할 때 수레의 가속도는 질량에 반비례한다. 이때 A의 기울기는 B의 $\frac{3}{2}$배이므로 A의 질량은 $\frac{2}{3}m$이고, C의 기울기는 B의 $\frac{1}{2}$배이므로 C의 질량은 $2m$이다.

집중 분석 1권 40쪽~41쪽

유제 1 ③ 유제 2 ③

유제 1 ㄱ. 물체 A와 B는 B에 작용하는 중력 $2mg$에 의해 함께 운동하므로 운동 방정식인 $F=ma$를 통해 가속도 a를 구하면 $a=\frac{F}{m}=\frac{2mg}{3m}=\frac{2}{3}g$이다.

ㄴ. B에는 연직 위 방향으로 장력이 작용하고, 연직 아래 방향으로 중력이 작용하므로 B에 작용하는 알짜힘은 중력에서 장력을 뺀 값과 같다. 운동 방정식인 $F=ma$를 통해 줄이 B를 당기는 힘인 장력 T를 구하면 다음과 같다.

$2mg-T=2m\times\frac{2}{3}g$

따라서 $T=\frac{2}{3}mg$이다.

바로 알기 ㄷ. B는 정지 상태에서 출발하여 등가속도 직선 운동을 한다. B가 h만큼 이동하는 데 걸린 시간을 t라고 할 때 등가속도 직선 운동 식인 $s=v_0t+\frac{1}{2}at^2$을 통해 t를 구하면 다음과 같다.

$h=\frac{1}{2}\times\frac{2}{3}g\times t^2$

따라서 $t=\sqrt{\frac{3h}{g}}$이다.

유제 2 ㄱ, ㄴ. 물체 A와 B는 실로 연결되어 함께 운동하므로 가속도의 크기가 같다. 실은 A와 B를 모두 연직 위 방향으로 당기는데 이때의 힘을 T, 가속도를 a라고 하고 A, B의 운동 방향을 (+)로 나타낼 때 A와 B의 운동 방정식은 다음과 같다.

• A의 운동 방정식: $T-mg=ma$

• B의 운동 방정식: $3mg-T=3ma$

식을 연립하여 풀면 $T=1.5mg$, $a=0.5g$이다.

바로 알기 ㄷ. 운동 방정식인 $F=ma$를 통해 B에 작용하는 알짜힘의 크기를 구하면 $3m\times0.5g=1.5mg$이다.

개념 모아 정리하기 1권 43쪽

❶ 작용점 ❷ 알짜힘 ❸ F_1 ❹ 크다
❺ 알짜힘 ❻ 반비례 ❼ 반대 ❽ 크기
❾ 방향

개념 기본 문제 1권 44쪽~45쪽

01 ㄱ, ㄴ, ㄹ **02** (1) ◯ (2) ◯ (3) × **03** 10 m/s^2 **04** 15 m/s^2
05 ㄱ, ㄹ **06** ㄱ, ㄷ **07** A: 6 N, B: 6 N **08** ㄱ, ㄴ, ㄷ
09 e **10** (1) 2 m/s^2 (2) 4 N (3) 6 N **11** (가) 5 m/s^2 (나) 15 N
12 (가) 2 m/s^2 (나) 24 N

01 ㄱ, ㄴ. 힘은 물체의 모양이나 운동 상태를 변화시키는 원인으로, 크기와 방향을 함께 가진다.
ㄹ. 힘은 물체 사이의 상호 작용으로, 상호 작용하는 두 힘은 크기가 같고 방향이 반대이다.
바로 알기 ㄷ. 힘은 단위로 N을 사용한다.

02 (1) 물체에 작용하는 알짜힘이 0이면 정지해 있는 물체는 계속 정지해 있고, 운동하고 있는 물체는 계속 등속 직선 운동을 하려는 성질이 있는데, 이것을 관성이라고 한다.
(2), (3) 질량이 있는 물체는 모두 관성이 있으며, 질량이 클수록 관성이 크다.

03 물체에는 연직 위 방향으로 200 N의 힘이 작용하고, 연직 아래 방향으로 10 kg×10 m/s^2=100 N의 중력이 작용하므로 물체에 작용하는 알짜힘은 200 N−100 N=100 N이다. 이때 운동 방정식인 $F=ma$를 통해 가속도 a를 구하면 다음과 같다.

$$a=\frac{F}{m}=\frac{100\ \text{N}}{10\ \text{kg}}=10\ \text{m/s}^2$$

04 물체에는 연직 위 방향으로 장력, 연직 아래 방향으로 2 kg×10 m/s^2=20 N의 중력이 작용하므로 물체에 작용하는 알짜힘은 장력의 크기에서 중력의 크기를 뺀 값과 같다. 이때 장력은 50 N을 넘을 수 없으므로 최대 알짜힘은 연직 위 방향으로 50 N−20 N=30 N이다. 이때 운동 방정식인 $F=ma$를 통해 최대 가속도 a를 구하면 다음과 같다.

$$a=\frac{F}{m}=\frac{30\ \text{N}}{2\ \text{kg}}=15\ \text{m/s}^2$$

05 ㄱ. 발이 땅을 미는 힘이 작용이면, 땅이 발을 밀어 올리는 힘이 반작용이다.
ㄹ. 노가 물을 뒤로 밀어내는 힘이 작용이면, 물이 노를 앞으로 미는 힘이 반작용이다.
바로 알기 ㄴ. 운전 중 안전띠를 매지 않으면 급정거를 했을 때 관성에 의해 운전자의 몸이 앞으로 튕겨 나가므로 위험하다.
ㄷ. 공의 운동 방향이 바뀌는 까닭은 배트로부터 힘을 받기 때문이다.
ㅁ. 버스가 커브 길을 달릴 때 관성에 의해 승객의 몸이 한쪽으로 쏠린다.

06 ㄱ. 힘 A와 B는 작용 반작용 관계이므로 크기가 같다.
ㄷ. 철수가 벽에서 분리되면 철수가 벽에 힘 A를 작용할 수 없으므로, 철수도 벽으로부터 힘 B를 받을 수 없다. 따라서 철수에 작용하는 알짜힘은 0이다.
바로 알기 ㄴ. 힘 A와 B는 크기가 같고 방향이 반대인 힘이다. 하지만 작용점이 서로 다른 물체에 있으므로 두 힘은 합성할 수 없다. 따라서 힘의 평형도 이루지 않는다.

07 A에는 벽이 A를 당기는 힘($F_{\text{벽A}}$)과 B가 A를 당기는 힘(F_{BA})이 작용하며 두 힘의 합력은 0이다. B에는 무게가 6 N인 추가 당기는 힘과 A가 B를 당기는 힘(F_{AB})이 작용하며 두 힘의 합력은 0이다. 따라서 A와 B 사이에 작용하는 힘 F_{AB}와 F_{BA}는 작용 반작용 관계이므로 크기가 6 N으로 같다. 즉, A, B에 모두 6 N의 힘이 작용하므로 용수철저울 A, B의 눈금은 모두 6 N을 가리킨다.

08 ㄱ. 꽃병에 작용하는 중력 W만큼 꽃병이 책상을 누르면 그 반작용으로 책상은 꽃병을 크기가 W인 힘으로 밀어 올리는데 이 힘이 수직 항력 N이다. 따라서 꽃병에 작용하는 중력 W와 수직 항력 N은 크기가 같다.
ㄴ. 중력 W와 수직 항력 N은 모두 꽃병에 작용하는 힘으로 크기가 같고 방향이 반대이다. 따라서 두 힘은 힘의 평형을 이룬다.
ㄷ. 수직 항력 N은 책상이 꽃병을 밀어 올리는 힘이므로, 이와 작용 반작용 관계인 힘은 꽃병이 책상을 누르는 힘이다.

09 a, c 구간에서는 트럭의 속도가 증가하므로 트럭에서 보면 원형 강판은 뒤쪽으로 힘을 받는 것처럼 보인다. 따라서 이때는 앞줄이 더 큰 힘을 받게 된다. b, d 구간은 트럭이 등속 직선 운동을 하므로 원형 강판은 힘을 받지 않는다. e 구간은 트럭의 속도가 감소하므로 트럭에서 보면 원형 강판은 앞쪽으로 힘을 받는 것처럼 보인다. 따라서 이때는 뒷줄이 더 큰 힘을 받게 되어 뒷줄이 끊어질 가능성이 가장 크다.

10 (1) 물체 A와 B는 실로 연결되어 함께 운동하므로 가속도의 크기가 같다. A와 B에 10 N의 힘이 작용하므로 운동 방정식인 $F=ma$를 통해 가속도의 크기 a를 구하면 다음과 같다.

$$a=\frac{F}{m}=\frac{10\ \text{N}}{(2+3)\ \text{kg}}=2\ \text{m/s}^2$$

(2) 실이 A를 당기는 힘은 A에 작용하는 알짜힘과 같다. 따라서 실이 A를 당기는 힘의 크기는 $2\ \mathrm{kg}\times2\ \mathrm{m/s^2}=4\ \mathrm{N}$이다.

(3) B에 작용하는 알짜힘의 크기는 $3\ \mathrm{kg}\times2\ \mathrm{m/s^2}=6\ \mathrm{N}$이다.

[별해] 물체 A와 B를 연결한 실이 A를 당기는 힘을 T라고 하면 실이 B를 당기는 힘은 $-T$이다. 두 물체의 가속도의 크기를 a라고 할 때 A와 B의 운동 방정식은 다음과 같다.

- A의 운동 방정식: $T=2\ \mathrm{kg}\times a$
- B의 운동 방정식: $10\ \mathrm{N}-T=3\ \mathrm{kg}\times a$

식을 연립하여 풀면 $a=2\ \mathrm{m/s^2}$, $T=4\ \mathrm{N}$이다. 이때 B에 작용하는 알짜힘의 크기는 $10\ \mathrm{N}-4\ \mathrm{N}=6\ \mathrm{N}$이다.

11 (가) B에 작용하는 중력에 의해 A와 B가 함께 운동하므로 가속도의 크기가 같다. 이때 운동 방정식인 $F=ma$를 통해 가속도 a를 구하면 다음과 같다.

$$a=\frac{F}{m}=\frac{30\ \mathrm{N}}{6\ \mathrm{kg}}=5\ \mathrm{m/s^2}$$

(나) 실이 A를 당기는 힘은 A에 작용하는 알짜힘과 같다. 따라서 실이 A를 당기는 힘의 크기는 $3\ \mathrm{kg}\times5\ \mathrm{m/s^2}=15\ \mathrm{N}$이다.

[별해] 그림과 같이 장력을 T, 가속도를 a라고 하고 A, B의 운동 방향을 (+)로 나타낼 때 A와 B의 운동 방정식은 다음과 같다.

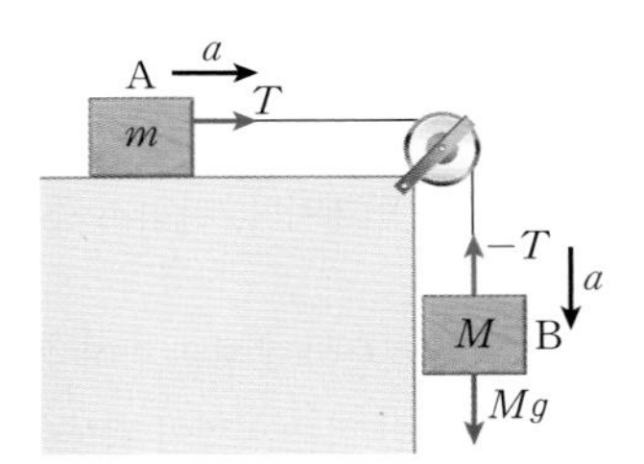

- A의 운동 방정식: $T=3\ \mathrm{kg}\times a$
- B의 운동 방정식: $3\ \mathrm{kg}\times10\ \mathrm{m/s^2}-T=3\ \mathrm{kg}\times a$

식을 연립하여 풀면 $a=5\ \mathrm{m/s^2}$, $T=15\ \mathrm{N}$이다.

12 (가) 두 물체에 작용하는 중력 차이에 의해 두 물체가 함께 운동하므로 가속도의 크기가 같다. 두 물체에 작용하는 알짜힘은 B에 작용하는 중력에서 A에 작용하는 중력을 뺀 값으로 $30\ \mathrm{N}-20\ \mathrm{N}=10\ \mathrm{N}$이다. 이때 운동 방정식인 $F=ma$를 통해 가속도 a를 구하면 다음과 같다.

$$a=\frac{F}{m}=\frac{10\ \mathrm{N}}{5\ \mathrm{kg}}=2\ \mathrm{m/s^2}$$

(나) B에 작용하는 알짜힘은 B에 작용하는 중력에서 실이 B를 당기는 힘을 뺀 값과 같다. 이때 실이 B를 당기는 힘을 T라고 하면 $3\ \mathrm{kg}\times2\ \mathrm{m/s^2}=3\ \mathrm{kg}\times10\ \mathrm{m/s^2}-T$이므로 $T=24\ \mathrm{N}$이다.

[별해] 그림과 같이 장력을 T, 가속도를 a라고 하고 A, B의 운동 방향을 (+)로 나타낼 때 A와 B의 운동 방정식은 다음과 같다.

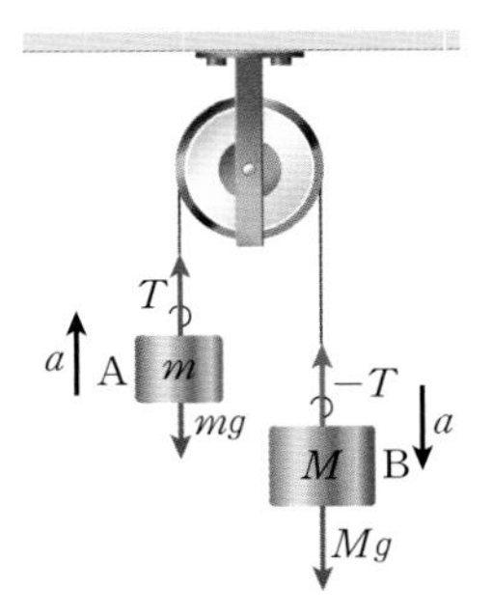

- A의 운동 방정식: $T-2\ \mathrm{kg}\times10\ \mathrm{m/s^2}=2\ \mathrm{kg}\times a$
- B의 운동 방정식: $3\ \mathrm{kg}\times10\ \mathrm{m/s^2}-T=3\ \mathrm{kg}\times a$

식을 연립하여 풀면 $a=2\ \mathrm{m/s^2}$, $T=24\ \mathrm{N}$이다.

개념 적용 문제 1권 46쪽~53쪽

01 ⑤	02 ②	03 ⑤	04 ①	05 ⑤	06 ④	07 ④	08 ③
09 ①	10 ④	11 ②	12 ③	13 ②	14 ②	15 ①	16 ④

01 ⑤ 빗면에서 물체에 작용하는 알짜힘은 빗면의 경사각이 클수록 크다. 따라서 물체에 작용하는 알짜힘은 C점보다 B점에서 크고, D점에서는 경사각이 0이므로 물체에 작용하는 알짜힘은 0이다.

바로 알기 ① A점에서 내려올 때 물체는 운동 방향인 빗면 아래 방향으로 알짜힘을 받으므로 속력이 증가한다.

② B점으로 올라갈 때 물체는 운동 반대 방향인 빗면 아래 방향으로 알짜힘을 받으므로 속력이 감소한다.

③ 물체에 작용하는 마찰이 없다면 빗면을 내려올 때 속력이 증가한 만큼 빗면을 올라갈 때 속력이 감소하므로 (나)에서 물체는 A점과 같은 높이까지 올라간다.

④ (다)에서 물체는 빗면을 내려오거나 올라가지 않으므로 속력이 증가하거나 감소하지 않는다. 따라서 물체는 일정한 속력으로 운동한다.

02 속도-시간 그래프에서 기울기는 가속도를 나타낸다.

- 0~5초: 물체에 2 N의 알짜힘이 작용하므로 가속도가 일정하다. 따라서 속도-시간 그래프는 기울기가 (+)인 직선 모양이다.

• 5초~10초: 물체에 알짜힘이 작용하지 않으므로 가속도가 0이다. 따라서 속도-시간 그래프의 기울기는 0이다.

• 10초~15초: 물체에 운동 반대 방향으로 4 N의 알짜힘이 작용하므로 속도-시간 그래프는 기울기가 (−)인 직선 모양이다. 이때 물체에 작용한 힘의 크기는 0~5초 때보다 2배 크므로 가속도의 크기도 2배가 된다. 따라서 물체는 12.5초일 때 속도가 0이 되고, 이후에는 속도가 (−)값을 갖는다.

03 속도-시간 그래프에서 기울기는 가속도를 나타낸다. 물체에 작용하는 알짜힘의 크기가 일정할 때 물체의 질량이 2배, 3배, …로 증가하면 속도-시간 그래프의 기울기는 $\frac{1}{2}$배, $\frac{1}{3}$배, …로 감소한다. 따라서 가속도의 크기는 질량에 반비례한다는 것을 알 수 있다. 반비례 그래프는 기울기가 (−)값을 갖고, 기울기의 절댓값이 감소하는 곡선 모양이다.

04 ㄱ. 속도-시간 그래프에서 기울기는 가속도를 나타낸다. 따라서 가속도의 크기는 $\frac{6\ \text{m/s}-2\ \text{m/s}}{5\ \text{s}}=0.8\ \text{m/s}^2$이다.

바로 알기 ㄴ. 운동 방정식인 $F=ma$를 통해 물체에 작용하는 알짜힘을 구하면 $4\ \text{kg}\times0.8\ \text{m/s}^2=3.2\ \text{N}$이다.

ㄷ. 속도-시간 그래프에서 그래프와 시간축이 이루는 넓이는 변위를 나타낸다. 이때 물체는 직선 운동을 하므로 변위의 크기와 이동 거리가 같다. 따라서 0~5초 동안 물체가 이동한 거리는 다음과 같다.

$\frac{1}{2}\times(2+6)\times5=20(\text{m})$

05 ㄱ. 물체의 질량이 일정할 때 가속도의 크기는 작용한 알짜힘의 크기에 비례하므로, 가속도의 크기는 5초~6초 동안이 가장 크다.

ㄴ. 0~3초 동안 물체에 작용하는 알짜힘이 일정하므로 운동 방정식인 $F=ma$에 의해 가속도는 $\frac{2}{m}$이다. 따라서 1초일 때 속도는 $\frac{2}{m}$이고, 3초일 때 속도는 $\frac{6}{m}$이다. 3초~5초 동안 물체에 작용하는 알짜힘이 0이므로 속도는 일정하다. 5초~6초 동안 물체에 운동 반대 방향으로 알짜힘이 작용하므로 속도는 감소한다. 이때 가속도는 $-\frac{4}{m}$이므로 속도는 $\frac{4}{m}$만큼 감소한다. 따라서 6초일 때 속도는 $\frac{6}{m}-\frac{4}{m}=\frac{2}{m}$이므로 1초일 때 속력과 6초일 때 속력은 같다.

ㄷ. 0~2초 동안 평균 속도는 $\frac{2}{m}$이므로 이동 거리는 $\frac{2}{m}\times2=\frac{4}{m}$이다. 5초~6초 동안 평균 속도는 $\frac{4}{m}$이므로 이동 거리는 $\frac{4}{m}\times1=\frac{4}{m}$이다. 따라서 0~2초 동안 이동한 거리는 5초~6초 동안 이동한 거리와 같다.

[별해] ㄷ. 물체는 가속도가 일정한 등가속도 직선 운동을 하므로 등가속도 직선 운동 식인 $s=v_0t+\frac{1}{2}at^2$을 통해 물체의 이동 거리를 구하면 다음과 같다.

• 0~2초 동안 이동 거리: $\frac{1}{2}\times\frac{2}{m}\times2^2=\frac{4}{m}$

• 5초~6초 동안 이동 거리: $\frac{6}{m}\times1+\frac{1}{2}\times\left(-\frac{4}{m}\right)\times1^2=\frac{4}{m}$

따라서 0~2초 동안 이동한 거리는 5초~6초 동안 이동한 거리와 같다.

06 • 0~2초: 물체에는 연직 위 방향으로 30 N의 힘이 작용하고, 연직 아래 방향으로 $2\ \text{kg}\times10\ \text{m/s}^2=20\ \text{N}$의 중력이 작용한다. 이때 물체에 작용하는 알짜힘은 30 N−20 N=10 N이다. 운동 방정식인 $F=ma$를 통해 가속도 a를 구하면 $a=\frac{F}{m}=\frac{10\ \text{N}}{2\ \text{kg}}=5\ \text{m/s}^2$이다. 따라서 2초일 때 속도는 10 m/s이고, 0~2초 동안 평균 속도는 5 m/s이므로 이동 거리는 5 m/s×2 s=10 m이다.

• 2초~4초: 물체에 작용하는 알짜힘은 20 N−20 N=0이다. 따라서 물체는 2초~4초 동안 속도가 10 m/s로 일정한 운동을 하므로 이동 거리는 10 m/s×2 s=20 m이다.

• 4초 이후: 물체에는 중력만 작용하므로 물체에 작용하는 알짜힘은 −20 N이다. 4초일 때 속도는 10 m/s이고, 가속도 a를 구하면 $a=\frac{F}{m}=\frac{-20\ \text{N}}{2\ \text{kg}}=-10\ \text{m/s}^2$이다. 물체는 최고점에서 속도가 0이 되므로 물체가 최고점에 도달하는 데 걸린 시간을 t라고 할 때 $10-10t=0$에서 $t=1$이다. 즉, 물체는 5초일 때 속도가 0이 되고, 최고점에 도달한다. 4초~5초 동안 평균 속도는 5 m/s이므로 이동 거리는 5 m/s×1 s=5 m이다.

따라서 물체가 올라간 최고 높이는 다음과 같다.

10 m+20 m+5 m=35 m

[별해] 물체가 최고점에 도달할 때까지 구간별로 가속도를 구하여 속도-시간 그래프를 그리면 다음과 같다.

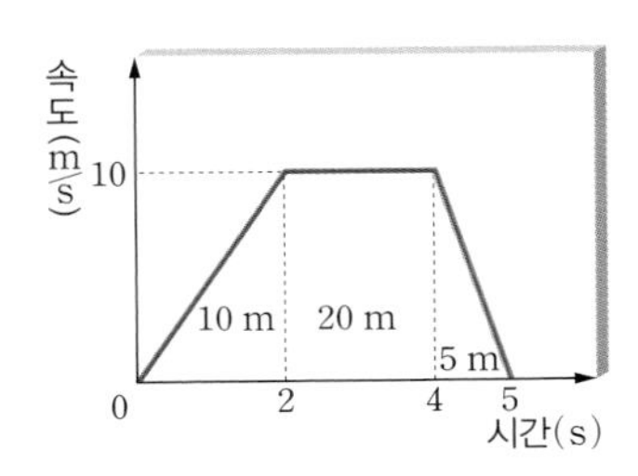

속도-시간 그래프에서 그래프와 시간축이 이루는 넓이는 변위를 나타낸다. 5초 이후에는 속도가 (−)가 되어 변위가 감소하므로, 물체는 5초일 때 최고점에 도달한다. 따라서 물체가 올라간 최고 높이는 10 m+20 m+5 m=35 m이다.

07 ㄴ. (가)와 (나)에서 가속도의 크기를 a라고 하면 (가)에서 B에 작용하는 알짜힘은 용수철저울이 B를 당기는 힘인 6 N이므로 운동 방정식인 $F=ma$에 의해 B의 질량은 $\frac{6}{a}$이다. 마찬가지로 (나)에서 A에 작용하는 알짜힘은 용수철저울이 A를 당기는 힘인 2 N이므로 A의 질량은 $\frac{2}{a}$이다. 따라서 B의 질량은 A의 3배이다.

ㄷ. 물체에 작용하는 알짜힘은 물체의 질량에 가속도를 곱한 값과 같다. (가)와 (나)에서 B의 질량과 가속도의 크기가 같으므로 작용하는 알짜힘의 크기는 같다. (가)에서 B에 작용하는 알짜힘의 크기가 6 N이므로 (나)에서도 B에 작용하는 알짜힘의 크기는 6 N이다.

바로 알기 ㄱ. (가)와 (나)에서 두 물체가 일정한 크기의 힘 F에 의해 함께 운동하는데 전체 질량과 작용한 힘의 크기가 같으므로 가속도의 크기는 같다.

[별해] 물체 A와 B의 질량을 각각 m_A, m_B라고 하고, 가속도를 a라고 할 때 (가)와 (나)에서 운동 방정식은 다음과 같다.

(가) • A의 운동 방정식: $F-6=m_A a$
• B의 운동 방정식: $6=m_B a$

(나) • A의 운동 방정식: $2=m_A a$
• B의 운동 방정식: $F-2=m_B a$

식을 연립하여 풀면 $3m_A=m_B$이고, (나)에서 B에 작용하는 알짜힘은 6 N이다.

08 ㄱ. 물체에 힘이 작용하는 동안 속도의 크기가 감소하므로 힘 F의 방향은 물체의 운동 방향과 반대이다.

ㄴ. 물체에 작용한 힘이 운동 반대 방향으로 일정하므로 물체는 속도가 감소하는 등가속도 직선 운동을 한다. 시간 T 동안 물체의 속도가 $\frac{1}{4}v_0-v_0=-\frac{3}{4}v_0$만큼 변하므로 가속도는 $-\frac{3v_0}{4T}$이다. 운동 방정식인 $F=ma$를 통해 물체에 작용한 알짜힘 F를 구하면 다음과 같다.

$$m\times\left(-\frac{3v_0}{4T}\right)=-\frac{3mv_0}{4T}$$

따라서 F의 크기는 $\frac{3mv_0}{4T}$이다.

바로 알기 ㄷ. PQ 사이에서 물체의 평균 속도는 $\frac{v_0+\frac{1}{4}v_0}{2}=\frac{5}{8}v_0$이고, PQ 사이의 거리는 $\frac{5}{8}v_0T$이다.

09 ㄱ. 속력-시간 그래프에서 기울기는 가속도의 크기를 나타낸다. 따라서 서로 미는 동안 A의 가속도의 크기는 B의 2배이다.

바로 알기 ㄴ. A와 B가 서로 주고받는 힘은 작용 반작용 관계이므로 서로 미는 힘의 크기는 같다.

ㄷ. 물체에 작용한 알짜힘의 크기가 일정할 때 가속도의 크기는 물체의 질량에 반비례한다. 따라서 A의 가속도의 크기는 B의 2배이므로 A의 질량은 B의 $\frac{1}{2}$배이다.

10 ㄱ. 질량이 m인 물체의 무게(중력)는 mg이다. 지구가 물체에 작용하는 중력의 반작용으로 물체도 지구를 끌어당긴다.

ㄴ. A가 B를 mg의 힘으로 누르면 반작용으로 B도 A를 같은 크기의 힘으로 밀어올린다.

바로 알기 ㄷ. 지면이 B의 밑면을 밀어올리는 힘의 크기는 두 물체의 무게의 합인 $(m+M)g$이다.

11 ㄴ. (나)에서 자석 A와 B 사이의 자기력은 작용 반작용 관계이므로 자기력의 크기는 같다.

바로 알기 ㄱ. (나)에서 용수철이 줄어든 것으로 보아 (가)에서는 A와 B가 서로 끌어당기는 것을 알 수 있다. 따라서 (가)에서 A에 작용하는 힘은 탄성력, 중력, 자기력이며, 탄성력은 중력과 자기력을 더한 값과 평형을 이룬다.

ㄷ. (가)에서 A와 B 사이에는 서로 끌어당기는 힘인 인력이 작용하므로 B가 연직 위 방향으로 자기력을 받게 된다. 따라서 B가 수평면을 누르는 힘은 중력에서 자기력을 뺀 값과 같다. 그러나 (나)에서는 서로 밀어내는 힘인 척력이 작용하므로 B가 연직 아래 방향으로 자기력을 받게 된다. 따라서 B가 수평면을 누르는 힘은 중력과 자기력을 더한 값과 같다.

12 ㄱ. 물체 A, B, C는 A에 작용하는 18 N의 힘에 의해 함께 운동한다. 이때 운동 방정식인 $F=ma$를 통해 가속도 a를 구하면 다음과 같다.

$a=\frac{F}{m}=\frac{18\ \text{N}}{(1+2+3)\ \text{kg}}=3\ \text{m/s}^2$

ㄴ. B에 작용하는 알짜힘의 크기는 $2\ \text{kg}\times 3\ \text{m/s}^2=6\ \text{N}$이다.

바로 알기 ㄷ. C가 B에 작용하는 힘의 크기는 C에 작용하는 알짜힘의 크기와 같으므로 $3\ \text{kg}\times 3\ \text{m/s}^2=9\ \text{N}$이다.

13 B의 무게가 10 N이고, 중력 가속도가 $10\ \text{m/s}^2$이므로 B의 질량은 1 kg이다. 이때 운동 방정식인 $F=ma$를 통해 A의 질량 m을 구하면 다음과 같다.

• (가)에서 B의 무게 10 N에 의해 A와 B가 함께 운동하므로 가속도의 크기는 같다. 이때 A와 B의 가속도의 크기를 $a_{(가)}$라고 하면 $a_{(가)}=\frac{10}{m+1}$이다.

• (나)에서 10 N에 의해 A가 끌려가므로 A의 가속도의 크기를 $a_{(나)}$라고 하면 $a_{(나)}=\frac{10}{m}$이다.

이때 $a_{(가)}$가 $a_{(나)}$의 $\frac{1}{3}$배이므로 질량 m을 구하면 다음과 같다.

$\frac{10}{m+1}=\frac{1}{3}\times\frac{10}{m}$

따라서 $m=0.5\ \text{kg}$이다.

14 ㄴ. 속력-시간 그래프에서 기울기는 가속도의 크기를 나타내므로 0~2초 동안 가속도의 크기는 $2.5\ \text{m/s}^2$이고, 2초~3초 동안 가속도의 크기는 $5\ \text{m/s}^2$이다. 2초일 때 전동기와 A를 연결한 실이 끊어지므로 2초~3초 동안 전동기는 A에 힘을 작용하지 않는다. 이때 B에 작용하는 중력에 의해 A와 B가 함께 운동하므로 운동 방정식인 $F=ma$를 통해 B의 질량 m을 구하면 다음과 같다.

$5\ \text{m/s}^2=\frac{m\times 10\ \text{m/s}^2}{1\ \text{kg}+m}$

따라서 $m=1\ \text{kg}$이다.

바로 알기 ㄱ. 운동 방향이 반대가 되기 위해서는 물체가 정지한 후 반대 방향으로 움직여야 하므로 속력이 0이 되는 순간이 있어야 한다. 그러나 그래프에서 속력이 0인 순간이 없으므로 운동 방향은 변하지 않는다. 즉, 0~2초 동안 전동기가 당기는 힘에 의해 A와 B가 함께 운동하다가 실이 끊어진 후에는 B가 A를 당기는 힘에 의해 속력이 감소하지만 운동 방향은 변하지 않는다.

ㄷ. 0~2초 동안 물체의 가속도의 크기는 $2.5\ \text{m/s}^2$이고, 물체에 작용하는 알짜힘은 전동기가 A를 당기는 힘에서 B의 무게를 뺀 값과 같다. 이때 전동기가 A를 당기는 힘을 F라고 하면 $F-10\ \text{N}=(1\ \text{kg}+1\ \text{kg})\times 2.5\ \text{m/s}^2$이므로 $F=15\ \text{N}$이다.

[별해] B의 질량을 m, 전동기가 A를 당기는 힘을 F라고 하자. 0~2초 동안 가속도의 크기는 $2.5\ \text{m/s}^2$이고, 실이 A와 B를 당기는 힘을 $T_{(가)}$라고 할 때 운동 방정식은 다음과 같다.

• A의 운동 방정식: $F-T_{(가)}=1\ \text{kg}\times 2.5\ \text{m/s}^2$

• B의 운동 방정식: $T_{(가)}-m\times 10\ \text{m/s}^2=m\times 2.5\ \text{m/s}^2$

2초~3초 동안 가속도의 크기는 $5\ \text{m/s}^2$이고, 실이 A와 B를 당기는 힘을 $T_{(나)}$라고 할 때 운동 방정식은 다음과 같다.

• A의 운동 방정식: $T_{(나)}=1\ \text{kg}\times 5\ \text{m/s}^2$

• B의 운동 방정식: $m\times 10\ \text{m/s}^2-T_{(나)}=m\times 5\ \text{m/s}^2$

식을 연립하여 풀면 $T_{(가)}=12.5\ \text{N}$, $T_{(나)}=5\ \text{N}$, $m=1\ \text{kg}$, $F=15\ \text{N}$이다.

15 ㄱ. (가)에서 A와 B는 모두 정지해 있으므로 각 물체에 작용하는 알짜힘은 0이다. 이때 B에는 연직 아래 방향으로 40 N의 중력이 작용하는데, B에 작용하는 알짜힘은 0이므로 실이 B를 당기는 힘의 크기는 B에 작용하는 중력과 같은 40 N이다. 실이 B를 당기는 힘이 40 N이므로 실이 A를 당기는 힘도 40 N이다.

바로 알기 ㄴ. (나)에서 B에 작용하는 중력에 의해 A와 B가 함께 운동하므로 가속도의 크기가 같다. 운동 방정식인 $F=ma$를 통해 가속도의 크기 a를 구하면 $a=\frac{F}{m}=\frac{40\ \text{N}}{1\ \text{kg}+4\ \text{kg}}=8\ \text{m/s}^2$이다. 이때 B에 작용하는 알짜힘은 $4\ \text{kg}\times 8\ \text{m/s}^2=32\ \text{N}$이므로 실이 B를 당기는 힘의 크기는 $40\ \text{N}-32\ \text{N}=8\ \text{N}$이다.

ㄷ. (나)에서 A와 B는 가속도가 일정한 등가속도 직선 운동을 한다. B가 4 m 낙하했을 때 시간을 t라고 하면 등가속도 직선 운동 식인 $v=v_0+at$를 통해 B가 4 m 낙하했을 때 속력 v를 구하면 $v=8t$이다. 이때 t초 동안 평균 속력은 $4t$이고, 이동 거리는 $4t\times t=4$이므로 $t=1$이다. 따라서 $v=8\ \text{m/s}$이다.

[별해] ㄷ. (나)에서 등가속도 직선 운동 식인 $2as=v^2-v_0^2$을 통해 B가 4 m 낙하했을 때 속력 v를 구하면 다음과 같다.

$v^2=2\times 8\ \text{m/s}^2\times 4\ \text{m}$

따라서 $v=8\ \text{m/s}$이다.

16 ㄱ. 2초~3초 동안 물체 A와 B의 속력이 일정하므로 물체에 작용하는 알짜힘은 0이다. 즉, A와 B의 질량은 같고, A에 힘 F를 작용할 때 세 물체는 정지해 있으므로 C의 중력의 크기는 힘 F의 크기와 같다.

ㄴ. 속력-시간 그래프에서 기울기는 가속도의 크기를 나타낸다. 따라서 1초일 때 A의 가속도의 크기는 4 m/s^2이고, A와 줄로 연결되어 함께 운동하는 B와 C의 가속도의 크기도 A와 같다. A와 B의 질량을 m, C의 질량을 M이라고 할 때 운동 방정식은 다음과 같다.

$M \times 10 = (2m + M) \times 4$

따라서 $m = \frac{3}{4}M$이므로 질량은 A가 C의 $\frac{3}{4}$배이다.

바로 알기 ㄷ. 1초일 때 실 p, q가 당기는 힘의 크기를 각각 T_p, T_q라고 할 때 B의 운동 방정식은 다음과 같다.

$m \times 10 + T_q - T_p = m \times 4$

따라서 $T_p = T_q + 6m$이므로 p가 B를 당기는 힘의 크기는 q가 B를 당기는 힘의 크기보다 크다.

03 운동량과 충격량

집중 분석 1권 63쪽

유제 ②

유제 ㄴ. 힘-시간 그래프에서 그래프와 시간축이 이루는 넓이는 충격량을 나타낸다. 자동차가 콘크리트 벽과 짚더미에 충돌하기 직전 속도가 같고 충돌한 후 자동차는 모두 정지하므로 충돌하는 동안 두 자동차의 운동량의 변화량은 같다. 충격량은 운동량의 변화량과 같으므로 S_A와 S_B는 같다.

바로 알기 ㄱ. 자동차가 콘크리트 벽에 충돌할 때는 비교적 짧은 시간 동안 힘을 받고, 짚더미에 충돌할 때는 비교적 긴 시간 동안 힘을 받는다. 따라서 콘크리트 벽에 충돌할 때 자동차가 받은 힘의 크기를 나타낸 그래프는 A이다.

ㄷ. 두 자동차가 받은 충격량은 같지만 충돌하는 동안 힘이 작용한 시간은 B가 더 크므로 충격력은 B가 A보다 작다.

탐구 확인 문제 1권 64쪽

01 ④ **02** (1) $\frac{1}{2}v$ (2) 해설 참조

01 두 수레가 충돌할 때 충돌 전후 운동량의 합은 보존된다. 충돌 후 B의 속도를 v라고 할 때 운동량 보존 법칙을 적용하면 다음과 같다.

$2\ \text{kg} \times 0.2\ \text{m/s} + 0 = 2\ \text{kg} \times 0.1\ \text{m/s} + 1\ \text{kg} \times v$

따라서 $v = 0.2$ m/s이다.

02 (1) 두 수레가 충돌할 때 충돌 전후 운동량의 합은 보존된다. 충돌 후 A, B의 속도를 v'이라고 할 때 운동량 보존 법칙을 적용하면 다음과 같다.

$mv + 0 = (m + m)v'$

따라서 $v' = \frac{1}{2}v$이다.

(2) A의 운동량은 충돌 전 mv, 충돌 후 $\frac{1}{2}mv$이므로 충돌 후 운동량이 감소한다. B의 운동량은 충돌 전 0, 충돌 후 $\frac{1}{2}mv$이므로 충돌 후 운동량이 증가한다. 그러나 A, B가 충돌하는 동안 A, B 사이에서만 힘이 작용하므로 전체 운동량은 보존된다. 따라서 충돌 전후 운동량의 합은 일정하다.

모범 답안 (2) 충돌 후 A의 운동량은 감소하고, B의 운동량은 증가한다. 하지만 충돌 전후 A와 B의 운동량의 합은 일정하게 보존된다.

	채점 기준	배점(%)
(2)	A, B의 운동량의 변화량과 운동량 보존 법칙에 의해 운동량의 합이 보존된다는 것을 옳게 설명한 경우	100
	A, B의 운동량의 변화량이나 운동량의 합 중 한 가지만 옳게 설명한 경우	50

개념 모아 정리하기 1권 67쪽

❶ 크다 ❷ 보존 ❸ 힘 ❹ 같다 ❺ 충격량 ❻ 충격력 ❼ = ❽ > ❾ 충돌 시간

개념 기본 문제 1권 68쪽~69쪽

01 (1) ○ (2) ○ (3) × **02** 10 kg·m/s **03** (1) 12 kg·m/s (2) 24 N **04** $\frac{m_A m_B}{m_A + m_B}v_0$ **05** ㄱ, ㄴ **06** $3mv$ **07** 12 N·s **08** (1) 1.5 N (2) 1.5 m/s^2 (3) 6 N·s **09** ㄱ, ㄷ **10** (1) ○ (2) × (3) ○ **11** ㄱ, ㄷ, ㅁ

01 (1) 오른쪽을 (+)라고 할 때 A의 운동량은 2 kg×(−1 m/s) = −2 kg·m/s이므로 운동량의 크기는 2 kg·m/s이다.

(2) 운동량의 방향은 속도의 방향과 같으므로 A와 B의 운동량의 방향은 반대이다.

(3) B의 운동량은 1 kg×2 m/s=2 kg·m/s이다. 따라서 A와 B의 운동량의 크기는 같지만 방향이 다르므로 운동량은 다르다.

02 처음 속도의 방향인 오른쪽을 (+)라고 하고 물체의 운동량의 변화량을 구하면 다음과 같다.
2 kg×(−4 m/s)−2 kg×1 m/s=−10 kg·m/s
즉, 물체의 운동량 변화량의 크기는 10 kg·m/s이다.

03 (1) 0초일 때 운동량이 0이고, 0.5초일 때 운동량이 2 kg×6 m/s=12 kg·m/s로 증가했으므로 0.5초 동안 변화한 물체의 운동량의 크기는 12 kg·m/s이다.
(2) 물체가 받은 충격량은 운동량의 변화량과 같다. 따라서 충격량 $I=Ft=F\times0.5$ s=12 N·s이므로, $F=24$ N이다.

04 두 수레가 충돌할 때 충돌 전후 운동량의 합은 보존된다. 충돌 후 속도를 v라고 할 때 운동량 보존 법칙을 적용하면 다음과 같다.
$m_{A}v_{0}+0=(m_{A}+m_{B})v$
따라서 $v=\dfrac{m_{A}}{m_{A}+m_{B}}v_{0}$이다. 이때 B가 받은 충격량만큼 B의 운동량이 변하는데 B의 운동량의 변화량은 $m_{B}v$이므로, 충돌하는 동안 B가 받은 충격량의 크기는 $\dfrac{m_{A}m_{B}}{m_{A}+m_{B}}v_{0}$이다.

05 ㄱ. 두 물체가 충돌할 때 충돌 전후 운동량의 합은 보존된다. 충돌 후 B의 속도를 v_{B}라고 할 때 운동량 보존 법칙을 적용하면 다음과 같다.
$m(2v)+2mv=mv+2mv_{B}$
따라서 $v_{B}=1.5v$이다.
ㄴ. 충돌하는 동안 A의 운동량의 변화량이 mv이므로 A가 받은 충격량의 크기도 mv이다.
바로 알기 ㄷ. 충돌하는 동안 A가 받은 충격량과 B가 받은 충격량은 항상 크기가 같고 방향이 반대이다.

06 충돌하는 동안 물체에 작용한 충격량은 운동량의 변화량과 같다. 물체의 운동량의 변화량은 $m\times(-v)-m\times2v=-3mv$이므로 물체에 작용한 충격량의 크기는 $3mv$이다.

07 속도−시간 그래프에서 기울기는 가속도를 나타낸다. 따라서 가속도 $a=\dfrac{4\text{ m/s}}{6\text{ s}}=\dfrac{2}{3}\text{ m/s}^2$이고, 물체에 작용한 힘 $F=ma=3\text{ kg}\times\dfrac{2}{3}\text{ m/s}^2=2$ N이다. 따라서 0~6초 동안 물체가 받은 충격량 $I=Ft=2$ N×6 s=12 N·s이다.
[별해] $I=Ft=\Delta p=mv-mv_{0}=3\text{ kg}\times2\text{ m/s}-3\text{ kg}\times(-2\text{ m/s})=12$ N·s

08 (1) 운동량−시간 그래프에서 기울기는 물체에 작용한 알짜힘을 나타낸다. 1초일 때 기울기가 $\dfrac{3\text{ kg·m/s}}{2\text{ s}}$이므로, 이때 물체에 작용한 알짜힘의 크기는 1.5 N이다.
(2) 세로축 값인 운동량을 질량으로 나누면 속도−시간 그래프가 된다. 따라서 2초~4초 동안 속도가 1.5 m/s에서 4.5 m/s로 3 m/s 증가하므로 가속도는 1.5 m/s²이다. 따라서 3초일 때 가속도의 크기는 1.5 m/s²이다.
(3) 물체에 작용한 충격량은 운동량의 변화량과 같다. 2초~4초 동안 물체의 운동량이 6 kg·m/s만큼 증가하므로 물체에 작용한 충격량의 크기는 6 N·s이다.

09 ㄱ. A와 B는 질량이 같고, 같은 높이에서 떨어지므로 충돌하기 직전 속도가 같다. 즉, 충돌하기 직전 A, B의 운동량이 같고 충돌 직후 A, B는 모두 정지하므로 운동량은 0이 된다. 따라서 충돌하는 동안 A, B의 운동량의 변화량은 같다.
ㄷ. 돌판과 방석에 충돌하는 동안 A와 B가 받은 충격량은 같지만 힘이 작용한 시간이 B가 A보다 크므로 A에 작용한 충격력이 B에 작용한 충격력보다 크다.
바로 알기 ㄴ. A와 B의 운동량의 변화량이 같으므로 A와 B가 받은 충격량은 같다.

10 (1) 힘−시간 그래프에서 그래프와 시간축이 이루는 넓이는 충격량을 나타낸다. 이때 넓이가 mv_{0}이므로 힘이 작용하는 동안 물체가 받은 충격량의 크기는 mv_{0}이다.
(2) 힘이 작용하는 동안 mv_{0}만큼 충격량을 받아 물체의 운동량이 증가하므로, 힘이 작용한 후 물체의 운동량은 $2mv_{0}$이고, 속력은 $2v_{0}$이다.
(3) 힘이 작용하는 동안 물체에 작용한 충격력의 크기는 충격량을 힘이 작용한 시간으로 나눈 $\dfrac{mv_{0}}{T}$이다.

11 ㄱ, ㄷ, ㅁ. B는 충격량이 일정할 때 힘이 작용하는 시간을 길게 하여 충격을 줄이는 방법이다. 자동차가 충돌할 때 가스가 유입되어 순식간에 부풀어 오르는 에어백과 내부가 비어 있고 부서지기 쉬운 소재로 만드는 범퍼, 탄성이 있는 소재를 사용하여 선수를 보호하는 태권도 경기용 보호대는 모두 충돌 시간을 길게 하여 충격력을 줄이는 예이다.
바로 알기 ㄴ, ㄹ. 야구의 타법과 포신을 길게 한 대포는 힘이 작용하는 시간을 길게 하여 충격량을 증가시키는 예이다.

개념 적용 문제 1권 70쪽~76쪽

01 ⑤ 02 ③ 03 ② 04 ③ 05 ② 06 ④ 07 ⑤
08 ④ 09 ③ 10 ③ 11 ② 12 ⑤ 13 ③ 14 ②

01 철수가 수레 위를 달리는 동안 철수와 수레 사이에 작용하는 힘의 크기와 힘이 작용하는 시간이 같으므로 철수와 수레가 받은 충격량의 크기는 같다. 따라서 철수와 수레의 운동량의 합은 보존된다.

(가) 철수와 수레 A가 정지해 있으므로 철수와 수레 A의 운동량의 합은 0이다.

(나) 수레 A의 속력을 v_A라고 할 때 철수의 운동량이 mv이므로 수레 A의 운동량은 $-mv=-5mv_A$이다. 따라서 $v_A=\frac{v}{5}=0.2v$이다.

(다) 수레 B의 속력을 v_B라고 할 때 철수의 운동량이 $0.5mv$만큼 증가하므로 수레 B의 운동량은 $-0.5mv=-5mv_B$이다. 따라서 $v_B=\frac{0.5v}{5}=0.1v$이다.

즉, $\frac{v_A}{v_B}=\frac{0.2v}{0.1v}=2$이다.

02 충돌 전 A는 빗면을 내려오면서 등가속도 직선 운동을 하고, 충돌 후에는 B가 빗면을 올라가면서 등가속도 직선 운동을 한다. 이때 빗면의 경사각이 같으므로 가속도의 크기는 같다. 빗면에서의 가속도를 a, 수평면에서 충돌 전 A의 속도를 v_0, 충돌 후 B의 속도를 v_B라고 할 때 등가속도 직선 운동 식인 $2as=v^2-v_0^2$을 통해 v_B를 구하면 다음과 같다. 이때 s는 빗면에서의 이동 거리이다.

- 충돌 전 A: $v_0^2-0=2as$
- 충돌 후 B: $0-v_B^2=2(-a)(2s)$

따라서 $v_B=\sqrt{2}v_0$이다.

물체가 충돌할 때 충돌 전후 운동량은 보존되므로 운동량 보존 법칙에 적용하면 다음과 같다.

$3mv_0+0=3mv+m\sqrt{2}v_0$

따라서 $v=\left(1-\frac{\sqrt{2}}{3}\right)v_0$이다.

03 ㄱ. 2초일 때 두 물체의 위치가 같으므로 충돌이 일어난다. 위치-시간 그래프에서 기울기는 속도를 나타내므로 충돌 전후 물체의 속도를 구할 수 있다. B의 질량을 m이라고 할 때 충돌 전후 운동량은 보존되므로 운동량 보존 법칙을 적용하면 다음과 같다.

$2\text{ kg}\times2\text{ m/s}+m\times1\text{ m/s}=2\text{ kg}\times\frac{3}{2}\text{ m/s}+m\times2\text{ m/s}$

따라서 $m=1\text{ kg}$이다.

ㄴ. 충돌하는 동안 A의 운동량의 변화량은 다음과 같다.

$3\text{ kg·m/s}-4\text{ kg·m/s}=-1\text{ kg·m/s}$

따라서 A의 운동량 변화량의 크기는 1 kg·m/s이다.

바로 알기 ㄷ. 충돌하는 동안 A와 B가 받은 충격량은 항상 크기가 같고 방향이 반대이다.

04 ㄱ. t_1에서 t_2까지 같은 크기의 힘이 작용하는데 속도 변화량은 A가 $2v$, B가 $-v$로, 속도 변화량의 크기는 A가 B의 2배이다. 즉, t_1에서 t_2 사이의 가속도의 크기는 A가 B의 2배이다. 물체에 힘이 작용할 때 가속도의 크기는 질량에 반비례하므로, 질량은 A가 B의 $\frac{1}{2}$배이다.

ㄷ. t_1에서 t_2까지 A는 속도가 증가하고, B는 속도가 감소하므로 A와 B에 작용한 힘의 방향은 반대이다.

바로 알기 ㄴ. t_1에서 t_2까지 A, B에 작용한 힘의 크기와 힘이 작용한 시간이 같으므로 충격량이 같다. 따라서 운동량 변화량의 크기도 같다.

05 ㄴ. 용수철이 팽창하면서 수레 A와 B 사이에서만 힘이 작용하므로 A와 B의 운동량의 합은 보존된다. (가)에서 A와 B의 운동량의 합은 다음과 같다.

$(m+2m)\times6=18m$

따라서 (나)에서 A와 B의 운동량의 합도 $18m$이다.

바로 알기 ㄱ. 용수철이 팽창한 후 A와 B의 운동량의 합을 구하면 $m\times(-v)+2m\times4v=7mv$이고, 운동량 보존 법칙에 의해 $18m=7mv$이므로 $v=\frac{18}{7}$(m/s)이다.

ㄷ. 물체가 받은 충격량만큼 물체의 운동량은 변한다. A의 운동량의 변화량은 $-\frac{18}{7}m-6m=-\frac{60}{7}m$이므로 A와 B가 받은 충격량의 크기는 $\frac{60}{7}m$으로 같다.

06 ㄴ. (나)에서 B는 지면에 도달할 때까지 등가속도 직선 운동을 한다. 지면에 도달할 때까지 걸린 시간을 T라고 할 때 등가속도 직선 운동 식인 $s=v_0t+\frac{1}{2}at^2$을 통해 T를 구하면 $\frac{1}{2}\times\frac{g}{4}\times T^2=h$이므로 $T=2\sqrt{\frac{2h}{g}}$이다. 따라서 B가 받은 충격량 $I=Ft=\frac{mg}{4}\times2\sqrt{\frac{2h}{g}}=m\sqrt{\frac{gh}{2}}$이다.

ㄷ. 물체에 작용한 충격량은 운동량의 변화량과 같으므로

(나)에서 B가 지면에 도달하는 순간 A의 운동량의 크기는 $m\sqrt{\frac{gh}{2}}$이다.

바로 알기 ㄱ. (가)에서 질량이 m인 B가 정지해 있으므로 실이 B를 당기는 힘은 B의 중력과 같은 mg이다. 동일한 실이 A도 당기고 있으므로 실이 A를 당기는 힘의 크기도 mg이다.

[별해] ㄴ. B가 지면에 도달할 때 속력을 v라고 하고 등가속도 직선 운동 식인 $2as=v^2-v_0^2$을 통해 v를 구하면 $v^2=2\times\frac{g}{4}\times h$이므로 $v=\sqrt{\frac{gh}{2}}$이다. 이 사이에 운동량의 변화량이 $m\sqrt{\frac{gh}{2}}$이므로 B가 받은 충격량도 $m\sqrt{\frac{gh}{2}}$이다.

ㄷ. (나)에서 A와 B는 실로 연결되어 함께 운동하므로 속력이 같다. B가 지면에 도달하는 순간 B의 속력이 $\sqrt{\frac{gh}{2}}$이므로 A의 속력도 $\sqrt{\frac{gh}{2}}$이다. 따라서 A의 운동량은 $m\sqrt{\frac{gh}{2}}$이다.

07 ㄱ, ㄴ. 힘-시간 그래프에서 그래프와 시간축이 이루는 넓이는 충격량을 나타낸다. 이때 두 그래프의 아래 넓이가 같으므로 A와 B가 받은 충격량은 같다. 따라서 운동량의 변화량도 같다.

ㄷ. A와 B의 운동량의 변화량은 같지만 질량이 A가 B보다 크므로 속도 변화량은 A가 B보다 작다. 두 물체는 정지해 있었으므로 힘이 작용한 후 속력은 질량이 큰 A가 B보다 작다.

08 ㄱ. 충돌 전 운동량 $p=mv$이고, 충돌 후 운동량 $p'=0.8p=mv'$에서 $0.8mv=mv'$이므로 $v'=0.8v$이다.

ㄴ. 충격량 $I=Ft=\Delta p=-0.8p-p=-1.8p$

바로 알기 ㄷ. 물체와 벽 사이에 작용하는 힘은 작용 반작용 관계이므로 크기가 같다.

09 ㄱ, ㄴ. 위치-시간 그래프에서 기울기는 속도를 나타내므로 충돌 전 A, B, C의 속도는 각각 3 m/s, 1.5 m/s, −0.5 m/s이다. A와 B가 충돌한 후 두 물체의 위치가 같으므로 충돌 후 두 물체는 함께 운동한다. 이때 속도는 2 m/s이다. 따라서 A의 운동량의 변화량은 $-m$이고, 충격량은 운동량의 변화량과 같으므로 충격량도 $-m$이다. 따라서 A와 B가 충돌하는 동안 A가 받은 충격량의 크기는 m이다.

바로 알기 ㄷ. 물체가 충돌할 때 충돌 전후 운동량은 보존된다. 충돌 후 세 물체는 함께 운동하므로 충돌 후 세 물체의 속도를 v라고 하고 v를 구하면 다음과 같다.

$(m+2m)\times2+m\times(-0.5)=(m+2m+m)v$

따라서 $v=\frac{5.5}{4}=1.375$(m/s)이다.

10 ㄱ. B와 C가 충돌하는 동안 B와 C가 받은 충격량은 크기가 같고 방향이 반대이다. 이때 C가 받은 충격량은 C의 운동량의 변화량과 같으므로 다음과 같다.

$4m\times1.8v-0=7.2mv$

따라서 B가 받은 충격량의 크기도 $7.2mv$이다.

ㄴ. B가 A에 충돌하는 동안 A와 B가 받은 충격량은 크기가 같고 방향이 반대이다. 물체가 받은 충격량만큼 운동량이 변하므로 B의 운동량의 변화량은 A의 운동량의 변화량과 크기가 같고 방향이 반대이다. B가 A에 충돌하는 동안 A의 운동량의 변화량은 다음과 같다.

$m\times(-0.6v)-mv=-1.6mv$

따라서 B의 운동량 변화량의 크기도 $1.6mv$이다.

바로 알기 ㄷ. 물체가 충돌할 때 충돌 전후 운동량은 보존되므로 운동량 보존 법칙을 적용하면 다음과 같다.

$mv+2m(3v)+0=m(-0.6v)+2mv_B+4m(1.8v)$

따라서 $v_B=0.2v$이다.

11 ㄴ. A가 운동을 시작하여 실이 끊어지기 전까지 B의 중력 $3mg$에 의해 A와 B가 함께 운동한다. 이때 가속도를 a라고 하면 $a=\frac{3mg}{m+3m}=\frac{3}{4}g$이다. A가 d만큼 이동했을 때 속도를 v_A라고 할 때 등가속도 직선 운동 식인 $2as=v^2-v_0^2$을 통해 v_A를 구하면 다음과 같다.

$v_A^2=2\times\frac{3}{4}g\times d$

따라서 $v_A=\sqrt{\frac{3}{2}gd}$이고, 이 사이에 A가 받은 충격량은 운동량의 변화량과 같으므로 충격량의 크기는 $m\sqrt{\frac{3}{2}gd}$이다.

바로 알기 ㄱ. (가)에서 B는 정지해 있으므로 B에 작용하는 합력이 0이다. 따라서 실이 B를 당기는 힘의 크기는 $3mg$이다. 이때 실이 A를 당기는 힘의 크기도 $3mg$이므로 A에 작용하는 합력이 0이 되기 위해서는 F의 크기도 $3mg$이어야 한다.

ㄷ. 실이 끊어지고 A는 $\sqrt{\frac{3}{2}gd}$의 속도로 등속 직선 운동을 하고, B는 가속도가 g인 등가속도 직선 운동을 한다. 실이 끊어지기 전까지 A와 B는 함께 운동하므로 실이 끊어지는 순간 B의 속도는 $\sqrt{\frac{3}{2}gd}$이고, 1초 후 B의 속도를 v_B라고 할

때 등가속도 직선 운동 식인 $v=v_0+at$을 통해 v_B를 구하면 다음과 같다.

$v_B=\sqrt{\frac{3}{2}gd}+g$

1초 후 A와 B의 운동량을 구하면 다음과 같다.

• A의 운동량: $m\sqrt{\frac{3}{2}gd}$

• B의 운동량: $3m\left(\sqrt{\frac{3}{2}gd}+g\right)$

따라서 B의 운동량의 크기는 A의 운동량의 크기보다 $2m\sqrt{\frac{3}{2}gd}+3mg$만큼 크다.

12 ㄱ. 손으로 잡고 있던 C를 놓아 낙하시키면 C는 정지 상태에서 자유 낙하하여 높이 h만큼 떨어진 후 B와 충돌한다. 이때 C는 가속도가 g인 등가속도 직선 운동을 하므로 충돌할 때까지 걸린 시간을 T라고 하고 등가속도 직선 운동 식인 $s=v_0t+\frac{1}{2}at^2$을 통해 T를 구하면 $\frac{1}{2}gT^2=h$이므로 $T=\sqrt{\frac{2h}{g}}$이다. 따라서 C는 $\sqrt{\frac{2h}{g}}$초일 때 B와 충돌한다.

ㄴ. C가 B에 충돌할 때 속도를 v라고 할 때 등가속도 직선 운동 식인 $2as=v^2-v_0{}^2$을 통해 v를 구하면 $v^2=2gh$이므로 $v=\sqrt{2gh}$이다. C가 B에 충돌한 후 세 물체는 함께 운동한다. 이때 속도를 v'이라고 할 때 C가 B에 충돌하기 전후 전체 운동량은 보존되므로 $2m\sqrt{2gh}=(m+m+2m)v'$이다. 따라서 $v'=\sqrt{\frac{gh}{2}}$이다.

ㄷ. C와 B가 함께 운동하는 동안은 B와 C의 무게의 합과 A의 무게 차이에 의해 세 물체가 함께 등가속도 직선 운동을 한다. 따라서 가속도 $a=\frac{2mg}{4m}=\frac{g}{2}$이다. 이때 A에 작용하는 알짜힘은 $m\times\frac{g}{2}=\frac{mg}{2}$이다. 이는 실이 A를 당기는 힘인 장력에서 A의 무게를 뺀 값과 같으므로 실이 A를 당기는 힘의 크기는 $\frac{mg}{2}+mg=\frac{3mg}{2}$이다.

13 ㄱ, ㄷ. 물체끼리 충돌하는 동안 물체들 사이에서만 힘이 작용하므로 전체 운동량은 보존된다. A와 B가 충돌한 후 속도를 v'이라고 할 때 $mv=(m+2m)v'$이므로 $v'=\frac{v}{3}$이다. B와 C가 충돌한 후 세 물체는 함께 운동한다. 이때 속도를 v''이라고 하면 $mv=(m+2m+3m)v''$이므로 $v''=\frac{v}{6}$이다.

A가 B에 충돌하는 데 걸린 시간은 $\frac{d}{v}$이고, B가 C에 충돌하는 데 걸린 시간은 $\frac{d}{\frac{v}{3}}=\frac{3d}{v}$이다. 즉, A가 B에 충돌하는 데 걸린 시간은 B가 C에 충돌하는 데 걸린 시간의 $\frac{1}{3}$배이다.

바로 알기 ㄴ. A, B, C가 모두 충돌한 후 속도가 $\frac{v}{6}$이므로 B의 운동량은 $2m\times\frac{v}{6}=\frac{mv}{3}$이다. 따라서 운동량의 변화량은 $\frac{mv}{3}$이고, 운동량의 변화량은 충격량과 같으므로 B가 A와 C로부터 받은 충격량의 합도 $\frac{mv}{3}$이다.

14 ㄷ. 자동차가 나무 도막에 충돌하는 동안 받은 충격량은 같지만 힘을 받은 시간이 실험 (가)가 더 길기 때문에 충격력은 실험 (나)에서 더 크다.

바로 알기 ㄱ. 자동차의 질량과 충돌 직전의 속도가 같고, 충돌 후 자동차는 모두 정지하므로 두 자동차의 운동량의 변화량은 같다. 따라서 두 실험에서 감소한 운동량은 같다.

ㄴ. 자동차에 작용한 충격량만큼 운동량이 변하는데 두 실험에서의 운동량의 변화량이 같으므로 충격량도 같다.

통합 실전 문제

1권 78쪽~83쪽

01 ④	02 ③	03 ①	04 ③	05 ③	06 ④
07 ③	08 ①	09 ④	10 ⑤	11 ③	12 ②

01 ㄱ. 속도-시간 그래프에서 그래프와 시간축이 이루는 넓이는 변위를 나타낸다. 0~4초 동안 A는 오른쪽으로 $\frac{1}{2}\times4\times4=8$(m) 이동하였고, B는 왼쪽으로 $\frac{1}{2}\times2\times4=4$(m) 이동하였다. 따라서 4초일 때 A와 B 사이의 거리는 4 m이다.

ㄷ. A는 0~4초 동안 오른쪽으로 8 m, 4초~6초 동안 왼쪽으로 4 m 이동하였으므로 0~6초 동안 오른쪽으로 4 m를 이동한 것이 된다. B는 2초~4초 동안 왼쪽으로 4 m, 4초~6초 동안 왼쪽으로 8 m를 이동하여 0~6초 동안 왼쪽으로 12 m를 이동하였다. 따라서 6초일 때 A와 B가 만난다.

바로 알기 ㄴ. 속도-시간 그래프에서 기울기는 가속도를 나타내므로 2초~4초 동안 A와 B의 가속도는 $-2\ m/s^2$으로 같다. 이때 등가속도 직선 운동 식인 $s=v_0t+\frac{1}{2}at^2$을 통해 A와 B 사이의 거리를 구하면 다음과 같다.

$$B-A=\left(16+\frac{1}{2}\times(-2)\times t^2\right)-\left(4+4t+\frac{1}{2}\times(-2)\times t^2\right)$$
$$=12-4t$$

따라서 A와 B 사이의 거리는 일정하게 감소한다.

02 ㄱ. (가)에서 물체는 빗면을 따라 일직선으로 내려오므로 물체의 운동 방향은 변하지 않는다.

ㄷ. (가)에서는 물체의 속력이 일정하게 증가하고, (나)에서는 물체의 속력이 감소하다가 증가한다. 따라서 물체의 속력은 모두 변한다.

바로 알기 ㄴ. (나)의 최고점에서 물체는 오른쪽으로 움직이므로 최고점에서 속력은 0이 아니다.

03 ㄱ. A와 B는 모두 중력만 받으면서 운동하므로 두 물체의 가속도는 중력 가속도 g로 같다.

바로 알기 ㄴ. 3초일 때 A의 속력은 $3g$이고, B의 속력은 $2g$이므로 A가 B의 1.5배이다.

ㄷ. 등가속도 직선 운동 식인 $s=v_0t+\frac{1}{2}at^2$을 통해 A와 B의 낙하 거리를 구하면 다음과 같다.

- A의 낙하 거리: $s_A=\frac{1}{2}gt^2$
- B의 낙하 거리: $s_B=\frac{1}{2}g(t-1)^2$

따라서 $s_A-s_B=gt-\frac{1}{2}g$ (단, $t>1$)이다. 즉, B가 낙하한 후 A와 B 사이의 거리는 시간에 비례하여 증가한다.

04 ㄱ. B는 등속 직선 운동을 하므로, 기준선을 통과하여 도착선까지 걸린 시간 $t=\frac{s}{v}=\frac{400\ m}{10\ m/s}=40\ s$이며, 이는 A가 걸린 시간과 같다. A의 가속도를 a라고 할 때 등가속도 직선 운동 식인 $s=v_0t+\frac{1}{2}at^2$을 통해 a를 구하면 다음과 같다.

$$400\ m=15\ m/s\times40\ s+\frac{1}{2}\times a\times(40\ s)^2$$

따라서 $a=-0.25\ m/s^2$이고, 크기는 $0.25\ m/s^2$이다.

ㄴ. 도착선을 통과할 때 A의 속도를 v라고 하고 등가속도 직선 운동 식인 $v=v_0+at$를 통해 v를 구하면 다음과 같다.

$$v=15\ m/s-0.25\ m/s^2\times40\ s=5\ m/s$$

바로 알기 ㄷ. 등가속도 직선 운동 식인 $s=v_0t+\frac{1}{2}at^2$과 등속 직선 운동 식인 $s=vt$를 통해 20초 동안 A와 B가 이동한 전체 거리를 구하면 다음과 같다.

- A의 이동 거리: $15\ m/s\times20\ s-\frac{1}{2}\times0.25\ m/s^2\times(20\ s)^2=250\ m$
- B의 이동 거리: $10\ m/s\times20\ s=200\ m$

따라서 20초 동안 이동한 거리는 A가 B보다 크다.

05 ㄱ. 마찰이 없으므로 물체에 작용하는 힘이 알짜힘이 된다. 이때 운동 방정식인 $F=ma$를 통해 물체의 질량을 구하면 다음과 같다.

- A의 질량: $\frac{10\ N}{2\ m/s^2}=5\ kg$
- B의 질량: $\frac{10\ N}{5\ m/s^2}=2\ kg$

따라서 A의 질량 : B의 질량=5 : 2이다.

ㄴ. (다)에서 A와 B의 질량의 합은 7 kg이므로 두 물체의 가속도는 $1\ m/s^2$이다.

바로 알기 ㄷ. (다)에서 A의 가속도가 $1\ m/s^2$이므로 A에 작용하는 알짜힘은 $5\ kg\times1\ m/s^2=5\ N$이다. 따라서 A는 B로부터 왼쪽으로 2 N(=7 N−5 N)의 힘을 받아야 한다.

06 ㄴ, ㄷ. 속력-시간 그래프에서 기울기는 가속도의 크기를 나타낸다. 따라서 철수의 가속도의 크기는 $2\ m/s^2$이고, 영희의 가속도의 크기는 $1\ m/s^2$이다. 이때 운동 방정식인 $F=ma$를 통해 철수가 물체를 미는 힘과 영희가 줄을 당기는 힘을 구하면 다음과 같다.

- 철수가 물체를 미는 힘: $65\ kg\times2\ m/s^2=130\ N$
- 영희가 줄을 당기는 힘: $50\ kg\times1\ m/s^2=50\ N$

즉, 물체에는 180 N의 힘이 작용한다. 이때 물체의 가속도 a를 구하면 다음과 같다.

$$a=\frac{F}{m}=\frac{180\ N}{60\ kg}=3\ m/s^2$$

바로 알기 ㄱ. 철수가 물체를 오른쪽으로 밀면 그 반작용으로 철수는 왼쪽으로 힘을 받는다. 또, 영희가 물체를 오른쪽으로 당기면 그 반작용으로 영희는 왼쪽으로 힘을 받는다. 따라서 철수와 영희는 모두 왼쪽으로 운동한다.

07 ㄱ. (가)에서 A와 B가 정지해 있으므로 A와 B의 질량은 같다.

ㄴ. (나)에서 A와 B는 힘 F에 의해 함께 등가속도 직선 운동을 한다. 이때 운동 방정식인 $F=ma$를 통해 두 물체의 가속도 a를 구하면 $a=\frac{F}{2m}$이다. B가 h만큼 내려와 A와 B

의 높이가 같아진 순간 A의 속력을 v라고 할 때 등가속도 직선 운동 식인 $2as=v^2-v_0^2$을 통해 v를 구하면 다음과 같다.

$$v^2-0=2\times\frac{F}{2m}\times h$$

따라서 $v=\sqrt{\frac{Fh}{m}}$이다.

바로 알기 ㄷ. (나)에서 B에는 연직 위 방향으로 장력 T, 연직 아래 방향으로 중력 mg와 외력 F가 작용한다. 이때 B의 가속도 a는 $\frac{F}{2m}$이므로 운동 방정식인 $F=ma$에 대입하면 $mg+F-T=m\times\frac{F}{2m}$의 식이 성립한다.

따라서 실이 B를 당기는 힘인 $T=mg+\frac{F}{2}$이다.

08 ㄱ. A, B, C가 함께 운동하므로 세 물체의 가속도의 크기는 같다. 이때 가속도를 a라고 할 때 물체의 운동 방정식은 다음과 같다.

- A: $3\text{ kg}\times10\text{ m/s}^2-T_1=3\text{ kg}\times a$ …… ㉠
- B: $T_1-T_2=5\text{ kg}\times a$ …… ㉡
- C: $T_2-2\text{ kg}\times10\text{ m/s}^2=2\text{ kg}\times a$ …… ㉢

식 ㉠, ㉢에서 T_1, T_2를 구하여 ㉡에 대입하면 다음과 같다.

$(30-3a)-(2a+20)=5a$

따라서 $a=1\text{ m/s}^2$이다.

바로 알기 ㄴ. 가속도의 값을 ㉠, ㉢에 대입하면 $T_1=27$ N, $T_2=22$ N이다.

ㄷ. 세 물체의 가속도의 크기가 같으므로 알짜힘의 크기는 질량에 비례한다.

09 ㄱ. 위치-시간 그래프에서 기울기는 속도를 나타낸다. 따라서 충돌 전 A의 속도는 1 m/s이고, 충돌 후 A의 속도는 $\frac{1}{3}$ m/s, B의 속도는 $\frac{4}{3}$ m/s이다. B의 질량을 m이라고 할 때 운동량 보존 법칙을 적용하면 다음과 같다.

$$2\text{ kg}\times1\text{ m/s}+0=2\text{ kg}\times\frac{1}{3}\text{ m/s}+m\times\frac{4}{3}\text{ m/s}$$

따라서 $m=1$ kg이다.

ㄷ. B와 C가 충돌 후 한 덩어리가 되었을 때 속도를 V라고 하고 운동량 보존 법칙에 적용하면 다음과 같다.

$$1\text{ kg}\times\frac{4}{3}\text{ m/s}+0=(1+1)\text{kg}\times V$$

따라서 $V=\frac{2}{3}$ m/s이다.

바로 알기 ㄴ. B가 받은 충격량의 크기는 A가 받은 충격량의 크기와 같고, 이는 A의 운동량의 변화량과 같다.

10 ㄴ. 힘-시간 그래프에서 그래프와 시간축이 이루는 넓이는 충격량을 나타내고, 물체가 받은 충격력의 크기는 $\frac{\text{충격량}}{\text{충돌 시간}}$이다. 따라서 테니스공이 받은 충격력은 충격량이 더 크고, 충돌 시간이 더 짧은 A가 더 크다.

ㄷ. 물체에 작용한 충격량은 운동량의 변화량과 같다. 테니스공의 질량을 M, 나무판이나 모래판에 충돌하기 직전 속도를 V, 나무판에서 튀어 오를 때 속도를 $-v$라고 할 때 테니스공이 받은 충격량을 구하면 다음과 같다.

- A가 받은 충격량: $M(-v)-MV=-M(v+V)$
- B가 받은 충격량: $0-MV=-MV$

따라서 충돌 전후 테니스공의 운동량 변화량의 크기는 A가 더 크다.

바로 알기 ㄱ. 테니스공의 운동량 변화량의 크기는 A가 더 크므로, 테니스공이 받은 충격량도 A가 더 크다.

11 ㄱ. 힘-시간 그래프에서 그래프와 시간축이 이루는 넓이는 충격량을 나타내며 A는 B로부터 운동 반대 방향으로 충격량을 받는다. 이때 물체에 작용한 충격량은 운동량의 변화량과 같으므로 충돌 후 A의 속력을 v라고 할 때 v를 구하면 다음과 같다.

$$-Ft=mv-mv_0$$

$$mv=-Ft+mv_0=-\frac{2}{3}mv_0+mv_0=\frac{1}{3}mv_0$$

따라서 $v=\frac{1}{3}v_0$이다.

ㄴ. 운동량 보존 법칙에 의해 충돌 후 운동량 합의 크기는 충돌 전 운동량 합의 크기인 mv_0와 같다.

바로 알기 ㄷ. 충돌하는 동안 A와 B 사이에 작용하는 힘의 크기와 충돌 시간이 같으므로 충격량의 크기는 같다. 즉, 충돌하는 동안 B가 받은 충격량의 크기는 $\frac{2}{3}mv_0$이다.

12 ㄱ, ㄴ. 운동량 보존 법칙에 의해 (가)와 (나)에서 전체 운동량은 일정하게 보존된다. (나)에서 전체 질량이 증가하므로 수레의 속도는 감소하여 (가)에서의 수레의 속도보다 작아진다.

바로 알기 ㄷ. 모래주머니가 수레에 접촉하는 순간부터 수레 위에 완전히 놓일 때까지 수레의 속력은 감소하고 모래주머니의 속력은 증가하여 결국 두 물체의 속력이 같아지므로 두 물체가 함께 움직인다. 이때 수레의 속력이 감소하므로 수레에 작용하는 알짜힘은 0이 아니다.

사고력 확장 문제

1권 84쪽~87쪽

01 **모범 답안** (1) 속력 $v=\sqrt{144-t^2}$을 제곱하면 $v^2+t^2=12^2$이 되는데 이는 원의 방정식이다. 따라서 속도-시간 그래프에서 그래프는 반지름이 12인 원을 나타낸다. 또한, 자전거는 직선 운동을 하므로 변위와 이동 거리가 같다. 자전거가 이동한 거리 s는 속도-시간 그래프에서 그래프와 시간축이 이루는 넓이와 같으므로 다음과 같다.

$$s=\frac{1}{4}\times\pi\times12^2=113.04(\text{m})$$

이때 평균 속력 $\bar{v}=\frac{s}{\Delta t}=\frac{113.04\text{ m}}{12\text{ s}}=9.42\text{ m/s}$이다.

(2) 자전거의 평균 가속도 $\bar{a}$는 다음과 같다.

$$\bar{a}=\frac{\Delta v}{\Delta t}=\frac{0-12\text{ m/s}}{12\text{ s}-0}=-1\text{ m/s}^2$$

	채점 기준	배점(%)
(1)	이동 거리를 통해 평균 속력을 옳게 구한 경우	50
	이동 거리는 옳게 구하였으나 평균 속력을 옳게 구하지 못한 경우	30
(2)	평균 가속도를 풀이 과정과 함께 옳게 구한 경우	50
	풀이 과정이나 정답 한 가지만 옳게 구한 경우	30

02 **모범 답안** (1) A와 B는 등가속도 직선 운동을 한다. 따라서 등가속도 직선 운동 식인 $s=v_0t+\frac{1}{2}at^2$을 통해 A와 B의 이동 거리를 구하면 다음과 같다. 시간 T 동안 A의 이동 거리는 $v_0T-\frac{1}{2}gT^2$이고, B의 이동 거리는 $\frac{1}{2}gT^2$이다. A와 B가 만나는 순간 이동 거리의 합이 PQ 사이의 거리이므로, PQ 사이의 거리는 $v_0T-\frac{1}{2}gT^2+\frac{1}{2}gT^2=v_0T$이다.

(2) 등가속도 직선 운동 식인 $v=v_0+at$를 통해 T를 구하면 다음과 같다. A와 B가 만나는 순간 B의 속력이 $3v_0$이므로 $3v_0=0+gT$에서 $T=\frac{3v_0}{g}$이다. 이때 A의 속도 v_A는 다음과 같다.

$$v_A=v_0-gT=v_0-g\frac{3v_0}{g}=-2v_0$$

즉, A는 A와 B가 만나는 순간 연직 아래 방향으로 $2v_0$의 속력으로 운동한다.

(3) A가 최고점에 도달한 시간을 t라고 할 때 최고점에서 A의 속도가 0이므로 $v_0-gt=0$에서 $t=\frac{v_0}{g}$이다. 따라서 시간 t 동안 A와 B가 운동한 변위의 합은 다음과 같다.

$$v_0t-\frac{1}{2}gt^2+\frac{1}{2}gt^2=v_0t=\frac{v_0^2}{g}$$

이때 A가 최고점에 도달한 순간 A와 B 사이의 거리는 PQ 사이의 거리에서 A와 B의 변위의 합을 뺀 값과 같다.

따라서 $v_0T-\frac{v_0^2}{g}=v_0\frac{3v_0}{g}-\frac{v_0^2}{g}=\frac{2v_0^2}{g}$이다.

	채점 기준	배점(%)
(1)	A와 B의 변위를 통해 PQ 사이의 거리를 옳게 구한 경우	30
	A와 B의 변위는 옳게 구하였으나 PQ 사이의 거리를 옳게 구하지 못한 경우	10
(2)	A와 B가 만나는 시간을 통해 A의 속도를 옳게 구한 경우	30
	A와 B가 만나는 시간은 옳게 구하였으나 A의 속도를 옳게 구하지 못한 경우	10
(3)	A가 최고점에 도달한 시간을 통해 A와 B 사이의 거리를 옳게 구한 경우	40
	A가 최고점에 도달한 시간은 옳게 구하였으나 A와 B 사이의 거리를 옳게 구하지 못한 경우	20

03 **모범 답안** (1) 두 사람에게 작용하는 줄의 장력은 같다. 줄의 장력을 T라고 할 때 영희의 가속도를 a'이라고 하고, 철수와 영희의 운동 방정식을 세우면 다음과 같다.

철수: $T-mg=ma$, 영희: $T-mg=ma'$

따라서 $a'=a$이므로 영희의 가속도는 철수의 가속도와 같다.

(2) 두 사람은 정지 상태에서 같은 가속도로 운동하므로, 철수가 올라간 만큼 영희도 올라간다. 따라서 두 사람의 높이 차는 일정하게 유지된다. 즉, 철수는 영희의 높이까지 올라갈 수 없다.

	채점 기준	배점(%)
(1)	가속도의 크기를 풀이 과정과 함께 옳게 구한 경우	50
	풀이 과정이나 정답 한 가지만 옳게 구한 경우	30
(2)	가속도의 크기가 같아 높이 차가 일정하게 유지되므로 영희의 높이까지 올라갈 수 없다는 것을 옳게 설명한 경우	50
	가속도의 크기가 같다는 것만 옳게 설명한 경우	20

04 **모범 답안** (1) 사람이 줄을 T의 힘으로 잡아당기면 그 반작용으로 줄도 사람을 T의 힘으로 잡아당긴다. 이때 사람은 중력 mg, 수직 항력 N_1, 장력 T의 힘을 받으며, 이 힘들은 힘의 평형을 이룬다. 따라서 $T+N_1-mg=0$이므로 수직 항력 $N_1=mg-T$이다.

(2) 그림과 같이 나무판은 중력 Mg, 수직 항력 N, 장력 T, 사람으로부터 $mg-T$의 힘을 받는다. 따라서 수직 항력 $N=mg+Mg-2T$이다.

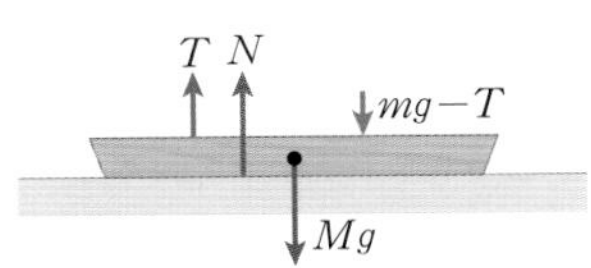

(3) 수직 항력 $N=0$일 때 물체가 지면으로부터 떨어진다. 따라서 $2T=mg+Mg$일 때 $N=0$이 되어 나무판이 지면에서 떨어진다. 그런데 사람이 줄에 작용할 수 있는 힘 T는 몸무게 mg보다 클 수 없으므로 $m>M$이면 나무판을 들어 올릴 수 있으나 $m<M$이면 나무판을 들어 올릴 수 없다.

채점 기준		배점(%)
(1)	힘의 평형을 통해 힘의 크기 N_1을 옳게 구한 경우	30
	사람에게 작용하는 힘은 모두 찾았지만 힘의 크기 N_1을 옳게 구하지 못한 경우	10
(2)	힘의 평형을 통해 힘의 크기 N을 옳게 구한 경우	30
	나무판에 작용하는 힘은 모두 찾았지만 힘의 크기 N을 옳게 구하지 못한 경우	10
(3)	질량 조건에 따라 나무판을 들어 올릴 수 있는지 여부와 그 이유를 옳게 설명한 경우	40
	수직 항력이 0일 때 나무판이 들린다는 것만 옳게 설명한 경우	20

05 **모범 답안** (1) B와 C의 가속도의 크기를 a, 실 a의 장력을 f라고 할 때 물체의 운동 방정식은 다음과 같다.

• B: $3mg-f=3ma$

• C: $f-mg=ma$

식을 연립하여 풀면 $a=0.5g$, $f=1.5mg$이다.

(2) 실 a가 B와 C를 각각 잡아당기는 두 힘의 합력인 $2f(=3mg)$만큼 B와 C를 연결한 도르래를 위로 당기므로, A를 위로 당기는 힘도 $3mg$이다. 따라서 A의 무게가 $3mg$일 때 힘의 평형을 이루므로 A의 질량은 $3m$이다.

채점 기준		배점(%)
(1)	운동 방정식을 통해 실 a의 장력을 옳게 구한 경우	50
	B와 C에 작용하는 알짜힘은 옳게 구하였으나 실 a의 장력을 옳게 구하지 못한 경우	30
(2)	힘의 평형을 통해 A의 질량을 옳게 구한 경우	50
	실이 A에 작용한 힘의 크기는 옳게 구하였으나 A의 질량을 옳게 구하지 못한 경우	30

06 **모범 답안** 물체에 일정한 힘 F가 작용하므로 물체는 등가속도 직선 운동을 한다. 이때 등가속도 직선 운동 식인 $s=v_0t+\frac{1}{2}at^2$을 통해 물체의 가속도 a를 구하면 다음과 같다.

$8\ \mathrm{m}=0+\frac{1}{2}\times a\times(4\ \mathrm{s})^2$

따라서 $a=1\ \mathrm{m/s^2}$이다. 운동 방정식인 $F=ma$를 통해 물체에 작용하는 알짜힘 F를 구하면 $F=2\ \mathrm{kg}\times1\ \mathrm{m/s^2}=2\ \mathrm{N}$이다. 이때 4초 동안 물체가 받은 충격량은 다음과 같다.

$I=Ft=2\ \mathrm{N}\times4\ \mathrm{s}=8\ \mathrm{N\cdot s}$

[별해] 물체의 가속도 $a=1\ \mathrm{m/s^2}$이므로, 등가속도 직선 운동 식인 $v=v_0+at$를 통해 4초 후 물체의 속도 v를 구하면 $v=0+1\ \mathrm{m/s^2}\times4\ \mathrm{s}=4\ \mathrm{m/s}$이다. 이때 물체가 받은 충격량은 운동량의 변화량과 같으므로 다음과 같다.

$I=mv-mv_0=2\ \mathrm{kg}\times4\ \mathrm{m/s}-0=8\ \mathrm{N\cdot s}$

채점 기준	배점(%)
충격량의 크기를 풀이 과정과 함께 옳게 구한 경우	100
풀이 과정이나 정답 한 가지만 옳게 구한 경우	40

07 **모범 답안** 물체가 충돌할 때 물체의 운동량의 총합은 일정하게 보존된다. A와 B의 충돌 후 속도를 각각 v_A, v_B라고 할 때 운동량 보존 법칙을 적용하면 다음과 같다.

$2mv=mv_A+mv_B$

A에 대한 B의 상대 속도 v_{AB}는 v_B에서 v_A를 뺀 값과 같다.

$v_{AB}=v_B-v_A=2v$

두 식을 연립하여 풀면 $v_A=0$, $v_B=2v$이다. 충돌 후 한 덩어리가 된 B와 C의 속도를 v'이라고 할 때 운동량 보존 법칙을 적용하면 다음과 같다.

$2mv+mv=(m+m)v'$

따라서 $v'=\frac{3}{2}v$이다.

[별해] 충돌 전 A와 B의 상대 속도는 $2v$이고, 충돌 후 A와 B의 상대 속도도 $2v$이므로, 이는 반발 계수가 1인 탄성 충돌이다. 따라서 A와 B의 충돌에서 속도가 교환되므로 충돌 후 A와 B의 속도는 각각 0, $2v$가 된다. 충돌 후 한 덩어리가 된 B와 C의 속도를 v'이라고 할 때 세 물체의 충돌 전 운동량의 합이 $3mv$이므로, 운동량 보존 법칙을 적용하면 다음과 같다.

$3mv=(2m)v'$

따라서 $v'=\frac{3}{2}v$이다.

채점 기준	배점(%)
운동량 보존 법칙을 통해 B와 C의 속도의 크기를 옳게 구한 경우	100
풀이 과정이나 정답 한 가지만 옳게 구한 경우	40

08 **모범 답안** 과자의 운동량의 증가량은 컨베이어 벨트에 작용한 충격량과 같다. 1분에 1000개의 과자가 떨어지므로 $\frac{60\ \mathrm{s}}{1000}=0.06\ \mathrm{s}$마다 과자가 1개씩 떨어진다. 따라서 그 사이에 질량은 과자 1개의 질량 m만큼 증가하고, 운동량은 $m\times0.1=0.1m(\mathrm{kg\cdot m/s})$만큼 증가한다. 이때 받은 충격량도 $0.1m\ \mathrm{kg\cdot m/s}=0.1m\ \mathrm{N\cdot s}$가 되어야 하므로 $0.1m\ \mathrm{N\cdot s}=0.01\ \mathrm{N}\times0.06\ \mathrm{s}$에서 과자 1개의 질량 m은 0.006 kg $(6\times10^{-3}\ \mathrm{kg})$이다.

[별해] 과자 1개가 떨어지는 시간 $0.06\ \mathrm{s}(6\times10^{-2}\ \mathrm{s})$ 동안 컨베이어 벨트에 작용한 충격량은 과자의 운동량의 변화량과 같다. 이때 컨베이어 벨트와 과자의 나중 질량을 M, 컨베이어 벨트와 과자의 처음 질량을 M_0, 과자 1개의 질량을 m, 컨베이어 벨트의 속도를 v라고 할 때 물체에 작용한 충격량은 운동량의 변화량과 같으므로 다음과 같다.

$Ft=Mv-M_0v=mv$

따라서 $m=\frac{Ft}{v}=\frac{0.01\ \mathrm{N}\times(6\times10^{-2})\ \mathrm{s}}{0.1\ \mathrm{m/s}}=6\times10^{-3}\ \mathrm{kg}$이다.

채점 기준	배점(%)
충격량은 운동량의 변화량과 같다는 것을 통해 과자의 질량을 옳게 구한 경우	100
풀이 과정이나 정답 한 가지만 옳게 구한 경우	40

2. 에너지와 열

01 역학적 에너지 보존

집중 분석 1권 101쪽

유제 ⑤

유제 ㄱ. B의 중력 퍼텐셜 에너지 감소량이 B의 운동 에너지 증가량의 3배이므로 $mgh=\frac{1}{2}mv^2\times3$에서 Q에서 B의 속력 $v=\sqrt{\frac{2}{3}gh}$이다. A, B의 속력은 같으므로 Q에서 A의 속력은 $\sqrt{\frac{2}{3}gh}$이다.

ㄴ. A의 가속도의 크기를 a라 하면, 등가속도 직선 운동의 식에서 $2ah=v^2=\frac{2}{3}gh$이다. 따라서 $a=\frac{g}{3}$이다.

ㄷ. A, B를 한 물체로 보면 A, B에 작용하는 힘은 F와 B의 중력이다. 따라서 운동 방정식은 $mg-F=2ma=\frac{2}{3}mg$가 되므로 $F=\frac{1}{3}mg$이다.

탐구 확인 문제 1권 102쪽

01 (1) ○ (2) ○ (3) × **02** (1) 4배 (2) 4배

01 (1), (2) 나무 도막에는 탄성력과 마찰력이 작용하므로 나무 도막이 운동하는 동안 역학적 에너지의 일부가 계속 열에너지 등으로 전환된다. 따라서 나무 도막은 운동을 할수록 역학적 에너지가 점점 감소하므로 처음 나무 도막을 놓았을 때 역학적 에너지가 최대이고, 탄성 퍼텐셜 에너지도 최대이다.
(3) 나무 도막의 속력이 0인 양끝 점에서 역학적 에너지가 모두 탄성 퍼텐셜 에너지로 전환된다. 탄성 퍼텐셜 에너지는 용수철이 변형된 길이의 제곱에 비례하므로 용수철이 최대로 변형되는 길이도 점점 줄어든다. 따라서 나무 도막의 진동 폭은 점점 감소한다.

02 (1) 탄성 퍼텐셜 에너지 $E_p=\frac{1}{2}kx^2$이므로 용수철의 늘어난 길이가 2배가 되면 탄성 퍼텐셜 에너지는 4배가 된다.
(2) 나무 도막은 처음 가졌던 탄성 퍼텐셜 에너지가 모두 열에너지로 전환될 때까지 운동한다. 나무 도막에 마찰력이 한 일만큼 열에너지가 발생하므로 마찰력의 크기가 일정할 때 열에너지는 이동 거리에 비례한다. 따라서 탄성 퍼텐셜 에너지가 4배가 되면 멈출 때까지 운동하는 거리도 4배가 된다.

개념 모아 정리하기 1권 103쪽

❶ Fs ❷ 총합 ❸ 아래 넓이 ❹ 같다 ❺ 증가 ❻ 감소 ❼ 높이 ❽ $\frac{1}{2}kx^2$ ❾ 역학적 에너지 ❿ 마찰력 ⓫ 보존

개념 기본 문제 1권 104쪽~105쪽

01 ㄱ **02** (1) 50 J (2) −30 J (3) 20 J **03** (1) $\frac{1}{8}Fs$ (2) $\frac{3}{8}Fs$ **04** 900 J **05** −250 J **06** ㄴ **07** (1) 16 N (2) 3 m/s² (3) −20 J (4) 20 J (5) 6 J **08** ㄱ, ㄴ **09** (1) 6 m/s (2) 1.8 m **10** 0.5 m **11** ㄴ

01 ㄱ. 물체에 힘을 작용하여 힘의 방향으로 물체가 이동할 때 힘이 물체에 일을 하므로 자유 낙하 하는 물체에 작용하는 중력은 물체에 일을 한다.
바로 알기 ㄴ. 힘과 물체의 이동 방향이 수직일 때 힘의 방향으로 이동한 거리가 0이므로 중력이 인공위성에 한 일은 0이다.
ㄷ. 힘은 작용하지만, 이동 거리가 0이므로 중력이 책에 한 일은 0이다.

02 (1) 일은 힘과 이동 거리의 곱이므로 50 N의 힘이 물체에 한 일은 50 N×1 m=50 J이다.
(2) 물체의 질량이 3 kg이므로 물체에 작용하는 중력은 연직 아래 방향으로 30 N이다. 중력의 방향과 물체의 이동 방향이 반대이므로 중력이 물체에 한 일은 30 N×(−1 m)=−30 J이다. 여기서 일이 (−)값이라는 것은 물체가 주위로부터 에너지를 얻은 것이 아니라, 물체에서 주위로 에너지가 빠져나간 것을 뜻한다.
(3) 알짜힘은 연직 위 방향으로 크기가 50 N−30 N=20 N이다. 따라서 알짜힘이 물체에 한 일은 20 N×1 m=20 J이다.

03 (1) 힘이 물체에 한 일은 힘-이동 거리 그래프의 아래 넓이와 같다. 따라서 0에서 $\frac{s}{2}$까지 이동하는 동안 힘이 한 일은 $\frac{1}{2}\times\frac{F}{2}\times\frac{s}{2}=\frac{1}{8}Fs$이다.

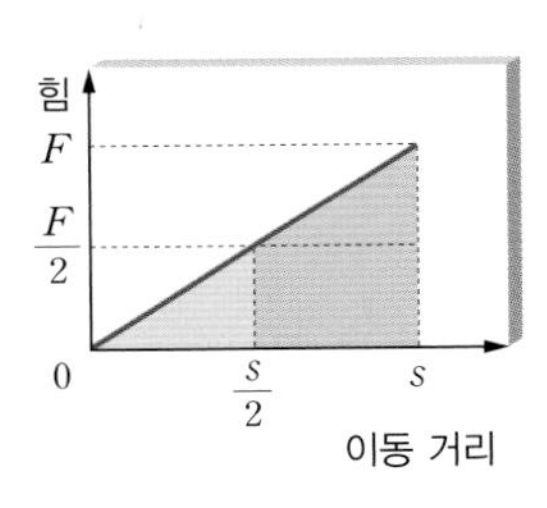

(2) $\frac{s}{2}$에서 s까지 이동하는 동안 힘이 한 일은 힘-이동 거리 그래프의 아래 넓이이므로 $\frac{1}{2}\times\left(Fs-\frac{F}{2}\times\frac{s}{2}\right)=\frac{3}{8}Fs$이다.

04 A, B는 줄로 연결되어 같은 가속도로 운동하므로 A, B의 가속도를 a라고 하면, 다음과 같다.

$40\ \mathrm{N}=(6\ \mathrm{kg}+2\ \mathrm{kg})\times a$, $\therefore a=5\ \mathrm{m/s^2}$

따라서 줄이 A를 당기는 힘 $F=m_{\mathrm{A}}a=6\ \mathrm{kg}\times5\ \mathrm{m/s^2}=30\ \mathrm{N}$이므로 줄이 A에 한 일 W는 다음과 같다.

$W=Fs=30\ \mathrm{N}\times30\ \mathrm{m}=900\ \mathrm{J}$

05 물체가 정지할 때까지 작용하는 알짜힘은 마찰력과 같으므로 알짜힘이 물체에 한 일만큼 운동 에너지가 변한다. 따라서 마찰력이 물체에 한 일 W는 다음과 같다.

$W=\Delta E_{\mathrm{k}}=0-\frac{1}{2}\times5\ \mathrm{kg}\times(10\ \mathrm{m/s})^2=-250\ \mathrm{J}$

06 ㄴ. A와 B가 서로 미는 시간은 $0\sim t$이고, 이때 A의 속력 변화량은 B의 속력 변화량의 2배이다. A, B가 서로 미는 힘은 작용 반작용 관계로 크기가 같으므로 질량은 A가 B의 $\frac{1}{2}$배가 된다. 따라서 A의 질량을 $\frac{m}{2}$, B의 질량을 m이라고 하면, t일 때 A, B의 운동 에너지는 다음과 같다.

A의 운동 에너지$=\frac{1}{2}\times\left(\frac{m}{2}\right)\times(2v)^2=mv^2$

B의 운동 에너지$=\frac{1}{2}mv^2$

따라서 t일 때 A의 운동 에너지는 B의 운동 에너지의 2배이다.

바로 알기 ㄱ. 같은 시간 $0\sim t$ 동안 속력 변화량이 A가 B의 2배이므로 가속도의 크기도 A가 B의 2배이다. A, B가 서로 미는 힘의 크기가 같으므로 질량은 A가 B의 $\frac{1}{2}$배이다.

ㄷ. 속력-시간 그래프의 아래 넓이는 이동 거리이므로 $0\sim t$ 동안의 이동 거리는 A가 B의 2배이다. A, B가 서로 미는 힘의 크기는 같지만, 이동 거리가 A가 B의 2배이므로 미는 힘이 한 일은 B가 A에 한 일이 A가 B에 한 일의 2배이다.

07 (1) F인 힘이 A를 2 m만큼 이동시키는 동안 한 일이 32 J이므로, $F\times2\ \mathrm{m}=32\ \mathrm{J}$에서 $F=16\ \mathrm{N}$이다.

(2) A, B는 줄로 연결되어 같은 가속도로 운동한다. A, B에 F인 힘과 B의 중력이 작용하므로 A, B의 가속도 a는 다음과 같다.

$F-1\ \mathrm{kg}\times10\ \mathrm{m/s^2}=(1\ \mathrm{kg}+1\ \mathrm{kg})\times a$

$16\ \mathrm{N}-10\ \mathrm{N}=2\ \mathrm{kg}\times a$, $\therefore a=3\ \mathrm{m/s^2}$

(3) B의 중력의 크기는 $1\ \mathrm{kg}\times10\ \mathrm{m/s^2}=10\ \mathrm{N}$이다. 중력의 방향과 B의 이동 방향이 반대이므로 중력이 B에 한 일은 $10\ \mathrm{N}\times(-2\ \mathrm{m})=-20\ \mathrm{J}$이다.

(4) 모든 마찰과 공기 저항을 무시할 때 중력이 물체에 한 일만큼 물체의 중력 퍼텐셜 에너지는 감소한다. (3)에서 중력이 물체에 -20 J의 일을 하므로 B의 중력 퍼텐셜 에너지는 20 J만큼 증가한다.

(5) F인 힘이 A, B의 계에 한 일만큼 A, B의 운동 에너지와 중력 퍼텐셜 에너지가 증가한다. 따라서 A, B의 운동 에너지 증가량은 $32\ \mathrm{J}-20\ \mathrm{J}=12\ \mathrm{J}$이고, A, B의 질량이 같으므로 A의 운동 에너지 증가량은 이것의 $\frac{1}{2}$배인 6 J이다.

08 ㄱ. 1초일 때 공의 속력은 $20\ \mathrm{m/s}-(10\ \mathrm{m/s^2}\times1\ \mathrm{s})=10\ \mathrm{m/s}$이므로 운동 에너지는 $\frac{1}{2}\times0.5\ \mathrm{kg}\times(10\ \mathrm{m/s})^2=25\ \mathrm{J}$이다.

ㄴ. t_1일 때 공의 운동 에너지가 0이므로 속력이 0이다. 따라서 t_1은 속력이 20 m/s만큼 감소하는 데 걸린 시간이므로 $10\ \mathrm{m/s^2}\times t_1=20\ \mathrm{m/s}$에서 $t_1=2\ \mathrm{s}$이다.

바로 알기 ㄷ. t_1일 때 운동 에너지가 0이다. t_2일 때는 속력이 20 m/s이므로 운동 에너지는 $\frac{1}{2}\times0.5\ \mathrm{kg}\times(20\ \mathrm{m/s})^2=100\ \mathrm{J}$이다. 공의 중력이 $0.5\ \mathrm{kg}\times10\ \mathrm{m/s^2}=5\ \mathrm{N}$이므로 $t_1\sim t_2$ 동안 중력이 한 일이 운동 에너지 증가량만큼 100 J이 되려면 공은 20 m를 이동해야 한다.

09 (1) 모든 마찰과 공기 저항을 무시할 때 역학적 에너지는 보존되므로, B에서의 역학적 에너지와 C에서의 역학적 에너지는 같다. B의 높이를 기준면으로 하고, 물체의 질량을 m이라고 하면, B에서의 속력 v는 다음과 같다.

$\frac{1}{2}mv^2=m\times10\ \mathrm{m/s^2}\times1\ \mathrm{m}+\frac{1}{2}m\times(4\ \mathrm{m/s})^2$

$\therefore v=6\ \mathrm{m/s}$

(2) A에서의 운동 에너지가 0이므로 높이 H는 다음과 같다.

$m\times10\ \mathrm{m/s^2}\times H=18m$, $\therefore H=1.8\ \mathrm{m}$

10 모든 마찰과 공기 저항을 무시할 때 역학적 에너지가 보존되므로 용수철이 최대로 압축되었을 때 물체의 중력 퍼텐셜 에너지 감소량은 탄성 퍼텐셜 에너지 증가량과 같다. 용수철의 최대 압축 길이를 x라고 하면, 다음과 같다.

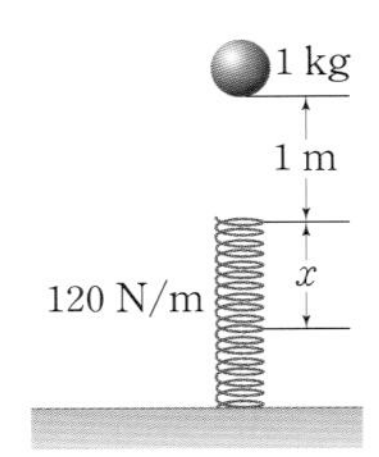

$mg(1\text{ m}+x)=\frac{1}{2}kx^2$

$1\text{ kg}\times 10\text{ m/s}^2\times(1\text{ m}+x)=\frac{1}{2}\times 120\text{ N/m}\times x^2$

$10+10x=60x^2$

$6x^2-x-1=0$

$(2x-1)(3x+1)=0$

$\therefore x=0.5(\text{m})$

11 ㄴ. 물체의 처음 역학적 에너지는 $\frac{1}{2}\times 2\text{ kg}\times(5\text{ m/s})^2=$ 25 J이고, AB 구간을 지나는 동안 마찰력이 물체에 한 일 5 N×1 m=5 J만큼 역학적 에너지가 열에너지로 빠져나간다. B를 지날 때 물체의 역학적 에너지는 25 J−5 J=20 J이고, 이후 모두 용수철을 압축시키는 데 쓰이면 최대 압축 길이(x)는 다음과 같다.

$\frac{1}{2}\times(10\text{ N/m})\times x^2=20\text{ J}$, $\therefore x=2\text{ m}$

바로 알기 ㄱ. AB 구간에서 물체는 마찰력을 받으므로 역학적 에너지의 일부가 열에너지로 빠져나간다. 따라서 AB 구간을 제외한 곳에서만 역학적 에너지가 보존된다.

ㄷ. 물체가 용수철을 압축한 후 AB 구간을 한 번 더 지나므로 A를 지날 때의 역학적 에너지는 20 J−5 J=15 J이다. 따라서 이후 물체의 속력(v)은 다음과 같다.

$15\text{ J}=\frac{1}{2}\times 2\text{ kg}\times v^2$, $\therefore v=\sqrt{15}\text{ m/s}$

개념 적용 문제

1권 106쪽~111쪽

01 ④ **02** ⑤ **03** ③ **04** ① **05** ② **06** ③ **07** ③ **08** ④
09 ② **10** ③ **11** ⑤ **12** ①

01 물체의 가속도 크기는 속력-시간 그래프의 기울기로 2 m/s² 이므로, 물체에 작용하는 알짜힘은 3 kg×2 m/s²=6 N이다. 0초부터 1초까지 물체의 이동 거리는 속력-시간 그래프의 아래 넓이인 1 m이므로, 알짜힘이 물체에 한 일 $W_1=$ 6 N×1 m=6 J이다.

한편, 물체의 중력이 30 N이므로 전동기가 물체를 잡아당기는 힘은 30 N+6 N=36 N이다. 따라서 전동기가 물체에 한 일 W_2=36 N×1 m=36 J이다.

02 • 0~1초: 물체의 가속도는 속도-시간 그래프의 기울기로 2 m/s²이므로, 물체에 작용하는 알짜힘은 3 kg×2 m/s²= 6 N이다. 따라서 F는 5 N+6 N=11 N이고, 이 시간 동안 물체가 이동한 거리가 1 m이므로 F가 한 일은 11 N×1 m =11 J이다.

• 1~2초: 물체의 가속도가 0이므로, 물체에 작용하는 알짜힘은 0이다. 따라서 F는 5 N+0=5 N이고, 이 시간 동안 물체가 이동한 거리가 2 m이므로 F가 한 일은 5 N×2 m =10 J이다.

• 2~4초: 물체의 가속도는 −1 m/s²이므로, 물체에 작용하는 알짜힘은 3 kg×(−1 m/s²)=−3 N이다. 따라서 F는 5 N−3 N=2 N이고, 이 시간 동안 물체가 이동한 거리가 2 m이므로 F가 한 일은 2 N×2 m=4 J이다.

03 ㄱ. (가), (나)에서 전동기가 줄을 잡아당기는 힘은 50 N으로 같고, 이동 거리도 2 m로 같으므로 전동기가 한 일은 같다.

ㄴ. (가), (나)에서 A, B에 작용하는 알짜힘은 각각 20 N, 40 N이므로 가속도는 (나)에서가 (가)에서의 2배이다. 따라서 A의 운동 에너지 증가량도 (나)에서가 (가)에서의 2배이다.

바로 알기 ㄷ. (가)에서 가속도 크기가 $\frac{20\text{ N}}{3\text{ kg}}$이므로 줄이 B를 잡아당기는 힘은 다음과 같다.

$1\text{ kg}\times\frac{20\text{ N}}{3\text{ kg}}+10\text{ N}=\frac{50}{3}\text{ N}$

(나)에서 가속도 크기가 $\frac{40\text{ N}}{3\text{ kg}}$이므로 줄이 B를 잡아당기는 힘은 다음과 같다.

$1\text{ kg}\times\frac{40\text{ N}}{3\text{ kg}}+10\text{ N}=\frac{70}{3}\text{ N}$

(가), (나)에서 B의 이동 거리가 같으므로 줄이 B에 한 일은 줄이 잡아당기는 힘에 비례한다. 따라서 줄이 B에 한 일은 (나)에서가 (가)에서의 $\frac{7}{5}$배이다.

04 ㄱ. 일은 힘과 이동 거리의 곱이므로 전동기가 한 일은 Fs이다.

바로 알기 ㄴ. 거리 s를 이동하는 동안 올라간 높이를 h, 속력 증가량을 v라고 하면, 거리 s만큼 이동하는 동안 물체의 중력 퍼텐셜 에너지 증가량이 운동 에너지 증가량의 2배이므로 $mgh=2\times\frac{1}{2}mv^2$이다.

전동기가 물체에 한 일은 물체의 운동 에너지와 중력 퍼텐셜 에너지로 전환되므로 다음과 같다.

$Fs=\frac{1}{2}mv^2+mgh=\frac{1}{2}mgh+mgh=\frac{3}{2}mgh$

따라서 물체가 올라간 높이 $h=\frac{2Fs}{3mg}$이다.

ㄷ. $mgh=2\times\frac{1}{2}mv^2$에서 $v^2=gh=\frac{2Fs}{3m}$이다. 물체는 등가속도 직선 운동을 하므로 $2as=v^2=\frac{2Fs}{3m}$이다. 따라서 물체의 가속도 크기 $a=\frac{F}{3m}$이다.

05 정지 상태에서 h만큼 움직이는 동안 A의 중력 퍼텐셜 에너지 증가량은 운동 에너지 증가량의 3배이므로, h만큼 움직인 순간 A의 속력(v)은 다음과 같다.

$2mgh=3\times\frac{1}{2}(2m)v^2$, $\therefore v=\sqrt{\frac{2gh}{3}}$

두 물체는 등가속도 직선 운동을 하므로 $2ah=\left(\sqrt{\frac{2gh}{3}}\right)^2$에서 두 물체의 가속도 크기 $a=\frac{g}{3}$이고, 두 물체에 대한 운동 방정식은 다음과 같다.

$F+mg-2mg=(2m+m)\frac{g}{3}$, $\therefore F=2mg$

따라서 F인 힘이 두 물체에 한 일 $W=2mg\times h=2mgh$이다.

06 ㄱ. 물체의 가속도 크기는 속력-시간 그래프의 기울기로 5 m/s²이므로, 물체에 작용하는 알짜힘의 크기(F)는 다음과 같다.

$F=1\text{ kg}\times5\text{ m/s}^2=5\text{ N}$

ㄷ. 중력에 의하여 물체가 운동하므로 역학적 에너지가 보존된다. 따라서 물체의 운동 에너지 증가량만큼 중력 퍼텐셜 에너지가 감소하므로 $\frac{1}{2}mv^2=mgh$이다. 1초일 때 물체의 속력이 5 m/s이므로 0초부터 1초까지 물체가 내려간 높이 h를 다음과 같이 구할 수 있다.

$\frac{1}{2}\times1\text{ kg}\times(5\text{ m/s})^2=1\text{ kg}\times10\text{ m/s}^2\times h$

$\therefore h=1.25\text{ m}$

바로 알기 ㄴ. 중력이 물체에 한 일만큼 중력 퍼텐셜 에너지가 감소하므로 중력이 물체에 한 일은 운동 에너지 증가량과 같다.

$\frac{1}{2}\times1\text{ kg}\times(5\text{ m/s})^2=12.5\text{ J}$

07 ㄱ. A, B가 중력 방향으로 이동한 거리, 즉 올라간 높이가 같으므로 중력이 A, B에 한 일은 서로 같다.

ㄴ. 마찰과 공기 저항을 무시하면 역학적 에너지가 보존되므로 중력 퍼텐셜 에너지 증가량은 운동 에너지 감소량과 같다. 두 물체가 같은 높이를 올라가므로 중력 퍼텐셜 에너지 증가량이 같고, 따라서 운동 에너지 감소량도 같다.

바로 알기 ㄷ. A는 처음에 가속도가 커서 속력이 빠르게 감소하고, B는 처음에 가속도가 작아서 속력이 느리게 감소한다. 따라서 A, B가 P에서 Q까지 이동하는 데 걸린 시간과 이동 거리가 같다면, 오른쪽 그래프와 같이 처음 속력은 A가 B보다 커야 한다. A, B의 역학적 에너지는 P에서의 운동 에너지와 같으므로 Q에서의 역학적 에너지는 P에서 속력이 큰 A가 B보다 크다.

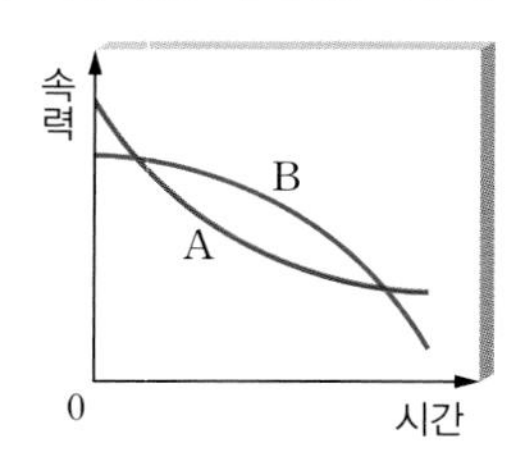

08 ㄴ. 용수철에 매달린 물체는 최고점에서 정지해 있다가 내려가는 동안 속력이 점점 빨라지다가 최하점에서 다시 정지한다. 따라서 최고점에서 최하점으로 내려가는 동안 운동 에너지 증가량은 0이다. 일·에너지 원리에 의해 알짜힘이 물체에 한 일은 운동 에너지 증가량과 같으므로 이 동안 알짜힘이 물체에 한 일은 0이다.

ㄷ. 물체에 작용하는 힘은 탄성력과 중력이다. 물체가 h만큼 내려가는 동안 알짜힘이 물체에 한 일이 0이므로 중력이 한 일은 최하점에서 모두 탄성 퍼텐셜 에너지로 전환된다. 따라서 최하점에서 물체의 탄성 퍼텐셜 에너지는 mgh이다.

바로 알기 ㄱ. 물체는 용수철에 매달린 채 h의 거리를 왕복해서 움직인다. 용수철에 매달려 운동할 때 왕복하는 거리의 중점인 평형점에서 물체에 작용하는 탄성력과 중력이 평형을 이루므로 용수철 상수(k)는 다음과 같다.

$k\frac{h}{2}=mg$, $\therefore k=\frac{2mg}{h}$

09 ㄷ. 물체는 가속도가 10 m/s²인 등가속도 직선 운동을 하므로 a에서 속력을 v, b에서 속력을 $3v$라고 하면 다음과 같다.

$2as=v^2-v_0^2$

$2\times10\text{ m/s}^2\times0.4\text{ m}=(3v)^2-v^2$, $\therefore v=1\text{ m/s}$

따라서 a, b, c의 시간 간격이 일정하므로 a, b, c에서 물체의 속력은 1 m/s, 3 m/s, 5 m/s이고, c에서 물체의 운동 에너지는 다음과 같다.

$\frac{1}{2}\times1\text{ kg}\times(5\text{ m/s})^2=12.5\text{ J}$

바로 알기 ㄱ. a와 b 사이의 중력 퍼텐셜 에너지 차이가 4 J이므로 a와 b 사이의 거리(h)는 다음과 같다.

$1\text{ kg}\times10\text{ m/s}^2\times h=4\text{ J}$, $\therefore h=0.4\text{ m}$

ㄴ. b에서의 속력이 a에서의 3배이므로 a에서의 속력이 v이면 b에서의 속력은 $3v$이다. 일정한 시간 간격으로 위치를 나타낸 것이므로 c에서의 속력은 $5v$이다. a와 b 사이의 평균 속력은 $2v$, b와 c 사이의 평균 속력은 $4v$이므로 b와 c 사이의 거리는 a와 b 사이 거리의 2배이다. 따라서 a와 c 사이의 거리는 a와 b 사이 거리의 3배이다.

중력이 물체에 한 일은 낙하 거리에 비례하므로 a와 c 사이에서 중력이 물체에 한 일은 a와 b 사이에서 중력이 물체에 한 일의 3배가 되어 3×4 J$=$12 J이다.

10 ㄱ. (가)에서 A, B에 작용하는 실의 장력이 같으므로 두 물체에 빗면 아래로 작용하는 힘(중력의 빗면 방향의 분력)의 크기는 같고, 이를 F라고 하자. (나)에서 실이 끊어져 장력이 0이 되므로 두 물체에 작용하는 알짜힘은 F이다. A, B의 질량을 각각 m_A, m_B라고 하면 가속도 크기는 각각 $\frac{F}{m_A}$, $\frac{F}{m_B}$이다. 정지 상태에서 등가속도 직선 운동을 할 때 $s=\frac{1}{2}at^2$이므로 이동 거리는 가속도 크기에 비례한다. A, B가 같은 시간 동안 이동한 거리의 비가 $2s:3s=\frac{F}{m_A}:\frac{F}{m_B}$이므로 $m_A:m_B=3:2$이다. 즉, 질량은 A가 B의 $\frac{3}{2}$배이다.

ㄴ. 운동 에너지 증가량은 알짜힘이 한 일이다. A, B에 작용하는 알짜힘의 크기가 같으므로 알짜힘이 한 일은 이동 거리에 비례한다. 이동 거리는 B가 A의 $\frac{3}{2}$배이므로 운동 에너지 증가량은 B가 A의 $\frac{3}{2}$배이다.

바로 알기 ㄷ. 역학적 에너지가 보존되므로 운동 에너지 증가량은 중력 퍼텐셜 에너지 감소량과 같다. 따라서 A, B가 같은 시간 동안 내려간 높이를 각각 h_A, h_B라고 하면 $m_Agh_A:m_Bgh_B=3mgh_A:2mgh_B=2:3$이고, A, B가 같은 시간 동안 내려간 높이의 비 $h_A:h_B=4:9$이다.

11 ㄱ. 분리된 직후 A, B의 속력은 각각 $\sqrt{2gh}$, $\sqrt{4gh}$이다. 분리되기 전후 운동량이 보존되므로 A의 질량을 m_A라고 하면, $m_A\sqrt{2gh}=m\sqrt{4gh}$이다. 따라서 A의 질량 $m_A=\sqrt{2}m$이다.

ㄴ. 분리되는 동안 용수철이 하는 일은 각 물체의 운동 에너지 증가량과 같다. 역학적 에너지가 보존되므로 A, B의 운동 에너지는 각각 중력 퍼텐셜 에너지의 최댓값인 $\sqrt{2}mgh$, $2mgh$이다. 따라서 용수철이 B에 한 일은 A에 한 일의 $\sqrt{2}$배이다.

ㄷ. 분리되기 전 용수철에 저장된 탄성 퍼텐셜 에너지가 A, B의 역학적 에너지로 전환된다. 따라서 A, B가 분리되기 전 용수철에 저장된 탄성 퍼텐셜 에너지는 $\sqrt{2}mgh+2mgh=(2+\sqrt{2})mgh$이다.

12 ㄱ. P에서 Q까지 이동하는 동안 중력이 물체에 하는 일만큼 중력 퍼텐셜 에너지가 감소하므로 중력이 물체에 하는 일은 $2mgh$이다.

바로 알기 ㄴ. R는 P보다 높이가 h만큼 낮으므로 R에서 물체의 운동 에너지는 mgh이다. 이 운동 에너지가 운동 반대 방향으로 작용하는 힘에 의하여 0이 되므로 물체가 정지하는 과정에서 손실된 역학적 에너지는 mgh이다.

ㄷ. R에서부터 운동 반대 방향으로 작용하는 힘의 크기가 F이면 $Fs=mgh$이다. 물체의 질량이 2배가 되면 R에서 물체의 운동 에너지는 $2mgh$가 되므로 멈출 때까지 힘이 하는 일은 $Fs'=2mgh$이다. 따라서 멈추는 거리 $s'=\frac{2mgh}{F}=2s$가 되므로 2배가 된다.

02 열과 열역학 과정

집중 분석 1권 121쪽

유제 ①

유제 ㄱ. (가)에서 단열된 피스톤이 정지해 있으므로 A와 B의 압력이 같다. A, B의 압력, 몰수, 온도가 모두 같으므로 부피도 같다.

바로 알기 ㄴ. (가)에서 (나)로 변할 때 B는 단열 압축된다. 따라서 B의 온도는 올라간다. 보일 법칙에 의해 온도가 일정할 때 부피가 반으로 줄어들면 압력이 2배가 되는데, B의 온도가 올라갔으므로 압력은 2배보다 더 크다.

ㄷ. 피스톤은 A, B의 압력이 같을 때 정지한다. B의 압력이 증가하므로 A의 압력도 증가한다. 만약 A의 압력이 일정하다면 부피가 1.5배가 되면 절대 온도도 1.5배가 되어야 한다. 그런데 (가)에서 (나)로 변하는 과정에서는 A의 압력이 증가하므로 온도는 (나)에서가 (가)에서의 1.5배보다 크고, 내부 에너지도 1.5배보다 크다.

개념 모아 정리하기

1권 123쪽

❶ 온도 ❷ 높은 ❸ 낮은 ❹ 같다
❺ $P\Delta V$ ❻ 내부 에너지 ❼ 운동 에너지 ❽ 열역학 제1법칙
❾ ΔU ❿ 등압 ⓫ ΔU ⓬ $-\Delta U$

개념 기본 문제

1권 124쪽~125쪽

01 ㄴ, ㄷ, ㄹ **02** ㄱ, ㄴ **03** (1) 크다 (2) 감소한다 (3) 외부로부터 열을 흡수 **04** ㄱ, ㄷ **05** (1) $\frac{T_0+T}{2T_0}P_0$ (2) $\frac{2T_0}{T_0+T}V_0$
06 (1) A → B 구간 (2) 60 K **07** (1) 150 K (2) 3×10^4 J (3) 1.5배 **08** (가)>(나)>(다) **09** (1) 2배 (2) 600 J **10** ㄱ, ㄴ
11 (1) $36P_0V_0$ (2) $\frac{9}{2}P_0V_0$

01 ㄴ, ㄷ, ㄹ. (가), (나) 기체 분자의 질량이 같으므로 평균 속력이 빠른 (나)의 기체 분자가 (가)의 기체 분자보다 평균 운동 에너지가 크다. 기체 분자의 평균 운동 에너지가 클수록 온도가 높으므로 기체의 온도는 (나)가 (가)보다 높다.
이상 기체의 내부 에너지는 기체 분자의 운동 에너지의 총합과 같다. (가), (나)는 기체의 분자 수가 같으므로 운동 에너지의 총합은 평균 운동 에너지가 큰 (나)가 (가)보다 크다. 따라서 내부 에너지도 (나)가 (가)보다 크다.
한편, 기체의 온도는 압력과 부피의 곱에 비례하므로, 기체의 부피가 일정할 때 온도가 높은 (나)의 압력이 (가)의 압력보다 크다.
바로 알기 ㄱ. 용기의 부피가 동일하므로 기체의 부피는 (가), (나)가 같다.

02 ㄱ. 피스톤과 물체의 무게 및 대기압이 일정하므로 기체에 작용하는 외부 압력은 일정하다. 기체가 서서히 팽창하는 동안 기체의 압력은 외부 압력과 평형을 이루므로 기체의 압력은 일정하다.
ㄴ. 기체의 압력은 P로 일정하고 부피가 ΔV만큼 증가하므로 기체가 외부에 한 일 $W=P\Delta V$이다.
바로 알기 ㄷ. 압력이 일정할 때 기체의 온도는 부피에 비례하므로 기체의 부피가 ΔV만큼 증가하는 동안 기체의 온도는 증가하고, 기체의 온도가 증가하므로 기체의 내부 에너지도 증가한다. 따라서 $Q=\Delta U+W$에서 기체가 흡수한 열량은 외부에 한 일 $W=P\Delta V$보다 크다.

03 (1) 이상 기체의 부피가 팽창하므로 기체는 외부에 일을 한다. $(W>0)$
(2) 기체의 온도가 일정할 때 압력은 부피에 반비례한다. 따라서 등온 팽창하여 부피가 증가하면 압력은 감소한다.
(3) 온도가 일정하므로 내부 에너지가 일정하다.$(\Delta U=0)$ 따라서 $Q=\Delta U+W=W>0$이므로 기체는 외부로부터 열을 흡수한다.

04 ㄱ. 구슬의 무게가 감소하므로 기체에 작용하는 외부 압력이 감소한다. 기체가 서서히 팽창하는 동안 기체의 압력은 외부 압력과 평형을 이루므로 기체의 압력도 감소한다.
ㄷ. 기체의 부피가 증가하는 동안 압력이 감소하므로 외부에 한 일은 $P\Delta V$보다 작다.
바로 알기 ㄴ. 열의 출입이 없으므로 $Q=\Delta U+W=0$이고, 부피가 증가하므로 외부에 일을 하여 $W>0$이다. 따라서 내부 에너지 변화량 $\Delta U=-W<0$이고, 온도는 감소한다.

05 (1) 마찰이 없으므로 A와 B의 압력은 같다. B의 온도가 T일 때 A와 B의 압력을 P, 부피를 각각 V_A, V_B라고 하면, 각 기체의 압력, 부피, 온도의 관계는 다음과 같다.

A : $\frac{PV_A}{T_0}=\frac{P_0V_0}{T_0}$, $PV_A=P_0V_0$ ⋯ ①

B : $\frac{PV_B}{T}=\frac{P_0V_0}{T_0}$, $PV_B=\frac{T}{T_0}P_0V_0$ ⋯ ②

A와 B의 부피의 합이 일정하므로

$V_A+V_B=2V_0$ ⋯ ③

①+②를 하여 ③을 대입하면

$P(V_A+V_B)=(T_0+T)\frac{P_0V_0}{T_0}$, $2PV_0=(T_0+T)\frac{P_0V_0}{T_0}$

이다. 따라서 A의 압력은 다음과 같다.

$P=\frac{T_0+T}{2V_0}\frac{P_0V_0}{T_0}=\frac{T_0+T}{2T_0}P_0$

(2) $\frac{PV_A}{T_0}=\frac{P_0V_0}{T_0}$에서 A의 부피 $V_A=\frac{P_0}{P}V_0$이다. $\frac{P_0}{P}=\frac{2T_0}{T_0+T}$이므로 $V_A=\frac{2T_0}{T_0+T}V_0$이다.

06 (1) 이상 기체에서 $\frac{PV}{T}=\frac{P_0V_0}{T_0}$이므로 온도가 일정할 때 압력과 부피는 반비례한다. 따라서 A → B 구간이 압력과 부피가 반비례하므로 기체의 온도가 일정한 구간이다.
(2) 온도는 압력과 부피의 곱에 비례하므로 B, D에서 온도의 비는 300 K : $T=2\times5:1\times2$이다. 따라서 D에서의 온도

$T=60$ K이다.

07 (1) 압력이 일정할 때 부피는 온도에 비례하므로 부피가 1.5배가 되게 하려면 온도도 1.5배가 되어야 한다. 따라서 온도 변화량 $\Delta T=1.5T_0-T_0=0.5\times(27+273)$ K$=150$ K가 되어야 한다.
(2) 압력이 일정하므로 기체가 외부에 하는 일 $W=P\Delta V$ $=1.0\times10^5$ N/m$^2\times(1.5-1)\times0.6$ m$^3=3\times10^4$ J이다.
(3) 기체의 내부 에너지는 온도에 비례한다. 온도가 1.5배가 되므로 내부 에너지도 1.5배가 된다.

08 (가)~(다) 과정에서 기체의 압력-부피 그래프는 다음과 같다.

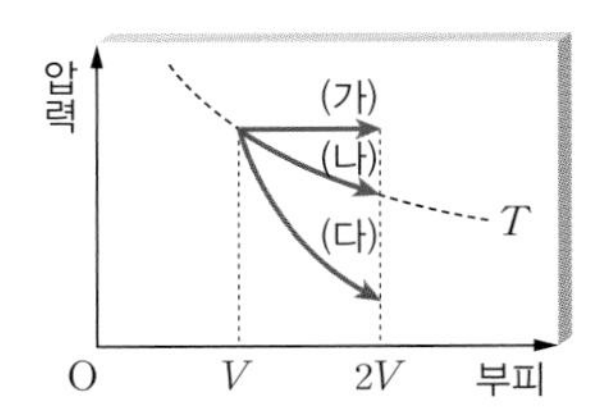

압력-부피 그래프의 아래 넓이는 기체가 팽창하며 외부에 한 일과 같으므로, 기체가 한 일의 양은 (가)>(나)>(다) 순으로 크다.

09 (1) 기체 분자의 평균 운동 에너지는 온도에 비례한다. B와 C는 압력이 같고, 부피가 C가 B의 4배이므로 온도는 C가 B의 4배이다. 따라서 기체 분자의 평균 운동 에너지가 C가 B의 4배이므로 평균 운동량의 크기는 C가 B의 2배이다.
(2) 한 번의 순환 과정에서 기체가 외부에 한 일은 A → B → C → D → A 그래프 내부의 넓이와 같다. 따라서 기체가 외부에 한 일은 2×10^5 N/m$^2\times3\times10^{-3}$ m$^3=600$ J이다.

10 ㄱ. A와 B에서 압력과 부피의 곱이 같으므로 온도는 같다.
ㄴ. 압력-부피 그래프에서 그래프의 아래 넓이가 기체가 한 일이므로, 1.5×10^5 Pa$\times1\times10^{-3}$ m$^3=150$ J이다.
바로 알기 ㄷ. A, B에서의 온도가 같으므로 B → C 과정에서 감소한 내부 에너지와 C → A 과정에서 증가한 내부 에너지는 같다. B → C 과정에서는 외부로부터 일을 받고, C → A 과정에서는 외부에 한 일이 0이다. 따라서 B → C 과정에서 방출한 열량보다 C → A 과정에서 흡수한 열량이 작다.

11 (1) A → B 과정에서 부피가 일정하므로 외부에 한 일이 0이고, 흡수한 열량 $Q=\Delta U$가 되어 내부 에너지 증가량과 같다. A → B 과정에서 기체가 흡수한 열량 $Q=36P_0V_0$이므로 내부 에너지 증가량 $\Delta U=36P_0V_0$이다.
B → C 과정은 단열 과정이므로 $Q=0=\Delta U+W$에서 외부에 한 일 $W_{BC}=-\Delta U_{BC}$이다.
A와 C에서 압력과 부피의 곱이 동일하므로 온도가 같다. A → B 과정과 B → C 과정의 온도 변화량이 같고, 내부 에너지 변화량도 같다. 따라서 B → C 과정에서 기체가 외부에 한 일은 내부 에너지 감소량(A → B 과정의 내부 에너지 증가량)인 $36P_0V_0$이다.
(2) C → A 과정에서 외부로부터 받은 일은 압력-부피 그래프의 아래 넓이이므로, $W_{CA}=-\frac{1}{2}(8P_0+P_0)(8V_0-V_0)=-\frac{63}{2}P_0V_0$이다. 따라서 한 순환 과정 동안 기체가 한 일 $W=W_{AB}+W_{BC}+W_{CA}=0+36P_0V_0-\frac{63}{2}P_0V_0=\frac{9}{2}P_0V_0$이다.

개념 적용 문제 1권 126쪽~129쪽

01 ③ **02** ② **03** ① **04** ③ **05** ③ **06** ③ **07** ④ **08** ①

01 ㄱ. 압력-부피 그래프의 아래 넓이가 기체가 한 일이므로 기체가 외부에 한 일 $W=\frac{1}{2}\times(3P+P)\times2V=4PV$이다.
ㄷ. a와 b에서 기체의 온도가 같으므로 a → b 과정에서 내부 에너지 변화량은 0이다. 따라서 $Q=\Delta U+W=W=4PV$이므로 기체가 흡수한 열량은 $4PV$이다.
바로 알기 ㄴ. 기체의 온도는 압력과 부피의 곱에 비례한다. a, b에서 압력과 부피의 곱은 모두 $3PV$이지만, 부피가 $2V$일 때는 $4PV$이다. 따라서 변화 과정 중에 기체의 온도가 높아지고 내부 에너지는 증가한다.

02 ㄷ. 이상 기체의 내부 에너지 변화량이 0이므로 이상 기체의 온도는 일정하다.
바로 알기 ㄱ, ㄴ. 이상 기체가 진공으로 자유 팽창할 때는 외부에 힘을 가하여 이동시킬 대상이 없다. 따라서 이때 기체가 외부에 하는 일은 0이다. 외부와 열의 출입이 없고($Q=0$) 외부에 일을 하지 않으므로($W=0$), $Q=\Delta U+W$에서 이상 기체의 내부 에너지 변화량은 0이 된다.($\Delta U=0$)

03 ㄱ. (가)에서 A는 부피가 일정하므로 외부에 일을 하지 않는다. 따라서 열역학 제1법칙 $Q=\Delta U+W$에서 $Q=\Delta U$이다. 즉, 흡수한 열량 Q만큼 A의 내부 에너지가 증가한다.

바로 알기 ㄴ. 일정량의 이상 기체의 경우 $\frac{PV}{T}$의 값이 일정하다. (나)에서 B의 압력이 일정한 채 부피가 2배로 증가하므로 절대 온도도 T_0의 2배인 $2T_0$으로 증가한다. 즉, B의 내부 에너지가 증가하므로 $Q=\Delta U+W$에서 B가 외부에 한 일 $W=Q-\Delta U$로, Q보다 작다.

ㄷ. (가)에서 내부 에너지 증가량 $\Delta U=Q$이고, (나)에서 내부 에너지 증가량 $\Delta U=Q-W=Q-P\Delta V=Q-PV_0$이다. 내부 에너지 증가량은 (가)에서가 (나)에서보다 크므로 절대 온도도 $T_A>T_B$이다. 한편, (나)에 보일·샤를 법칙을 적용하면 $\frac{P_0V_0}{T_0}=\frac{P_0\cdot 2V_0}{T_B}$에서 $T_B=2T_0$이므로 $T_A>2T_0$이다.

04 ㄱ. 피스톤을 매우 빠르게 눌러 부피를 $\frac{V_0}{2}$으로 줄이므로 이 과정에서 열의 출입이 일어날 여유가 없다. 따라서 〈과정 1〉은 단열 과정이다.

ㄴ. 매우 천천히 피스톤을 잡아당기면 매 순간 기체의 온도는 물의 온도와 같아진다. 따라서 〈과정 3〉은 등온 과정이다.

ㄹ. 〈과정 3〉은 등온 과정으로, 내부 에너지 변화가 없다. 따라서 기체는 외부에서 열을 흡수한 만큼 외부에 일을 하였다.

바로 알기 ㄷ. 상태 C에서 기체의 부피는 $\frac{V_0}{2}$으로 줄어든 상태인데, 온도가 T_0으로 처음 상태(상태 A)와 같으므로 기체의 압력은 상태 A일 때의 2배이다.

05 ㄱ. A와 B에서의 온도는 같고, D → A 과정에서 $T\propto P$이다. 압력은 A에서가 D에서의 4배이므로 A에서의 온도는 $4T$이고, 따라서 B에서의 온도도 $4T$이다.

ㄷ. B → C 과정과 D → A 과정에서 온도 변화는 같으므로 내부 에너지 변화량도 서로 같다.

바로 알기 ㄴ. A → B 과정에서 온도 변화가 0이므로 $\Delta U=0$이다. 따라서 $Q=\Delta U+W=W$이고, 기체는 외부에 한 일만큼 열을 흡수한다.

06 ㄱ. 추가 피스톤을 눌러 기체의 부피가 감소하므로 기체에 일을 한다. 따라서 A에 들어 있는 기체의 온도가 증가하여 내부 에너지가 증가하며, 열은 A에서 B로 이동한다.

ㄴ. (가)에서 (나)로 변하는 과정에서 기체 전체는 열 출입이 없이 외부에서 일을 얻으므로 내부 에너지가 증가한다. 따라서 A의 기체의 내부 에너지는 (나)에서가 (가)에서보다 크다.

바로 알기 ㄷ. B의 기체의 온도는 (나)에서가 (가)에서보다 높다. (가), (나)에서 B의 부피가 같으므로 B의 기체의 압력은 (나)에서가 (가)에서보다 크다.

07 ㄴ. B → C 과정에서의 온도 감소량과 D → A 과정에서의 온도 증가량이 같다. 따라서 B → C 과정에서의 내부 에너지 감소량과 D → A 과정에서의 내부 에너지 증가량은 같다.

ㄷ. A, B의 온도가 같으므로 부피는 압력에 반비례한다. 따라서 B의 부피는 A의 부피의 2배이다. B → C는 등적 과정이므로 C의 부피는 B의 부피와 같으며, A에서의 2배이다.

바로 알기 ㄱ. A → B 과정은 온도가 일정하므로 $\Delta U=0$이고, $Q=\Delta U+W=W$이다. A → B 과정에서 부피가 증가하므로 기체는 외부에 일을 하고($W>0$), 외부로부터 열을 흡수($Q>0$)한다.

08 ㄱ. (가) → (나) 과정에서 기체는 단열 팽창하므로 기체의 압력과 온도는 감소한다.

바로 알기 ㄴ. (가) → (나) 과정은 단열 팽창 과정이므로 외부에 일을 한 만큼 기체의 내부 에너지는 감소한다.

ㄷ. $Q=\Delta U+W$에서 $Q=0$이므로 기체의 내부 에너지가 감소한 만큼 외부에 일을 하며, 기체가 외부에 한 일은 용수철의 탄성 퍼텐셜 에너지로 전환된다.

03 열기관과 열효율

집중 분석 1권 137쪽

유제 ②

유제 ㄴ. 기체의 부피가 변하면 기체가 외부에 일을 하거나 외부로부터 일을 받는다. C → D 과정에서 기체가 압축되므로 외부로부터 일을 받고, 받은 일은 그래프 아래의 넓이이므로 $W=P\Delta V=2PV$이다.

바로 알기 ㄱ. D → A 과정에서 부피가 V로 일정하므로 외부에 한 일이 0이다. 따라서 내부 에너지 증가량은 흡수한 열량과 같아져 $1.5PV$이다.

ㄷ. 열기관의 열효율 $e=\frac{W}{Q_1}$이므로 열효율을 구하기 위해서 열기관이 한 일 W와 흡수한 열 Q_1을 알아야 한다. A → B 과정에서 내부 에너지 증가량이 $6PV$이고, 외부에 한 일은 그래프 아래의 넓이인 $2P\times2V=4PV$이므로, A → B 과정에서 흡수한 열량은 $Q=\varDelta U+W=6PV+4PV=10PV$이다. D → A 과정에서 흡수한 열량이 $1.5PV$로 주어졌으므로 한 순환 과정에서 열기관이 흡수한 열량 $Q_1=\frac{3}{2}PV+10PV=\frac{23}{2}PV$이고, 외부에 한 일 $W=2PV$이므로 열기관의 열효율 $e=\frac{W}{Q_1}=\frac{2PV}{\frac{23}{2}PV}=\frac{4}{23}$이다.

개념 모아 정리하기 1권 139쪽

❶ 가역 ❷ 비가역 ❸ 비가역성 ❹ 고온
❺ 저온 ❻ 열효율 ❼ $1-\frac{T_2}{T_1}$ ❽ 작다
❾ 무질서 ❿ 열역학 제2 ⓫ 일 ⓬ 1
⓭ 증가

개념 기본 문제 1권 140쪽

01 해설 참조 **02** ㄱ, ㄴ, ㄷ **03** ㄷ **04** (1) 기체 분자 모두가 왼쪽(오른쪽) 방에 있는 상태 (2) 기체 분자가 양쪽 방에 골고루 퍼져 있는 상태 (3) 증가한다. **05** (1) 0.2 (2) 4000 J (3) 0.5
06 (1) $5W$ (2) A → B 과정 (3) A → B 과정

01 **모범 답안** • 열은 고온의 물체에서 저온의 물체 쪽으로 이동하고, 자발적으로 그 반대 방향으로 이동할 수 없다.
• 열을 모두 일로 바꾸는 열기관은 만들 수 없다.(또는 열효율이 1(100 %)인 열기관은 만들 수 없다. 일정한 온도의 물체로부터 열을 빼앗아 이것을 모두 일로 바꾸는 순환 과정은 존재하지 않는다.)
• 고립계의 비가역 변화는 엔트로피가 증가하는 방향으로 일어난다.

02 ㄱ. 빗면에서 진동하는 물체는 외부에서의 에너지 공급 없이 처음 높이로 되돌아갈 수 없으므로, 비가역 과정이다.
ㄴ. 자연적으로 일어나는 현상이므로 엔트로피가 증가하는 현상이다.
ㄷ. 마찰이나 공기 저항이 없을 때 역학적 에너지가 보존되어 계속 왕복 운동을 할 수 있으며, 외부에서 에너지를 공급하지 않아도 원래 상태로 되돌아가므로 이 경우는 가역 과정이다.

03 ㄷ. 열역학 제2법칙에 의해 열은 고온의 물체에서 저온의 물체로만 이동하고, 저온의 물체에서 고온의 물체로는 자발적으로 이동하지 않는다. 따라서 열이 온도가 낮은 수조 속의 물에서 온도가 높은 금속 캔 속의 물로 이동하여 둘의 온도 차가 점점 커지는 일은 일어날 수 없다.
바로 알기 ㄱ, ㄴ. 금속 캔 속의 물이 잃은 열이 수조 속의 물로 이동하므로, 전체 에너지는 감소하지 않고 보존된다. 따라서 열역학 제1법칙은 성립한다.

04 (1) 기체 분자가 모두 왼쪽(오른쪽) 방에 있을 때는 1가지 경우밖에 없다. 따라서 경우의 수가 1인 것은 기체 분자 모두가 한쪽 방에 있는 상태이다.
(2) 기체 분자가 양쪽 방에 골고루 퍼져 있을 때의 경우의 수가 가장 크다.
(3) 경우의 수가 클수록 엔트로피는 크다. 기체 분자가 한쪽 방에만 모이는 경우의 수보다 양쪽 방에 골고루 퍼져 있는 경우의 수가 더 크므로, 기체 분자가 확산하는 동안 엔트로피는 증가한다.

05 (1) 열기관의 열효율은 흡수한 열량에 대한 한 일의 비이므로 $\frac{1000\ \mathrm{J}}{5000\ \mathrm{J}}=0.2$이다.
(2) 고열원에서 흡수한 열량으로 외부에 일을 하고, 나머지는 저열원으로 방출한다. 따라서 저열원으로 방출하는 열량은 $5000\ \mathrm{J}-1000\ \mathrm{J}=4000\ \mathrm{J}$이다.
(3) 고열원의 온도 $T_1=327\ ℃+273=600\ \mathrm{K}$이고, 저열원의 온도 $T_2=27\ ℃+273=300\ \mathrm{K}$이다. 따라서 두 온도 사이에서 작동하는 열기관의 최대 열효율은 다음과 같다.
$$e=\frac{T_1-T_2}{T_1}=\frac{600-300}{600}=0.5$$

06 (1) 열기관의 열효율 $e=\frac{W}{Q_1}=0.2$이므로 외부에서 흡수한 열량 $Q_1=5W$이다.
(2) A → B 과정은 부피가 일정하고 압력이 증가하므로 온도가 증가한다. 따라서 A → B 과정은 외부에 하는 일이 0이고, 내부 에너지가 증가하므로 $Q=\varDelta U+W=\varDelta U>0$이다. 즉, 외부에서 열을 흡수한다.
(3) A → B 과정에서 열을 흡수하므로 $Q>0$이고, $\varDelta S=\frac{Q}{T}>0$이 되어 엔트로피가 증가한다.

개념 적용 문제 1권 141쪽~144쪽

01 ⑤ **02** ② **03** ⑤ **04** ③ **05** ① **06** ④ **07** ③ **08** ⑤

01 ㄱ. 열은 고온의 물체에서 저온의 물체로 이동한다.
ㄴ. 고온의 물체와 저온의 물체를 접촉시켜 놓았을 때 열이 고온의 물체에서 저온의 물체로 이동하는 것은 자연적인 현상으로, 엔트로피가 증가하는 현상이다.
ㄷ. (가)에서 (나)로 변하는 현상은 자연적인 현상으로, 엔트로피가 증가하는 현상이며, 비가역 현상이다.
[별해] ㄴ. 고온의 물체는 열을 잃으므로 $Q<0$이고, 저온의 물체는 열을 얻으므로 $Q>0$이다. 두 물체 사이에 이동한 열량은 같지만, 고온의 물체는 저온의 물체보다 온도가 높은 상태에 있으므로 $\Delta S=\frac{Q}{T}$에서 엔트로피 변화량은 고온의 물체가 저온의 물체보다 작다. 따라서 감소한 엔트로피보다 증가한 엔트로피가 크게 되어 전체의 엔트로피는 증가한다.

02 ㄴ. 경우의 수가 클수록 엔트로피가 크다. 따라서 엔트로피가 가장 큰 상태는 Ⅳ이다.
바로 알기 ㄱ. 6개의 분자에서 A에 3개를 순서 없이 넣는 경우의 수 (㉠)는 $\frac{6\times5\times4}{3\times2}=20$가지이다.
ㄷ. 자연적인 변화는 엔트로피가 증가하는 방향으로 일어나므로 Ⅰ에서 Ⅳ로 변하는 것은 맞지만, 다시 Ⅶ로 변하지는 않는다.
[별해] ㄴ. 엔트로피 $S=k\ln W$이므로 경우의 수 W가 클수록 엔트로피 S가 크다.

03 ㄱ. 일정량의 이상 기체에서 부피와 압력의 곱은 온도에 비례하므로, B와 C는 모두 온도가 A의 2배이다. 따라서 B와 C는 온도가 같으므로 내부 에너지도 같다.
ㄴ. A → B 과정에서 기체가 외부에 한 일이 0이므로 흡수한 열량 $Q_1=\Delta U$가 되어 내부 에너지 변화량과 같다. A → C 과정에서 한 일 $W=PV$이고, 내부 에너지 변화량은 A → B 과정에서와 같으므로 흡수한 열량 $Q_2=\Delta U+W$이다. 따라서 $Q_2>Q_1$이고, 흡수한 열량은 A → C 과정에서가 A → B 과정에서보다 크다.
ㄷ. 엔트로피 변화량 $\Delta S=\frac{Q}{T}$이다. A → B 과정과 A → C 과정에서 온도 변화가 같으므로 엔트로피 변화량은 흡수한 열량이 클수록 크다. 따라서 엔트로피 변화량은 A → C 과정에서가 A → B 과정에서보다 크다.

04 ㄱ. 잉크의 확산은 한쪽 방향으로만 일어나고 그 반대 방향으로는 일어나지 않으므로 비가역 과정이다.
ㄷ. 공기 중에서 움직이던 진자가 공기 저항 등에 의해 주변의 공기 분자로 자신의 역학적 에너지를 전달하고 서서히 멈추는 일은 일어나지만, 멈춰 있던 진자가 공기 분자로부터 에너지를 얻어 다시 진동하는 일은 일어나지 않는다. 따라서 진자가 멈추는 현상도 비가역 현상이다.
바로 알기 ㄴ. 잉크가 뭉쳐 있을 때보다 잉크가 골고루 퍼져 있는 상태가 엔트로피가 높은 상태이다. 즉, 잉크가 확산되는 것은 계의 엔트로피가 점점 증가하는 현상이다.

05 ㄱ. A와 B의 온도가 같으므로 A → B 과정에서 내부 에너지 변화량 $\Delta U=0$이다. 따라서 흡수한 열량 $Q=\Delta U+W=W$이고, A → B 과정에서 외부에 한 일은 압력-부피 그래프의 아래 넓이이므로 $\frac{3}{2}PV$이다.
바로 알기 ㄴ. 이상 기체의 내부 에너지 변화량은 온도 변화량에 비례한다. C에서 온도가 T이면, A, B의 온도는 각각 $2T$이고, D의 온도는 $4T$이다. 따라서 온도 변화량은 D → B 과정에서가 C → A 과정에서의 2배이고, 내부 에너지 변화량도 2배이다.
ㄷ. C → A 과정에서 내부 에너지 변화량을 ΔU_1이라고 하면, A → B, C → A에서 각각 흡수한 열량은 다음과 같다.
• A → B: $Q=\Delta U+W=0+\frac{3}{2}PV=\frac{3}{2}PV$
• C → A: $Q=\Delta U+W=\Delta U_1+0=\Delta U_1$
따라서 한 번의 순환 과정 동안 흡수한 열량은 $\Delta U_1+\frac{3}{2}PV$이다. 한편 A → D → B → A 과정 중 열을 흡수하는 과정에서 내부 에너지 변화량과 외부에 한 일은 다음과 같다.
• A → D: $Q=\Delta U+W=2\Delta U_1+2PV$
따라서 A → B → C → A 과정에서 흡수한 열량이 A → D → B → A 과정에서 흡수한 열량보다 작고 각 과정에서 외부에 한 알짜일이 동일하므로 열효율은 흡수한 열량이 큰 A → D → B → A 과정에서가 더 작다.

06 ㄴ. 카르노 기관의 열효율 $e_c=1-\frac{T_2}{T_1}$이므로 이 열기관의 열효율 $e_c=1-\frac{T}{2T}=0.5$이다. 압력-부피 그래프에서 한 순환 과정으로 둘러싸인 부분의 넓이가 열기관이 한 일이므로 $e=\frac{W}{Q_1}$에서 $W=eQ_1=0.5Q$이다.

ㄷ. 열효율이 0.5이므로 열기관이 C → D 과정에서 저열원으로 방출한 열량은 $0.5Q$이다. C → D 과정은 등온 과정이므로 외부에서 얻은 일만큼 열을 방출한다. 따라서 외부에서 얻은 일은 $0.5Q$이다.

바로 알기 ㄱ. 카르노 기관은 등온 과정과 단열 과정으로 이루어져 있다. B → C 과정은 단열 과정이므로 $Q=0$으로, 열의 출입이 없다.

07 ㄱ. A → B 과정에서 내부 에너지가 일정하므로 흡수한 열량은 외부에 한 일과 같다.

ㄷ. 이 열기관은 등적 과정과 등온 과정으로 이루어져 있어 등온 과정과 단열 과정으로 이루어진 카르노 기관이 아니므로 카르노 기관의 열효율 $e=1-\frac{T}{2T}=0.5=50\ \%$보다 작다.

바로 알기 ㄴ. D → A 과정에서 부피가 일정하므로 이상 기체가 외부에 한 일이 0이다. 따라서 내부 에너지 증가량과 흡수한 열량은 같다.

[별해] ㄷ. A → B 과정에서 한 일은 $nR\times2T\times\ln2 \simeq 1.4nRT$이고, 흡수한 열량과 같다. D → A 과정에서 흡수한 열량은 내부 에너지 증가량이므로 이상 기체가 단원자 분자일 경우 $\varDelta U=\frac{3}{2}nRT$이다. 한 번의 순환 과정 동안 열기관이 흡수한 열량은 약 $(1.5+1.4)nRT$이다.

A → B 과정에서 외부에 한 일은 약 $1.4nRT$, C → D 과정에서 외부에서 얻은 일은 $nRT\ln2\simeq0.7nRT$이므로, 한 번의 순환 과정에서 외부에 한 알짜일은 약 $1.4nRT-0.7nRT=0.7nRT$이다. 따라서 이 열기관의 열효율 $e\simeq\frac{0.7}{2.9}\simeq0.24$이다.

08 ㄱ. (가)의 압력-부피 그래프에서 ABCD의 넓이는 한 순환 과정 동안 열기관이 한 알짜일이다. 엔트로피 변화량 $\varDelta S=\frac{Q}{T}$이므로 $Q=T\varDelta S$이다. (나)에서

- A → B 과정에서 흡수한 열량: $Q_1=T_1(S_2-S_1)$
- C → D 과정에서 방출한 열량: $Q_2=T_2(S_2-S_1)$

이다. 따라서 $Q_1-Q_2=(T_1-T_2)(S_2-S_1)$이고, 이것은 (나)에서 ABCD의 넓이이다. 열기관에서 $Q_1-Q_2=W$이므로 (가), (나)에서 ABCD의 넓이는 열기관이 한 알짜일이다.

ㄴ. C → D 과정은 등온 과정이므로 $Q=\varDelta U+W=W$이다. 따라서 받은 일은 방출한 열량 Q_2와 같다.

ㄷ. 흡수한 열 $Q_1=T_1\varDelta S=T_1(S_2-S_1)$이므로 (나)에서 사각형 ABS_2S_1의 넓이와 같다.

통합 실전 문제

1권 146쪽~151쪽

01 ② 02 ④ 03 ③ 04 ② 05 ③ 06 ⑤ 07 ③
08 ② 09 ① 10 ② 11 ③ 12 ④

01 구간 A에 들어가기 전, 구간 A를 지난 순간, 구간 B에 들어가기 전 물체의 속력을 각각 v_0, v_1, v_2라고 하면, 물체가 구간 A, B에서 크기가 같은 힘을 같은 시간 동안 받아 물체의 충격량(운동량의 변화량)이 동일하므로 $v_1-v_0=0-v_2$이다. 또한 역학적 에너지가 보존되므로 $\frac{1}{2}mv_0^2=2mgh$, $\frac{1}{2}mv_1^2+mgh=\frac{1}{2}mv_2^2$이다. 세 식을 정리하면 $v_1=\frac{1}{2}\sqrt{gh}$, $v_0=2\sqrt{gh}$, $v_2=\frac{3}{2}\sqrt{gh}$이다. 구간 A, B에서 받는 힘을 F라고 하면, 일-에너지 정리에 의하여

$F\times S_A=\frac{1}{2}mv_0^2-\frac{1}{2}mv_1^2=\frac{15}{8}mgh$

$F\times S_B=\frac{1}{2}mv_2^2=\frac{9}{8}mgh$

이므로, $S_A:S_B=15:9=5:3$이다.

02 ㄴ. 한 덩어리가 된 물체가 최대 높이 L_0만큼 올라갔으므로 r에서 물체의 속력은 $\frac{v_0}{3}=\sqrt{2gL_0}$이다. 따라서 p를 지날 때 A의 속력 $v_0=3\sqrt{2gL_0}$이고, 운동 에너지는 $\frac{1}{2}m(3\sqrt{2gL_0})^2=9mgL_0$이다. p에서 A의 운동 에너지는 크기가 F인 힘이 A에 한 일과 mgL_0의 합이므로, 크기가 F인 힘이 A에 한 일은 $9mgL_0-mgL_0=8mgL_0$이다.

ㄷ. 빗면에 정지했을 때의 중력 퍼텐셜 에너지는 $3mgL_0$이고, p에서 A의 운동 에너지는 $9mgL_0$이므로 충돌 과정에서 손실된 역학적 에너지는 $9mgL_0-3mgL_0=6mgL_0$이다.

바로 알기 ㄱ. B의 질량을 m_B, A가 p를 지날 때의 속력을 v_0이라고 하면, A가 q에서 r까지 운동하는 데 걸린 시간이 p에서 q까지 운동하는 데 걸린 시간의 3배이므로 충돌 후 한 덩어리가 된 물체의 속력은 $\frac{v_0}{3}$이다. 운동량 보존 법칙에서 $mv_0=(m+m_B)\frac{v_0}{3}$이므로 B의 질량 $m_B=2m$이다.

03 A, B, C 전체는 중력에 의하여 운동하므로 역학적 에너지가 보존된다. 따라서 A, B, C의 중력 퍼텐셜 에너지 감소량은 운동 에너지 증가량과 같다.

$m_Bg\times h+m_Cg\times2h=\frac{1}{2}(m_A+m_B+m_C)v^2$ … ①

B의 역학적 에너지가 보존되므로 B의 중력 퍼텐셜 에너지 감소량은 운동 에너지 증가량과 같다.

$m_{B}g\times h=\frac{1}{2}m_{B}v^{2}$ ⋯ ②

따라서 $v^{2}=2gh$이고, ①−②에서 $m_{C}g\times 2h=\frac{1}{2}(m_{A}+m_{C})\times 2gh$이므로 계산하면 $m_{A}=m_{C}$이다.

04 ㄴ. q가 C를 당기는 힘의 크기가 t일 때는 $T_{q}=\frac{1}{2}mg$이고, $3t$일 때는 $T=\frac{1}{8}mg$이다. 따라서 t일 때가 $3t$일 때의 4배이다.

바로 알기 ㄱ. $2t$인 순간 p가 끊어진 후 A는 중력 가속도로 낙하하므로 그래프에서 $2t$ 후 A의 기울기는 $\frac{4v}{2t}=g$이다. 그러므로 0에서 $2t$까지 A, B, C의 가속도의 크기는 $\frac{v}{2t}=\frac{1}{4}g$이고, $2t$에서 $6t$까지 B, C의 가속도의 크기는 $\frac{v}{4t}=\frac{1}{8}g$이다.

C의 질량을 m_{C}, p가 끊어지기 전 p, q의 장력을 T_{p}, T_{q}, p가 끊어진 후 q의 장력을 T, C에 빗면 아래쪽으로 작용하는 힘의 크기를 F라고 하면, A, B, C의 운동 방정식은 다음과 같다.

p가 끊어지기 전, A: $mg-T_{p}=\frac{1}{4}mg$

B: $T_{p}-T_{q}=\frac{1}{4}mg$

C: $T_{q}-F=\frac{1}{4}m_{C}g$

p가 끊어진 후, B: $T=\frac{1}{8}mg$

C: $F-T=\frac{1}{8}m_{C}g$

정리하면 C의 질량 $m_{C}=m$이다.

ㄷ. 0에서 $2t$까지 p가 A를 당기는 힘의 크기 $T_{p}=\frac{3}{4}mg$이고, A가 이동한 거리는 vt이다. $gt=2v$이고, 줄이 한 일만큼 역학적 에너지가 감소하므로 $W=\frac{3}{4}mg\times vt=\frac{3}{2}mv^{2}$이다.

[별해] ㄷ. A의 중력 퍼텐셜 에너지 감소량은 $mgvt=2mv^{2}$이고, 운동 에너지 증가량은 $\frac{1}{2}mv^{2}$이다. 따라서 역학적 에너지 감소량은 $2mv^{2}-\frac{1}{2}mv^{2}=\frac{3}{2}mv^{2}$이다.

05 ㄱ. (가)에서 용수철이 평형 위치까지 늘어난 길이가 A이고, 평형 위치에서 물체에 작용하는 알짜힘이 0이므로, $kA=2mg$이다. 따라서 용수철 상수 $k=\frac{2mg}{A}$이다.

ㄴ. (나)에서 물체의 질량이 m으로 감소하였으므로 평형 위치까지 용수철이 늘어난 길이를 x라 하면 $kx=mg$에서 $x=\frac{mg}{k}=\frac{A}{2}$이고, (가)에서보다 $\frac{A}{2}$가 짧다. 따라서 (나)에서 물체의 단진동 진폭은 $A+\frac{A}{2}=\frac{3}{2}A$이다.

역학적 에너지가 보존되므로 $\frac{1}{2}k\left(\frac{3}{2}A\right)^{2}=\frac{1}{2}mV^{2}$이고, 물체의 최대 속력 $V=\sqrt{\frac{k}{m}}\left(\frac{3}{2}A\right)=\sqrt{\frac{2g}{A}}\left(\frac{3}{2}A\right)=\sqrt{\frac{9gA}{2}}$이다.

바로 알기 ㄷ. 최하점에서 평형 위치까지 운동 에너지 변화량은 알짜힘이 한 일이다. 알짜힘은 탄성력과 중력의 합력이므로 탄성력이 한 일은 중력 퍼텐셜 에너지 변화량과 운동 에너지 변화량의 합과 같다.

06 ㄱ. 용수철 상수가 k인 용수철에 매달려 운동하는 질량 m인 물체의 주기 $T=2\pi\sqrt{\frac{m}{k}}$이다. B의 질량을 m_{B}라고 하면, 실이 끊어졌을 때 A와 B의 진동 주기가 같으므로 $T=2\pi\sqrt{\frac{m}{k}}=2\pi\sqrt{\frac{m_{B}}{2k}}$이다. 따라서 B의 질량 $m_{B}=2m$이다.

ㄴ. 실이 끊어지기 전 B에 작용하는 힘은 Q의 탄성력, B의 무게, P의 탄성력과 크기가 같은 실이 잡아당기는 힘이고, 이들이 평형을 이루고 있으므로 $2kx=2mg+kx$이다. 따라서 $x=\frac{2mg}{k}$이고, P에 저장된 탄성 퍼텐셜 에너지는 $\frac{1}{2}kx^{2}=\frac{1}{2}k\left(\frac{2mg}{k}\right)^{2}=\frac{2(mg)^{2}}{k}$이다.

ㄷ. 실이 끊어진 후 B의 운동 중심까지 Q가 늘어난 길이를 x'이라고 하면, $2kx'=2mg$이다. 따라서 B의 진폭은 $A=x-x'=\frac{2mg}{k}-\frac{mg}{k}=\frac{mg}{k}=\frac{x}{2}$이다. 물체의 역학적 에너지는 보존되므로 $\frac{1}{2}mv^{2}=\frac{1}{2}kA^{2}$이다. 실이 끊어진 후 A와 B의 운동 에너지의 최댓값은 각각 $\frac{1}{2}kx^{2}$, $\frac{1}{2}2k\left(\frac{x}{2}\right)^{2}$이므로 A가 B의 2배이다.

07 ㄱ, ㄴ. 단열 변화이므로 $\Delta U=-W$이다. A, B의 부피가 감소하므로 외부에서 일을 얻어 $W<0$이고, $\Delta U=-W>0$이므로 내부 에너지는 증가하고 온도는 올라간다.

바로 알기 ㄷ. P_2가 B에 한 일은 B의 내부 에너지를 증가시키고, P_1이 A에 하는 일로 전환된다. 따라서 P_2가 B에 한 일은 P_1이 A에 하는 일보다 크다.

08 ㄴ. (나)는 단열 과정이므로 열역학 제1법칙에 의하여 내부 에너지 변화량 $\varDelta U=-W$이고, 기체가 외부에 한 일과 크기가 같다. A 상태와 C 상태의 온도가 같으므로 (가)에서 기체의 내부 에너지 증가량과 (나)에서 기체의 내부 에너지 감소량은 같다. 따라서 (가)에서 내부 에너지 증가량은 (나)에서 기체가 외부에 하는 일과 같다.

바로 알기 ㄱ. (가) 과정에서 압력이 일정하고 부피가 증가하므로 기체는 팽창하면서 외부에 일을 한다.

ㄷ. 이상 기체의 내부 에너지는 온도에 비례한다. C 상태의 온도가 B 상태의 온도보다 낮으므로 내부 에너지도 C가 B보다 작다.

09 ㄱ. $\dfrac{PV}{T}$는 일정하다. 압력과 부피가 (나)에서가 (가)에서보다 크므로 기체의 온도는 (나)에서가 (가)에서보다 높다.

바로 알기 ㄴ. 열역학 제1법칙 $Q=\varDelta U+W$에서 기체가 팽창하는 동안 외부에 일을 하므로 기체의 내부 에너지 변화량은 기체가 얻은 열량보다 작다.

ㄷ. (가)에서 (나)로 기체가 팽창하는 동안 용수철이 압축되고 피스톤이 위로 올라가므로, 기체가 하는 일은 용수철의 탄성 퍼텐셜 에너지 증가량과 피스톤의 중력 퍼텐셜 에너지 증가량의 합과 같다.

10 ㄴ. B의 기체는 단열 압축되므로 일을 받은 만큼 내부 에너지가 증가한다. 따라서 $T_2>T$이다.

바로 알기 ㄱ. A, B의 피스톤의 면적을 각각 S_1, S_2, 대기압을 P_0이라고 하자. 피스톤과 막대 전체에 작용하는 합력이 0이므로, (가)에서 $PS_1+P_0S_2=PS_2+P_0S_1$이다. 따라서 $P(S_1-S_2)=P_0(S_1-S_2)$에서 $P_0=P$이다.

(나)에서는 $P_1S_1+P_0S_2=P_2S_2+P_0S_1$에서

$(P_1-P_0)S_1=(P_2-P_0)S_2$이다.

그런데 $S_1>S_2$이므로 $P_1-P_0<P_2-P_0$이다.

따라서 $P_1<P_2$이다.

ㄷ. A의 부피 증가량이 B의 부피 감소량보다 크므로, A의 기체가 외부에 일을 하면 대기와 B의 기체가 모두 일을 받는다. 따라서 A의 기체가 외부에 한 일이 B의 기체가 외부로부터 받은 일보다 크므로 A의 기체가 외부에 한 일은 B의 기체의 내부 에너지 증가량보다 크다.

11 ㄱ. 열기관이 한 번의 순환 과정을 거치는 동안 외부에 알짜 일을 하므로 (가)에서 기체가 외부에 한 일은 외부로부터 받은 일보다 크다.

ㄷ. (가)와 (나)에서 모두 한 번의 순환 과정을 거쳐 처음 상태로 되돌아가므로 온도 변화량이 0이고, 따라서 내부 에너지 변화량도 0이다.

바로 알기 ㄴ. 열기관이 외부에 한 일 W, 기체가 외부로부터 흡수한 열량 Q_1, 외부로 방출한 열량 Q_2는 에너지 보존 법칙에 의하여 $Q_1-Q_2=W$의 관계가 있다. 열기관이 한 번의 순환 과정 동안 외부에 한 일은 순환 과정으로 둘러싸인 넓이과 같으므로 한 일, 즉 Q_1-Q_2는 (가)가 (나)보다 크다.

12 ㄴ. 한 번의 순환 과정 동안 기체가 한 일을 모두 더한 값이 기체가 순수하게 한 일이므로 $W=W_1+W_2-W_3-W_4$이다. $W_2=W_4$이므로 $W=W_1-W_3$이다.

ㄷ. A → B 과정은 등온 과정이므로 열역학 제1법칙에서 $Q=W_1$이고, 이 열량이 고열원에서 흡수한 열량 Q_1이다. 따라서 열기관의 열효율 $e=\dfrac{W}{Q_1}=\dfrac{W}{W_1}$이다.

바로 알기 ㄱ. B → C, D → A 과정은 단열 과정이므로 열역학 제1법칙에서 $0=\varDelta U+W$이다. A → B, C → D 과정은 등온 과정이므로 B → C, D → A 과정의 온도 변화는 같고, 내부 에너지 변화량 $\varDelta U$도 같다. 따라서 B → C 과정에서 $0=-\varDelta U+W_2$, D → A 과정에서 $0=\varDelta U-W_4$이므로, $W_2=W_4$이다.

사고력 확장 문제

1권 152쪽~155쪽

01 **모범 답안** (1) 줄이 움직이는 동안 역학적 에너지가 보존되므로 감소한 중력 퍼텐셜 에너지만큼 운동 에너지가 증가한다. 매달린 줄$\left(\text{길이 }\dfrac{l}{2}\right)$의 중점에 $\dfrac{m}{2}$의 질량이 모아져 있고, 책상면에 놓인 부분$\left(\text{길이 }\dfrac{l}{2}\right)$의 중점에 $\dfrac{m}{2}$의 질량이 모아져 있다고 생각할 수 있다. 줄 끝이 책상면을 떠나는 순간 매달린 줄의 중심은 $\dfrac{l}{2}$만큼 내려가고, 책상면에 있던 줄의 중심은 $\dfrac{l}{4}$만큼 내려간다.

이 과정에서 감소한 중력 퍼텐셜 에너지는 운동 에너지 증가량이 된다. 따라서 $\dfrac{m}{2}g\times\dfrac{l}{2}+\dfrac{m}{2}g\times\dfrac{l}{4}=\dfrac{l}{2}mv^2$이고, 줄의 속력 $v=\sqrt{\dfrac{3gl}{4}}$이다.

(2) 줄을 서서히 잡아당겨 속력이 거의 0에 가깝다면 책상 위로 완전히 끌어올렸을 때 중력 퍼텐셜 에너지만 증가하므로, 줄을 완전히 끌어올리는 데 필요한 일은 줄의 중력 퍼텐셜 에너지 증가량과 같다. 매달린 줄의 중점에 질량이 모두 모여 있다고 생각할 수 있으므로, 최소한의 일은 다음과 같다.

$$W=\frac{m}{2}g\times\frac{l}{4}=\frac{mgl}{8}$$

	채점 기준	배점(%)
(1)	줄의 역학적 에너지 보존에 대한 식을 세우고, 줄의 속력을 옳게 구한 경우	50
	줄의 역학적 에너지 보존에 대한 식은 옳게 세웠으나, 줄의 속력이 틀린 경우	30
(2)	줄에 한 일이 줄의 중력 퍼텐셜 에너지 증가량과 같음을 이용하여 식을 세우고, 정답을 옳게 구한 경우	50
	줄에 한 일이 줄의 중력 퍼텐셜 에너지 증가량과 같음을 이용하여 식은 옳게 세웠으나, 정답이 틀린 경우	30

02 **모범 답안** (1) 용수철이 최대로 압축되었을 때 두 물체는 같은 속력으로 운동한다. 따라서 최대로 압축되었을 때 두 물체의 속력을 v라고 하면, 운동량 보존 법칙으로부터

$$mv_0=2mv$$

이다. 충돌 과정에서 역학적 에너지가 보존되므로

$$\frac{1}{2}mv_0^2=2\times\frac{1}{2}mv^2+\frac{1}{2}kx^2$$

이다. 따라서 용수철이 최대로 압축되었을 때 용수철에 저장된 탄성 퍼텐셜 에너지는 다음과 같다.

$$E_p=\frac{1}{2}kx^2=\frac{1}{2}mv_0^2-2\times\frac{1}{2}mv^2=\frac{1}{4}mv_0^2$$

(2) 용수철이 압축되었다 팽창하는 동안 각 물체는 용수철에 의하여 탄성력을 받아 운동하므로 용수철의 관점에서 보면 용수철의 중앙 지점을 중심으로 단진동 한다. 물체가 용수철에 붙어 있는 시간은 용수철이 압축되는 동안뿐이므로 단진동 주기의 반이다. 또 용수철의 중앙 지점을 중심으로 단진동 하므로 용수철 상수는 2배가 된다. 따라서 A가 용수철에 붙어 있는 시간은 다음과 같다.

$$t=2\pi\sqrt{\frac{m}{2k}}\times\frac{1}{2}$$

이 동안 두 물체가 이동한 거리 s는 질량 중심에서의 운동 속력 $\frac{v_0}{2}$으로 운동한 것과 같으므로 다음과 같다.

$$s=\frac{v_0}{2}t=\frac{v_0}{2}\pi\sqrt{\frac{m}{2k}}$$

	채점 기준	배점(%)
(1)	풀이 과정과 정답이 모두 옳은 경우	50
	풀이 과정과 정답 중 한 가지만 옳은 경우	30
(2)	풀이 과정과 정답이 모두 옳은 경우	50
	풀이 과정과 정답 중 한 가지만 옳은 경우	30

03 (1) 대기압은 P_0, 용수철 상수는 k, 피스톤의 질량과 단면적은 각각 m, A, 중력 가속도는 g라고 하면 피스톤에 작용하는 힘들이 평형을 이루므로 기체의 압력은

$$P=P_0+\frac{mg}{A}+\frac{kx}{A}$$

이다. 기체의 부피는 $V=V_{처음}+Ax$로, x에 비례하므로 기체의 압력도 부피에 비례한다.

압력과 부피의 관계는 그림과 같이 변하므로 기체가 하는 일은 그래프 아래의 넓이이다.

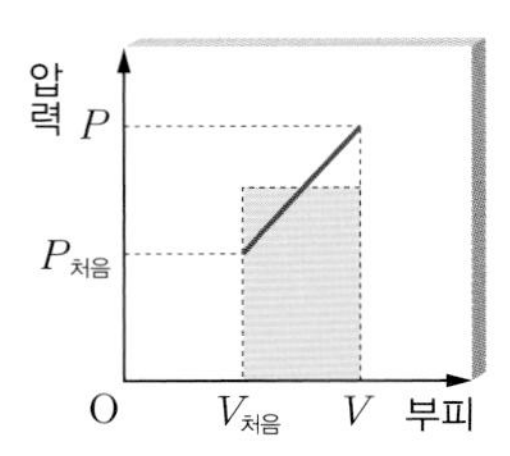

$P_{처음}=P_0+\frac{mg}{A}$이고 피스톤이 x만큼 이동하는 동안 기체 부피 증가량은 $V-V_{처음}=Ax$이다.

$P=P_{처음}+\frac{kx}{A}=2P_{처음}$에서 $P_{처음}=\frac{kx}{A}$이고 기체가 피스톤에 한 일은 다음과 같다.

$$W=\frac{P_{처음}+P}{2}(V-V_{처음})$$

$$=\frac{3kx}{2A}(Ax)=\frac{3}{2}kx^2$$

모범 답안 (1) 기체의 압력은 부피에 비례한다. $\frac{3}{2}kx^2$

(2) $PV=nRT$에서 처음에

$$nRT_{처음}=\left(P_0+\frac{mg}{A}\right)V_{처음}=\frac{kx}{A}V_{처음}$$

이고 나중에

$$nRT=\left(P_0+\frac{mg}{A}+\frac{kx}{A}\right)(V_{처음}+Ax)=\frac{2kx}{A}(V_{처음}+Ax)$$

이다. $Ax=0.1\,V_{처음}$에서 내부 에너지 변화량은 다음과 같다.

$$\Delta U=\frac{3}{2}nR\Delta T=\frac{3}{2}\frac{kx}{A}(12Ax)=18kx^2$$

	채점 기준	배점(%)
(1)	압력과 부피의 관계 및 기체가 한 일을 모두 옳게 서술한 경우	50
	압력과 부피의 관계와 기체가 한 일 중 한 가지만 옳은 경우	30
(2)	풀이 과정과 정답이 모두 옳은 경우	50
	풀이 과정과 정답 중 한 가지만 옳은 경우	30

04 **모범 답안** (1) A → B 과정은 등온 팽창 과정이므로 내부 에너지 변화량이 0이다. 따라서 열역학 제1법칙에 의해서 $Q=\Delta U+W=W$이고, 기체가 외부에 한 일은 흡수한 열량 Q_1과 같다.

(2) B → C 과정에서 부피가 일정하므로 외부에 하는 일이 0이다. 따라서 열역학 제1법칙에 따라 외부로 열을 방출하면 내부 에너지가 감소하고, 온도가 내려간다. 따라서 온도가 내려가므로 $T_1>T_2$이다.

(3) 열기관의 열효율은 다음과 같다.

$$e=\frac{\text{외부에 한 일}}{\text{흡수한 열량}}=1-\frac{\text{방출한 열량}}{\text{흡수한 열량}}$$

$$=1-\frac{Q_2+Q_3}{Q_1+Q_4}=\frac{Q_1+Q_4-Q_2-Q_3}{Q_1+Q_4}$$

그리고 등적 과정에서 방출 또는 흡수한 열량은 내부 에너지 변화량과 같다. 등적 냉각인 B → C 과정에서 내부 에너지 감소량과 등적 가열인 D → A 과정에서 내부 에너지 증가량은 같다. 즉, B → C 과정에서 방출한 열량 Q_2와 D → A 과정에서 흡수한 열량 Q_4는 같으므로, 이 열기관의 열효율은 다음과 같다.

$$e=\frac{Q_1-Q_3}{Q_1+Q_4}$$

	채점 기준	배점(%)
(1)	풀이 과정과 정답이 모두 옳은 경우	30
	풀이 과정과 정답 중 한 가지만 옳은 경우	10
(2)	풀이 과정과 정답이 모두 옳은 경우	30
	풀이 과정과 정답 중 한 가지만 옳은 경우	15
(3)	풀이 과정과 정답이 모두 옳은 경우	40
	풀이 과정과 정답 중 한 가지만 옳은 경우	20

05 **모범 답안** (1) 실린더의 단면적을 A, 용수철 상수를 k라고 하면, (가)에서 피스톤에 작용하는 알짜힘이 0이므로

$$P_0A-kx=\frac{2}{3}P_0A$$

이고, $kx=\frac{1}{3}P_0A$이다. (나)에서 기체의 압력을 P라고 하면, 피스톤에 작용하는 알짜힘이 0이므로

$$P_0A-2kx=PA$$

$$P=P_0-\frac{2kx}{A}=P_0-\frac{2}{3}P_0=\frac{1}{3}P_0$$

이다. 따라서 이상 기체 상태 방정식 $PV=nRT$에서 (가)의 온도는 $\frac{2P_0V_0}{3R}$이고, (나)의 온도는 $\frac{2P_0V_0}{9R}$이므로, (가)에서 (나)로 변하는 과정에서 기체의 내부 에너지 감소량은 다음과 같다.

$$\Delta U=\frac{3}{2}nR\Delta T=\frac{3}{2}R\left(\frac{2P_0V_0}{3R}-\frac{2P_0V_0}{9R}\right)$$

$$=\frac{3}{2}R\left(\frac{4P_0V_0}{9R}\right)=\frac{2}{3}P_0V_0$$

(2) 용수철의 탄성력은 늘어난 길이에 비례하므로 기체의 부피가 V_0에서 $\frac{2}{3}V_0$으로 감소하는 동안 기체의 압력은 그림과 같이 변한다.

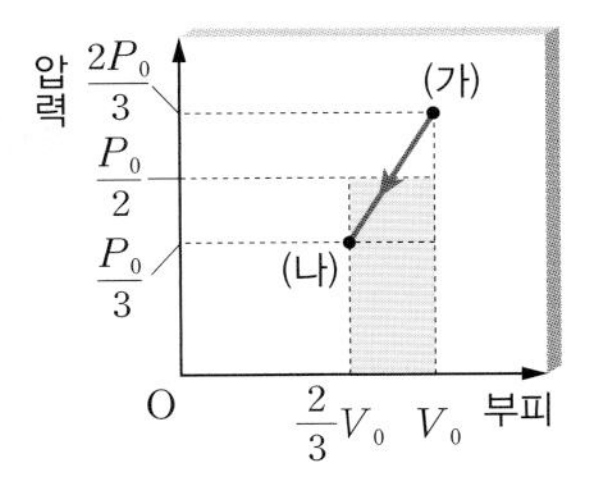

따라서 (가)에서 (나)로 변하는 과정에서 기체가 받은 일은 색칠해진 부분의 넓이와 같으므로 $W=\frac{P_0V_0}{6}$이고, (가)에서 (나)로 변하는 과정에서 기체가 방출한 열량은 열역학 제1법칙에 의해 다음과 같다.

$$Q=\Delta U+W=\frac{2}{3}P_0V_0+\frac{P_0V_0}{6}=\frac{5}{6}P_0V_0$$

	채점 기준	배점(%)
(1)	풀이 과정과 정답이 모두 옳은 경우	50
	기체의 압력, 기체의 온도, 기체의 내부 에너지 변화량 중 한 가지가 옳은 경우마다	15
(2)	풀이 과정과 정답이 모두 옳은 경우	50
	기체가 받은 일, 기체가 방출한 열량 중 한 가지만 옳은 경우	30

06 **모범 답안** (가)에서 용수철 상수를 k, 용수철의 줄어든 길이를 x, 피스톤의 단면적을 A라고 하면, 피스톤에 작용하는 알짜힘이 0이므로 $2P_0A=kx+P_0A$에서 $kx=P_0A$이고, 용수철에 저장된 탄성 퍼텐셜 에너지는 $\frac{1}{2}kx^2=Q$이다. (나)에서 기체의 압력이 $3P_0$일 때 대기압 P_0을 고려하면 용수철에 작용하는 힘은 (가)에서의 2배이다. 따라서 용수철의 줄어든 길이가 2배이고, 탄성 퍼텐셜 에너지는 $\frac{1}{2}k(2x)^2=4Q$이다.

(나)에서 기체가 외부에 하는 일은 $W=2.5P_0(V-V_0)$이고, 이것은 탄성 퍼텐셜 에너지 $3Q$ 증가와 대기에 대하여 하는 일 $P_0(V-V_0)$의 합과 같으므로

$$W=2.5P_0(V-V_0)=3Q+P_0(V-V_0)\cdots ①$$

이다. 열역학 제1법칙에 의하여 기체의 내부 에너지 증가량은

$$\Delta U=\frac{3}{2}nR\Delta T=\frac{3}{2}(3P_0V-2P_0V_0)=18Q-W\cdots ②$$

이다. ①, ②를 정리하면 $V=\frac{7}{4}V_0$이다.

채점 기준	배점(%)
풀이 과정과 정답이 모두 옳은 경우	100
기체의 압력이 $3P_0$일 때 탄성 퍼텐셜 에너지, 기체가 외부에 하는 일과 탄성 퍼텐셜 에너지 증가량의 관계, 기체의 내부 에너지 변화량 중 한 가지가 옳은 경우마다	30

07 (1) 한 번의 순환 과정 동안 열기관이 하는 일은 압력-부피 그래프에서 순환 과정 내부의 넓이와 같다. 따라서 한 번의 순환 과정 동안 A, B가 각각 외부에 한 알짜일은 $2PV$이다.

모범 답안 (1) A, B 모두 $2PV$

(2) 등압 과정에서 내부 에너지 변화량 $\Delta U=\frac{3}{2}nR\Delta T=\frac{3}{2}P\Delta V$이고, 외부에 한 일 $W=P\Delta V$이므로 흡수한 열량

$Q=\Delta U+W=\frac{5}{2}P\Delta V$

이다. 등적 과정에서 흡수한 열량은 내부 에너지 변화량과 같으므로

$Q=\Delta U=\frac{3}{2}nR\Delta T=\frac{3}{2}V\Delta P$

이다. 따라서 한 번의 순환 과정 동안 A가 외부에서 흡수한 열량은 등압 과정과 등적 과정에서 흡수한 열량의 합인

$$Q=\left(\frac{5}{2}\times 2P\times 2V\right)+\left(\frac{3}{2}\times V\times P\right)$$
$$=10PV+\frac{3}{2}PV$$
$$=\frac{23}{2}PV$$

이다.

한 번의 순환 과정 동안 B가 외부에서 흡수한 열량은 등압 과정과 등적 과정에서 흡수한 열량의 합인

$$Q=\left(\frac{5}{2}\times 3P\times V\right)+\left(\frac{3}{2}\times V\times 2P\right)$$
$$=\frac{15}{2}PV+\frac{6}{2}PV$$
$$=\frac{21}{2}PV$$

이다.

따라서 열효율은 A가 $\frac{W}{\frac{23PV}{2}}$, B가 $\frac{W}{\frac{21PV}{2}}$가 되므로 B가 A의 $\frac{23}{21}$배이다.

채점 기준		배점(%)
(1)	A, B의 정답이 모두 옳은 경우	30
	A, B의 정답 중 한 가지만 옳은 경우	15
(2)	A, B의 풀이 과정과 정답이 모두 옳은 경우	70
	A, B의 열효율 중 한 가지만 옳은 경우	35

08 (1) A → B 과정에서 기체의 내부 에너지 증가량 $\Delta U=\frac{3}{2}nR\Delta T=\frac{3}{2}nRT$이고, 외부에 한 일 $W=PV=nR\Delta T=nRT$이다. 따라서 기체의 내부 에너지 증가량이 외부에 한 일보다 크다.

모범 답안 (1) 기체의 내부 에너지 증가량이 외부에 한 일보다 크다.

(2) A → B 과정은 등압 과정이므로 부피가 온도에 비례하며, A에서 부피가 V이므로 B에서 부피는 $2V$이다. B → C 과정은 등온 과정이므로 압력과 부피가 반비례하며, C에서 압력이 B에서 압력의 $\frac{1}{2}$배이므로 C의 부피는 B의 부피의 2배인 $4V$이다. 등온 과정에서 외부에 한 일은 압력-부피 그래프의 아래 넓이로,

$$W=\int_{V_1}^{V_2}PdV=nRT\int_{V_1}^{V_2}\frac{dV}{V}=nRT\ln\frac{V_2}{V_1}$$

이므로, B → C 과정에서 외부에 한 일은

$nR\times 2T\times\ln 2\simeq 1.4nRT$

이고, 흡수한 열량과 같다.

A → B 과정에서 흡수한 열량은 $\frac{3}{2}nR\Delta T+nRT=\frac{5}{2}nRT$

이므로, 한 번의 순환 과정 동안 열기관이 흡수한 열량은 약 $(2.5+1.4)nRT=3.9nRT$이다.

A → B 과정에서 외부에 한 일은 $PV=nRT$, B → C 과정에서 외부에 한 일은 약 $1.4nRT$이다. C → D 과정에서 외부에서 받은 일은 $PV=nRT$, D → A 과정에서 외부에서 받은 일은 $nRT\ln 2\simeq 0.7nRT$이다. 그러므로 한 번의 순환 과정 동안 외부에 한 알짜일은 약 $nRT+1.4nRT-nRT-0.7nRT=0.7nRT$이다.

따라서 이 열기관의 열효율 $e\simeq\frac{0.7}{3.9}\simeq 0.18(18\ \%)$이다.

채점 기준		배점(%)
(1)	정답이 옳은 경우	30
(2)	풀이 과정과 정답이 모두 옳은 경우	70
	B → C 과정에서 외부에 한 일, A → B 과정에서 흡수한 열량, 한 순환 과정에서 흡수한 열량, 한 순환 과정에서 외부에 한 알짜일 중 한 가지가 옳은 경우마다	15

3. 시공간과 에너지

01 시간과 공간의 상대성

집중 분석 1권 168쪽

유제 ④

유제 ㄴ. 지표면에 정지한 관찰자가 볼 때 뮤온이 매우 빠른 속력으로 운동하므로 시간 지연에 의하여 뮤온의 수명이 길어져 보인다. 따라서 뮤온은 이동 시간이 길어져 지표면에서 관측될 수 있을 정도로 긴 거리를 이동할 수 있다. 즉, 시간 지연으로 뮤온의 지표면에서의 관측을 설명할 수 있다.
ㄷ. 뮤온과 같이 운동하는 좌표계에서 볼 때 지구가 매우 빠른 속력으로 접근하기 때문에 길이 수축이 발생한다. 따라서 뮤온의 입장에서는 짧은 거리를 이동하여 지표면에 도착할 수 있으므로 지표면 근처에서 관측되는 것을 설명할 수 있다.
바로 알기 ㄱ. 동시성의 상대성은 한 관성 좌표계에 동시인 사건이 다른 관성 좌표계에서 동시가 아닐 수 있다는 것으로, 뮤온이 지표면 근처에서 관측되는 것과 무관하다.

개념 모아 정리하기 1권 171쪽

❶ 속도 ❷ 갈릴레이 ❸ $v_B - v_A$ ❹ 에테르
❺ 빛 ❻ 빛(전자기파) ❼ 상대성 원리 ❽ 광속 불변 원리
❾ 동시성 ❿ 느리 ⓫ 고유 시간 ⓬ 수축
⓭ 고유 길이 ⓮ 짧다

개념 기본 문제 1권 172쪽~173쪽

01 310 km/h **02** ㄴ, ㄷ **03** 에테르의 존재 부정, 광속 불변 **04** ㉠ 물리 법칙 ㉡ 빛의 속력(광속) **05** A와 똑같이 P, Q에 동시에 벼락이 친다고 관측함. **06** ㄱ **07** (1) P, Q가 동시에 도달함. (2) P **08** ㄱ, ㄴ **09** (1) 느리 (2) 크다 **10** ㄴ **11** ㄱ, ㄴ **12** ㉠ 느리게 ㉡ 길이 수축 ㉢ 짧아지

01 트럭의 속력이 170 km/h이고, 트럭에서 본 공의 상대 속도가 140 km/h이다. 따라서 지면에 정지한 영희가 측정한 공의 속력을 v라 하면, 다음과 같다.
140 km/h$=v-$170 km/h, $\therefore v=$310 km/h

02 ㄴ. 모든 관성계에서 물리 법칙이 같아야 하므로 트럭 위의 관찰자와 지면에 있는 관찰자가 측정한 공에 작용하는 알짜힘은 서로 같다.
ㄷ. 트럭 위와 지면 모두 관성계이므로 공의 운동을 설명하는 물리 법칙은 동일하다.
바로 알기 ㄱ. 관성계에서 물리 법칙이 동일하므로 트럭 위의 관찰자와 지면에 있는 관찰자가 측정한 공에 작용하는 알짜힘과 공의 가속도는 서로 같다.

03 마이컬슨·몰리 실험에서 어느 방향으로도 에테르에 의한 빛의 상대 속도 변화가 관측되지 않았다. 따라서 에테르는 존재하지 않으며, 빛의 속력은 관찰자의 속력과 관계없이 항상 일정하다.

04 특수 상대성 이론에서는 상대성 원리에 의해 모든 관성 좌표계에서 물리 법칙은 동일하게 성립하고, 광속 불변 원리에 의해 진공에서의 빛의 속력은 항상 일정하다고 가정한다.

05 A와 B는 동일한 관성계에 있으므로 A가 동시라고 관측하는 것은 B도 동시라고 관측한다. 특수 상대성 이론에서는 동일한 관성 좌표계에서는 시계가 동기화되어 있어 측정한 시간이 동일하다고 취급한다.

06 ㄱ. 우주선 내부에서 관찰하였을 때, P, O, Q는 정지해 있으므로, 빛이 이동하는 시간이 같으면 이동한 거리도 같다. 따라서 $a=b$이다.
바로 알기 ㄴ. 모든 관성계에서 빛의 속력은 모든 방향으로 동일하므로 지면에서 관찰하였을 때, Q에 도달하는 빛의 속력과 P에 도달하는 빛의 속력은 같다.
ㄷ. 지면에서 관찰하였을 때, O에서 빛이 방출된 후 P와 Q는 오른쪽으로 이동하므로 빛이 P로 이동하는 거리가 Q로 이동하는 거리보다 짧아진다. 따라서 지면에서 관찰하였을 때, 빛은 Q보다 P에 먼저 도달한다.

07 (1) P, Q에서 방출된 빛이 O에 도달하는 것은 동일한 장소에서 동일한 시간에 일어나는 것이므로 모든 관성계에서 동일하게 동시라고 관측된다. 따라서 B도 P, Q에서 방출된 빛이 O에 동시에 도달하는 것으로 관측한다.
(2) B가 보았을 때, 빛이 방출되고 O가 오른쪽으로 이동하므로 P의 빛이 더 멀리 이동한다. 따라서 O에 동시에 도달하기 위해서는 P의 빛이 Q의 빛보다 먼저 방출되어야 한다.
[별해] B가 보았을 때, 빛이 방출된 후 O에 도달하는 동안 O가 오른쪽으로 이동한다. 따라서 B가 보았을 때, 빛이 방출

된 지점의 중앙(방출된 순간 O의 위치)에 P에서 방출된 빛이 먼저 도달하므로 P에서 빛이 먼저 방출된 것으로 관측한다.

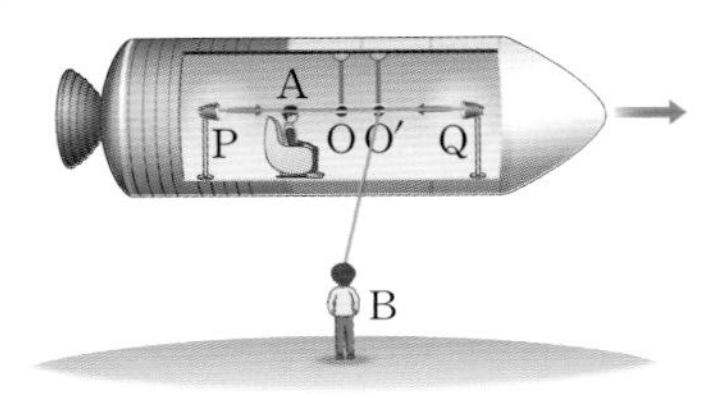

08 ㄱ. 우주선에서 측정할 때, 달은 우주선의 운동 반대 방향으로 $0.7c$의 속력으로 움직인다.

ㄴ. 우주선에서 측정할 때, 달이 우주선에 대해 운동하는 것이므로 시간 지연이 일어나 달에서의 시간은 우주선에서의 시간보다 느리게 간다.

바로 알기 ㄷ. 빛의 속력은 모든 관성 좌표계에서 일정하므로 달에서 측정하더라도 레이저 빛의 속력은 c이다.

09 (1) 지구에서 보았을 때, 우주선이 운동하고 있으므로 시간 지연에 의해 민수의 시계가 느리다고 관찰한다.

(2) 민수가 측정한 시간이 고유 시간이므로, 지구에서 측정하였을 때 우주선이 지구에서 별까지 가는 데 걸린 시간은 시간 지연에 의해 t_0보다 크다.

10 지면에 대해 우주선이 $0.8c$의 일정한 속도로 움직일 때 지면의 철수에게는 운동 방향으로 길이 수축이 일어나므로 우주선 안의 도형은 우주선의 운동 방향으로만 수축되어 보인다.

11 ㄱ. 영희는 지구와 별에 대해 정지해 있으므로 지구와 별 사이의 고유 길이를 측정한다. 반면, 철수에게는 지구와 별이 상대적으로 움직이는 것으로 보이므로 길이 수축에 의해 지구와 별 사이의 거리가 고유 길이보다 짧게 측정된다.

ㄴ. 철수가 측정할 때 지구와 별 사이의 거리가 영희가 측정한 것보다 짧으므로 별에 도착하는 데 걸리는 시간도 짧다.

바로 알기 ㄷ. 철수는 우주선에 대해 정지해 있으므로 우주선의 고유 길이를 측정한다. 반면, 영희에 대해 우주선이 움직이므로 영희가 측정한 우주선의 길이는 고유 길이보다 짧다.

12 뮤온의 수명은 짧지만, 매우 빠른 속력으로 운동하기 때문에 지표면에서 볼 때 뮤온의 시간이 느리게 가므로 뮤온의 수명이 길어져 오래 남는 것으로 관측된다. 또, 지구로 떨어지는 뮤온의 입장에서는 지구가 자신 쪽으로 운동하는 것으로 보이므로 자신과 지구 사이의 길이가 수축되어 자신의 짧은 수명에도 충분히 지표면에 도달할 수 있다.

개념 적용 문제 1권 174쪽~179쪽

01 ③ **02** ③ **03** ⑤ **04** ④ **05** ⑤ **06** ① **07** ① **08** ③ **09** ⑤ **10** ③ **11** ② **12** ①

01 ㄱ. 가설 1은 모든 관성 좌표계에서 운동 법칙이 동일하다는 의미로, 역학 법칙에만 한정하던 갈릴레이의 상대성 원리를 모든 물리 법칙으로 확장한 것이다.

ㄴ. 가설 2는 광속 불변 원리이므로 마이컬슨·몰리 실험의 결과와 일치한다.

바로 알기 ㄷ. 정지한 사람이 측정할 때 운동하는 사람의 시계가 느리게 간다. 이것을 시간 지연이라고 한다.

02 ㄱ. P, Q에서 빛이 방출된 후 영희는 Q 쪽으로 이동하므로 영희는 Q에서 방출된 빛을 먼저 보게 된다. 따라서 영희는 빛이 P에서보다 Q에서 먼저 방출된 것으로 관찰한다.

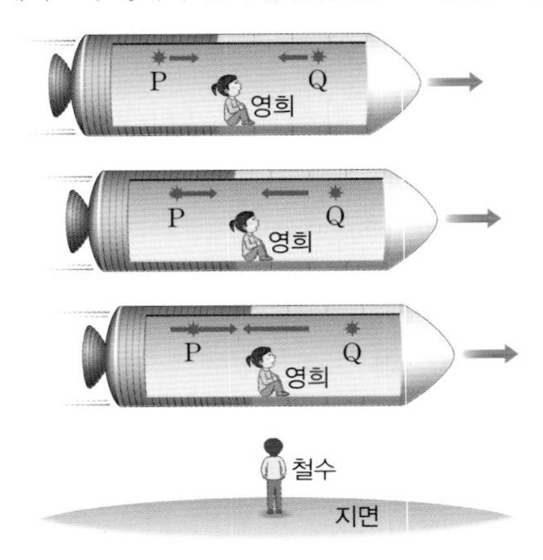

ㄴ. 빛의 속력은 관찰자나 광원의 속도에 관계없이 일정하므로 철수는 P, Q에서 방출되는 빛의 속력이 동일하다고 측정한다.

바로 알기 ㄷ. 빛의 속력은 관찰자나 광원의 속도에 관계없이 일정하다.

03 ㄱ. B가 보았을 때 빛이 이동하는 Δt 동안 우주선이 $v\Delta t$만큼 이동한다. 따라서 빛이 이동한 거리를 피타고라스 정리를 이용하여 구하면 $2\sqrt{\left(\frac{v\Delta t}{2}\right)^2+L^2}$이다.

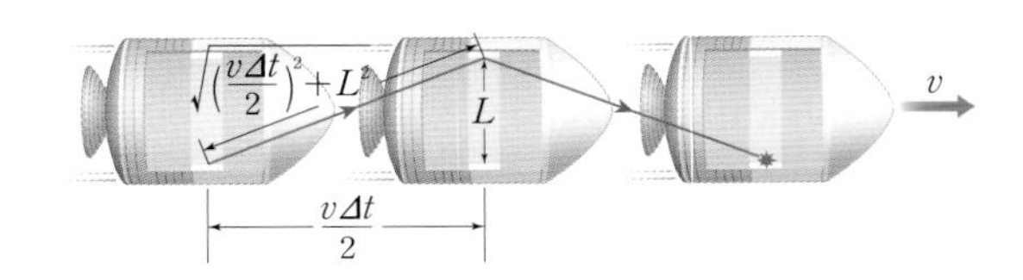

ㄴ. 빛이 이동한 거리는 B가 측정할 때가 A가 측정할 때보다 길다. 빛의 속력은 항상 동일하므로 빛이 한 번 왕복하는 데 걸린 시간은 B가 측정한 시간이 A가 측정한 시간보다 크다. 따라서 $\Delta t > \Delta t_0$이다.
ㄷ. B가 측정한 값이 A가 측정한 값보다 크므로 B는 A의 시간이 자신의 시간보다 느리게 간다고 생각한다.

04 ㄱ. A와 B는 같은 관성 좌표계에 있으므로 두 사람이 측정한 시간 간격은 같다.
ㄷ. C가 보았을 때 A는 일정한 속도로 운동하고 있으므로 시간 지연에 의해 C는 A의 시계가 자신의 시계보다 느리게 간다고 측정한다.
바로 알기 ㄴ. B가 보았을 때 C는 운동하고 있으므로 B는 C의 시계가 자신의 시계보다 느리게 간다고 측정한다.

05 ㄱ. 우주선이 지구에 대해 운동하므로, 시간 지연에 의해 지구에서 측정할 때 우주선 안에서의 시간이 지구에서의 시간보다 천천히 흐른다.
ㄴ. 우주선 안에서 측정할 때, 물체는 우주선과 같은 좌표계에 있으므로 물체의 진동 주기는 T이다.
ㄷ. 지구에서 측정할 때, 우주선 안의 시간이 천천히 흐르므로 지구에서 측정한 물체의 진동 주기는 T보다 크다.

06 ㄱ. 영희가 측정할 때, 우주선이 $0.8c$의 속도로 시간 t_0 동안 A에서 B로 이동하므로, A와 B 사이의 거리는 $0.8ct_0$이다.
바로 알기 ㄴ. 철수가 측정할 때, 영희가 운동하므로 시간 지연에 의해 영희의 시간이 자신의 시간보다 느리게 간다고 관측한다.
ㄷ. 철수에 대해 A, B가 $0.8c$의 속력으로 이동하므로 길이 수축에 의해 철수가 측정한 A와 B 사이의 거리는 영희가 측정한 고유 길이보다 짧다. 따라서 철수가 측정할 때, 우주선이 A에서 B까지 이동하는 데 걸린 시간은 t_0보다 작다. 철수가 측정할 때, A, B가 우주선과 만나는 사건이 같은 위치에서 일어나므로 철수가 측정한 시간이 고유 시간이다.

07 ㄱ. 영희가 측정할 때, 우주선이 v의 속도로 시간 t_0 동안 지나가므로 영희가 측정한 우주선의 길이는 vt_0이다.
바로 알기 ㄴ. 영희에 대해 우주선이 운동하므로 영희가 측정한 우주선의 길이는 길이 수축에 의해 고유 길이보다 짧다. 우주선 안의 철수가 측정한 길이가 고유 길이이므로, 철수가 측정할 때 우주선의 길이는 vt_0보다 길다.
ㄷ. 영희가 볼 때 우주선의 앞과 뒤가 지나가는 두 사건은 같은 장소에서 일어나므로, 우주선이 영희를 지나가는 시간은 영희가 측정한 시간 t_0이 고유 시간이다. 철수가 볼 때 영희가 우주선의 앞과 뒤에 위치하는 두 사건은 서로 다른 장소에서 일어나므로, 고유 시간이 아니다. 따라서 시간 지연에 의해 철수가 측정할 때 우주선이 영희를 지나가는 시간은 t_0보다 길다.

08 ㄱ. A에서 측정할 때, 자신의 우주선의 길이는 고유 길이인 L이고, B의 앞부분이 L의 거리를 이동하는 데 걸리는 시간이 T이므로 B의 속력은 $\frac{L}{T}$이다.
ㄴ. A에서 본 B의 속력과 B에서 본 A의 속력은 서로 같다. B에서 측정할 때, A의 앞부분이 B를 완전히 통과하는 동안 이동하는 거리는 B의 고유 길이인 L이므로, A의 앞부분이 B를 완전히 통과하는 데 걸리는 시간은 T로 같다.
바로 알기 ㄷ. B에 대해 A가 운동하므로 B에서 측정한 A의 길이는 길이 수축에 의해 고유 길이 L보다 작다. 따라서 B에서 측정할 때, A가 B의 앞부분을 완전히 통과하는 데 걸리는 시간은 T보다 작다.

09 ㄱ. 영희가 측정할 때, 우주선이 $0.8c$의 속력으로 P에서 Q까지 L_2의 거리를 이동하므로 $T=\frac{L_2}{0.8c}$이다.
ㄴ. 영희에 대해 우주선이 운동하므로 영희가 측정한 우주선의 길이 L_1은 길이 수축에 의해 우주선의 고유 길이보다 짧다. 철수에 대해 우주선은 정지해 있으므로 철수가 측정한 우주선의 길이는 고유 길이이다. 따라서 철수가 측정한 우주선의 길이는 영희가 측정한 L_1보다 크다. 그리고 철수가 측정할 때, P, Q가 철수에게 $0.8c$의 속력으로 다가오는 것이므로 길이 수축에 의해 P, Q 사이의 거리는 L_2보다 작다.
ㄷ. 철수가 측정할 때, P, Q 사이의 거리는 L_2보다 작고, P, Q가 $0.8c$의 속력으로 접근하므로 우주선이 P에서 Q까지 이동하는 데 걸린 시간은 T보다 작다.

10 ㄹ. 영희에 대해 우주선이 운동하므로 영희가 측정한 우주선의 길이는 길이 수축에 의해 철수가 측정한 우주선의 고유 길이보다 작다.
바로 알기 ㄱ. 빛의 속력은 관찰자나 광원의 속도에 관계없이 항상 일정하므로 철수와 영희가 측정할 때가 동일하다.
ㄴ. 철수는 뮤온과 같은 속도로 운동하므로 철수가 측정한 뮤온의 속력은 0이다. 영희가 본 뮤온의 속력이 $0.8c$이므로 뮤온의 속력은 영희가 측정했을 때가 더 크다.

ㄷ. 철수는 뮤온과 같은 속도로 운동하므로 철수는 뮤온의 고유 수명을 측정한다. 영희에 대해 뮤온이 운동하므로 영희가 측정한 뮤온의 수명은 시간 지연에 의해 철수가 측정한 뮤온의 수명보다 길게 측정된다.

11 ㄷ. A가 측정한 우주선의 고유 길이를 L_0, B가 측정한 P, Q 사이의 고유 길이를 X_0이라고 하자. B가 측정한 우주선의 길이를 L이라고 하면 $L<L_0$이고, A가 측정한 P, Q 사이의 길이를 X라고 하면 $X<X_0$이다. A가 관찰했을 때 $L_0=X$이므로 B가 측정한 우주선의 길이 L은 P, Q 사이의 고유 길이 X_0보다 작다.(➡ ㄱ) 따라서 우주선이 P에서 Q로 진행할 때 B에게는 우주선의 뒤가 P를 지나는 사건이 먼저 발생하고, 우주선의 앞이 Q를 지나는 사건이 나중에 발생한다.

바로 알기 ㄱ, ㄴ. B가 측정한 우주선의 길이는 길이 수축에 의해 A가 측정한 우주선의 고유 길이보다 작다. 따라서 P가 우주선의 앞과 뒤에 위치하는 두 사건 사이의 시간 간격은 A의 측정값보다 작다.

12 ㄱ. 영희가 관찰할 때, 철수가 운동하므로 시간 지연에 의해 철수의 시간이 자신의 시간보다 느리게 간다고 관찰한다.

바로 알기 ㄴ. 영희가 관찰할 때, 길이 수축에 의해 B와 C 사이의 거리가 철수가 측정한 고유 길이보다 짧게 측정된다. 따라서 우주선이 B에서 C까지 이동하는 데 걸린 시간은 영희가 측정한 값이 철수가 측정한 값보다 작다.

ㄷ. 철수가 관찰할 때, A의 시간이 느리게 가므로 우주선이 C를 스치는 순간 A가 가리키는 값은 C가 가리키는 값보다 작다. 이것은 모든 관찰자에게 동일하므로 영희를 기준으로 해도 A가 가리키는 값이 C가 가리키는 값보다 작다.

철수를 기준으로 할 때 B가 0을 가리키는 사건과 C가 0을 가리키는 사건은 동시 사건이지만, 영희를 기준으로 할 때 C가 0을 가리키는 사건은 B가 0을 가리키는 사건보다 먼저 발생했다. 그러므로 영희가 관찰할 때, 우주선이 B를 스치는 순간 B는 0을 가리키지만, C는 0보다 큰 값을 가리킨다.

02 질량 에너지 동등성

개념 모아 정리하기 1권 188쪽

❶ γmv ❷ 작을(느릴) ❸ γm 또는 $\dfrac{m}{\sqrt{1-\frac{v^2}{c^2}}}$
❹ 속력 ❺ 정지 ❻ mc^2 ❼ 질량
❽ 에너지 ❾ 질량 에너지 동등성 ❿ 질량 결손
⓫ 중성자 ⓬ 핵융합 ⓭ 헬륨3 ⓮ 헬륨
⓯ 중성자

개념 기본 문제 1권 189쪽

01 질량 에너지 동등성 **02** (1) 정지 (2) 에너지 (3) 에너지
03 질량 결손 **04** $\varDelta mc^2$ **05** (1) 0.18 u (2) 약 2.69×10^{-11} J
(3) 약 6.90×10^{13} J **06** ㄱ, ㄴ, ㄷ

01 질량과 에너지는 본질적으로 같으므로 서로 전환될 수 있다는 것을 질량 에너지 동등성이라고 한다. 질량 에너지 동등성 원리는 소립자의 생성과 소멸, 핵에너지를 이해하는 데 기초가 된다.

02 (1) 정지한 물체가 가지고 있는 에너지를 정지 에너지라고 한다. 정지 질량이 m인 물체의 정지 에너지 $E_0=mc^2$이다.
(2) 에너지가 전자와 양전자로 생성되는 것은 에너지가 질량으로 변하는 현상이다. 질량 에너지 동등성에 의해 에너지와 질량은 서로 전환될 수 있다.
(3) 핵반응에서 발생한 질량 결손이 에너지로 방출된다.

03 핵반응 후 질량의 합이 핵반응 전보다 줄어드는 것을 질량 결손이라고 한다. 핵반응이 일어날 때 질량 결손에 해당하는 만큼의 에너지가 방출된다.

04 아인슈타인의 질량 에너지 동등성 관계에 의하여 감소한 질량 $\varDelta m$이 모두 에너지로 전환될 때 발생하는 에너지 $E=\varDelta mc^2$이다.

05 (1) 반응 전 우라늄과 중성자의 질량의 합은 235.04 u+1.01 u=236.05 u이고, 반응 후 바륨, 크립톤, 중성자 3개의 질량의 합은 91.93 u+140.91 u+3×1.01 u=235.87 u이다. 따라서 질량 결손은 236.05 u−235.87 u=0.18 u이다.
(2) 질량 결손 $\varDelta m=0.18$ u이므로 $E=\varDelta mc^2$에서 발생한 에너지는 $0.18\ \text{u}\times1.66\times10^{-27}\ \text{kg/u}\times(3\times10^8\ \text{m/s})^2\fallingdotseq$

2.69×10^{-11} J이다.

(3) 우라늄 $235.04\ \mathrm{u}\times1.66\times10^{-27}\ \mathrm{kg/u}\fallingdotseq3.90\times10^{-25}\ \mathrm{kg}$에서 2.69×10^{-11} J의 에너지가 발생하므로 우라늄 1 kg에서 발생하는 에너지는 다음과 같다.

$$\frac{1\ \mathrm{kg}}{3.90\times10^{-25}\ \mathrm{kg}}\times2.69\times10^{-11}\ \mathrm{J}\fallingdotseq6.90\times10^{13}\ \mathrm{J}$$

06 ㄱ. A는 전하량이 0이고 질량수가 1인 중성자($^1_0\mathrm{n}$)이다.
ㄴ. 핵반응 과정에서 반응 전후 질량수는 보존된다.
ㄷ. 핵반응 전후 질량수는 보존되지만, 질량이 감소하므로 질량 결손에 의해 에너지가 발생한다.

개념 적용 문제 1권 190쪽~194쪽

01 ② **02** ① **03** ② **04** ③ **05** ① **06** ④ **07** ③ **08** ② **09** ④ **10** ②

01 ㄷ. 원자핵이 쪼개지기 전후의 에너지는 동일하다. 질량 에너지 동등성에 의해 $E=m'c^2=\dfrac{mc^2}{\sqrt{1-\left(\frac{v}{c}\right)^2}}$이므로 핵분열 전 원자핵의 질량을 m_0이라고 하면 $m_0c^2=\dfrac{mc^2}{\sqrt{1-0.6^2}}+\dfrac{mc^2}{\sqrt{1-0.6^2}}=\dfrac{2mc^2}{\sqrt{1-0.6^2}}=2.5mc^2$이다. 따라서 핵분열 전 원자핵의 질량 $m_0=2.5m$이다.

바로 알기 ㄱ. 핵분열 후 두 입자가 운동 에너지를 가지며, 이 에너지는 질량 결손에 의하여 발생한다. 질량 결손이 발생하므로 핵분열 과정에서 입자의 총 질량은 감소한다.
ㄴ. $E=\gamma mc^2$이므로 핵분열 후 한 입자의 전체 에너지는 $\dfrac{mc^2}{\sqrt{1-0.6^2}}=\dfrac{mc^2}{0.8}=1.25mc^2$이다.

02 ㄱ. 처음 물체가 정지해 있다고 관찰하는 관성 좌표계를 기준으로 물체의 속력이 v일 때 질량(상대론적 질량)이 $2m_0$이라는 뜻이다. 모든 관성 좌표계에서 물리 법칙은 동일하므로 물체에 한 일은 물체의 운동 에너지 증가량과 같다.

바로 알기 ㄴ. 물체의 전체 에너지 $E=m'c^2$이므로 입자의 속력이 v일 때 전체 에너지는 $2m_0c^2$이고, 정지 에너지가 m_0c^2이므로 속력이 v일 때 입자의 운동 에너지는 $2m_0c^2-m_0c^2=m_0c^2$이다.

ㄷ. 속력이 v일 때 입자의 질량이 $2m_0$이므로
$2m_0=\dfrac{m_0}{\sqrt{1-\left(\frac{v}{c}\right)^2}}$에서 $2=\dfrac{1}{\sqrt{1-\left(\frac{v}{c}\right)^2}}$이다. 따라서 $v=\dfrac{\sqrt{3}}{2}c$이다.

03 ㄷ. $W_2\fallingdotseq0.42m_0c^2$이므로 정지 에너지 m_0c^2보다 작다.

바로 알기 ㄱ. 속력이 $0.6c$일 때 물체의 전체 에너지는 $\dfrac{m_0c^2}{\sqrt{1-\left(\frac{0.6c}{c}\right)^2}}=1.25m_0c^2$이므로, 운동 에너지는 여기서 정지 에너지 m_0c^2을 뺀 $0.25m_0c^2$이다.
ㄴ. 물체에 한 일만큼 물체의 운동 에너지가 증가한다. 물체의 전체 에너지는 정지해 있을 때 m_0c^2,

속력이 $0.6c$일 때 $\dfrac{m_0c^2}{\sqrt{1-\left(\frac{0.6c}{c}\right)^2}}=1.25m_0c^2$,

속력이 $0.8c$일 때 $\dfrac{m_0c^2}{\sqrt{1-\left(\frac{0.8c}{c}\right)^2}}\fallingdotseq1.67m_0c^2$

이다. 따라서 $W_1=0.25m_0c^2$, $W_2\fallingdotseq0.42m_0c^2$이 되어 $W_1<W_2$이다.

04 ㄱ. 시간 지연에 의해 관측 속도가 클수록 뮤온의 수명이 길게 관측된다. 따라서 지표면의 관찰자가 측정할 때, 뮤온의 수명은 A가 B보다 길다.
ㄷ. 특수 상대성 이론에서 물체의 전체 에너지 $E=m'c^2=\gamma mc^2=\dfrac{mc^2}{\sqrt{1-\frac{v^2}{c^2}}}$이므로, 지표면에서 측정할 때 뮤온의 전체 에너지는 A가 B보다 크다.

바로 알기 ㄴ. 지표면에서 측정할 때, A의 수명이 B의 수명보다 길므로 A가 더 멀리까지 이동한다. 따라서 관측되는 최소 높이는 A가 B보다 낮다.

05 ㄱ. A가 측정한 p와 q 사이의 거리 L은 고유 길이이다. B가 측정한 p와 q 사이의 거리는 $0.9cT$이고, 길이 수축에 의해 A가 측정한 길이 L보다 짧다. 따라서 $L>0.9cT$이다.

바로 알기 ㄴ. 고전 역학에서의 속도 합성에 따르면 B가 측정할 때 양성자의 속력은 $1.8c$가 되지만, 특수 상대성 이론에서 물체의 속력은 빛의 속력보다 클 수 없으므로 B가 측정한 양성자의 속력은 $1.8c$가 될 수 없으며 c보다 작다.
ㄷ. 물체의 전체 에너지는 속력에 따라 다르다. A, B가 측정한 양성자의 속력이 다르므로 양성자의 전체 에너지도 다르다.

[별해] ㄴ. 상대론에서의 속도 더하기는 $v_{12}=\dfrac{v_{10}+v_{02}}{1+\dfrac{v_{10}v_{02}}{c^2}}$이므로, B가 측정한 양성자의 속력 $v_{BP}=\dfrac{0.9c+0.9c}{1+\dfrac{(0.9c)^2}{c^2}}=\dfrac{1.8}{1.81}c$ $\fallingdotseq 0.994c$이다.

06 핵반응 전과 후 질량수와 전하량은 변하지 않고 보존되며, 입자들의 질량의 총합은 감소한다. 감소한 질량을 질량 결손이라고 하며, 질량 에너지 동등성에 의해 핵반응에 의한 질량 결손이 m일 때 방출되는 에너지는 mc^2이다.

07 ㄱ. ㉠, ㉡은 모두 중성자($^1_0$n)이므로 질량수가 1이다.
ㄴ. 불안정한 우라늄 원자핵이 느린 속력의 열중성자를 흡수하고 핵분열하며 바륨과 크립톤 및 고속 중성자를 방출한다. 따라서 중성자의 속력은 ㉡이 ㉠보다 크므로 전체 에너지도 ㉡이 ㉠보다 크다.
바로 알기 ㄷ. 핵분열 시 고속 중성자가 방출되므로, 우라늄이 정지해 있는 좌표계에서 측정할 때, 핵반응에서 발생한 에너지의 일부는 ㉡의 운동 에너지로 전환된다.

08 ㄴ. 핵반응에서 전하량과 질량수는 보존되므로 ㉠은 전하량이 0이고 질량수가 1인 입자인 중성자($^1_0$n)이다.
바로 알기 ㄱ. 핵융합 반응은 (+)전하를 띠는 원자핵끼리 전기적인 반발력을 이기고 충돌해야 하므로 입자가 매우 빠른 속력으로 충돌해야 한다. 따라서 입자가 충분한 운동 에너지를 유지하기 위해 초고온 상태에서 일어난다.
ㄷ. 핵반응 과정에서 에너지가 발생하므로 질량 결손이 있음을 알 수 있다. 따라서 핵반응 후 질량의 합은 핵반응 전 질량의 합보다 감소한다.

09 ㄴ. 태양 에너지의 근원은 (가)와 같은 핵융합 반응이다.
ㄷ. (가)에서는 4개의 핵자에 의해 26 MeV의 에너지가 발생하므로, 핵자당 $\dfrac{26\text{ MeV}}{4}=6.5\text{ MeV}$의 에너지가 발생한다.
(나)에서는 236개의 핵자에 의해 200 MeV의 에너지가 발생하므로, 핵자당 $\dfrac{200\text{ MeV}}{236}\fallingdotseq 0.85\text{ MeV}$의 에너지가 발생한다. 따라서 핵자당 방출하는 에너지는 (가)에서가 (나)에서보다 크다.
바로 알기 ㄱ. 핵반응에 의해 질량 결손이 발생하지만, 전하량, 원자 번호, 질량수의 합은 각각 변하지 않는다.

10 ㄷ. 핵반응에서 질량 결손이 에너지로 전환되는 것을 알 수 있듯이, 쌍생성에서 에너지가 입자로 전환되는 것을 알 수 있다. 입자는 질량이 있으므로 쌍생성은 에너지와 질량이 동등하다는 것을 보여 주는 예이다.
바로 알기 ㄱ. 특수 상대성 이론에서도 물리 법칙이 성립하므로 쌍생성에서 운동량은 보존된다. 생성된 양전자와 전자의 운동량의 합이 0이 아니므로 빛의 운동량도 0이 아니다.
ㄴ. 빛의 에너지가 질량으로 전환되는 것이므로 빛의 에너지는 양전자와 전자의 운동 에너지 및 정지 에너지로 전환된다.

통합 실전 문제

1권 196쪽~199쪽

01 ① **02** ⑤ **03** ④ **04** ② **05** ⑤ **06** ② **07** ③ **08** ⑤

01 ㄱ. B가 관찰할 때 O에서 방출한 빛이 P, Q에 동시에 도달하므로 빛이 이동한 시간이 같다. 빛의 속력은 항상 같으므로 $\overline{OP}$, $\overline{OQ}$의 길이가 같다. A가 관찰할 때는 길이 수축이 발생하지만 같은 길이가 같은 비율로 수축되는 것이므로 $\overline{OP}$, $\overline{OQ}$의 길이는 같다.
바로 알기 ㄴ. A가 관찰할 때, O에서 빛이 방출된 후 빛이 이동하는 동안 P, Q가 왼쪽으로 이동한다. 따라서 A가 관찰할 때 빛은 Q에 먼저 도달한다.
ㄷ. 모든 관찰자에게 빛의 속력은 동일하므로 O에서 P로 이동하는 빛이나 O에서 Q로 이동하는 빛의 속력은 같다.

02 ㄱ. B가 관찰할 때 P, Q에서 동시에 방출한 빛이 O에 동시에 도달하므로 빛이 이동한 시간이 같다. 빛의 속력은 항상 같으므로 $\overline{OP}$, $\overline{OQ}$의 길이가 같다. A가 관찰할 때는 길이 수축이 발생하지만 같은 길이가 같은 비율로 수축되는 것이므로 $\overline{OP}$, $\overline{OQ}$의 길이는 같다.
ㄴ. 빛이 O에 동시에 도달하는 것은 한 점에서 발생한 하나의 사건이므로 모든 관찰자에게 동일한 사건이다. 따라서 A도 P, Q에서 방출한 빛이 O에 동시에 도달한다고 관찰한다.
ㄷ. A가 관찰할 때, 빛이 P, Q에서 방출된 후 O가 왼쪽으로 이동하므로 Q에서 방출된 빛의 이동 거리가 더 길다. 따라서 P, Q에서 방출된 빛이 O에 동시에 도착하기 위해서는 빛이 Q에서 먼저 방출되어야 한다.

03 ㄴ. 번개의 빛이 기차의 중앙에 도달하는 것은 한 점(기차의 중앙)에서 일어난 사건이므로 C도 번개의 빛이 기차의 중앙

에 동시에 도달한다고 관찰한다. 번개의 빛이 이동하는 동안 기차가 오른쪽으로 이동하므로 C가 보았을 때 기차의 뒤쪽에 떨어진 번개의 빛이 먼 거리를 이동한다고 관찰하게 된다. 즉, C는 번개가 기차의 뒤쪽에 먼저 떨어졌다고 관찰한다.

ㄷ. C가 기차의 길이를 측정할 때 길이 수축이 발생하므로 A가 측정한 기차의 길이보다 짧다.

바로 알기 ㄱ. A와 B는 같은 좌표계에 있으므로 시간을 동기화하여 사용한다. 따라서 A가 번개가 기차의 양 끝에 동시에 떨어졌다고 관찰하면, B도 그렇게 관찰한다.

04 ㄴ. B가 측정할 때, A의 시간은 자신의 시간보다 느리게 간다. 따라서 B가 측정할 때, 우주선이 광원에서 거울까지 이동하는 데 걸린 시간은 A가 측정한 시간 t_A보다 크다.

바로 알기 ㄱ. 광원과 거울 사이의 길이는 A가 측정할 때 $0.5ct_A$, B가 측정할 때 $0.5ct_B$이다. 길이 수축에 의해 광원과 거울 사이의 길이는 A가 측정할 때가 B가 측정할 때보다 작으므로 $0.5ct_A < 0.5ct_B$이다. 따라서 $t_A < t_B$이다.

ㄷ. 빛의 속력은 관찰자에 무관하게 c이다. A가 측정할 때 빛이 광원에서 거울까지 이동하는 동안 거울은 왼쪽으로 다가가고, 빛이 거울에서 광원까지 되돌아갈 때는 광원이 왼쪽으로 멀어진다. 따라서 빛이 광원에서 거울로 이동할 때의 거리가 더 짧으므로 걸리는 시간도 짧다.

05 ㄱ. 철수가 측정할 때 움직이는 자동차의 길이(길이 수축)가 L이므로 운전자가 측정하는 자동차의 길이(고유 길이)는 L보다 크다.

ㄴ. 철수가 측정한 P, Q 사이의 거리 L은 고유 길이이다. 운전자가 측정할 때, 두 신호등은 운동하고 있으므로 고유 길이 L보다 작다.

ㄷ. 자동차의 앞부분이 Q에 도달하는 순간 Q에 불이 켜지는 사건과 자동차의 뒷부분이 P에 도달하는 순간 P에 불이 켜지는 사건은 철수의 기준계에서 동시에 일어나는 사건이다. 한편 운전자의 기준계에서, 자동차의 길이는 P, Q 사이의 거리보다 크다. 따라서 자동차의 앞부분이 Q에 도달하여 Q에 불이 켜지는 사건이 먼저 발생하고, 자동차의 뒷부분이 P에 도달하여 P에 불이 켜지는 사건이 나중에 일어난다.

06 ㄷ. 질량수가 60보다 작은 원자핵이 핵융합하면 결합 에너지가 증가하므로 질량 결손에 의한 에너지를 방출한다. 반면 질량수가 60보다 큰 원자핵이 핵분열할 때도 결합 에너지가 증가하므로 질량 결손에 의한 에너지를 방출한다.

바로 알기 ㄱ. 핵자당 결합 에너지가 클수록 더 안정한 원자핵임을 의미하므로 철(Fe) 원자핵이 가장 안정한 원자핵이다.

ㄴ. 질량수가 60 이상인 원자핵은 질량수가 증가할수록 핵자당 결합 에너지가 점점 감소하므로 더 불안정하다.

07 ㄱ. 불안정한 우라늄 원자핵이 속력이 느린 중성자를 흡수하여 핵분열하므로 ㉠은 중성자($^1_0$n)이다.

ㄷ. 질량 에너지 동등성에 의해 핵반응에서 발생한 질량 결손이 m일 때 발생하는 에너지 $\Delta E = mc^2$이다. 따라서 질량 결손 $m = \frac{\Delta E}{c^2}$이다.

바로 알기 ㄴ. 핵반응 전후 질량수(=양성자수+중성자수)와 원자 번호는 보존된다. 따라서 ㉡의 질량수는 (235+1)−(92+2)=142이고, 원자 번호는 92−37=55이다. 따라서 ㉡에서 ㉠(중성자)의 수는 142−55=87(개)이다.

08 ㄱ. 태양과 같은 고온이 필요한 핵반응은 핵융합이므로 핵융합을 이용한 핵발전소이다.

ㄴ. 핵융합에 의한 핵반응은 핵분열에 의한 핵반응보다 단위 질량당 발생하는 에너지가 크다.

ㄷ. 핵융합 과정에서 발생한 질량 결손이 에너지로 전환되는 것이므로 질량 에너지 동등성을 확인할 수 있다.

사고력 확장 문제

1권 200쪽~203쪽

01 **모범 답안** (1) P, Q에 떨어진 벼락에서 방출된 빛이 동시에 A에 도착하면 A는 벼락이 P, Q에 동시에 떨어졌다고 관측한다. A와 같은 좌표계에 있는 B는 P, Q의 가운데까지 빛이 진행한 후, 가운데에서 B에 빛이 도달하면 P, Q에 동시에 벼락이 떨어졌다고 관측한다. 따라서 같은 관성 좌표계에 있는 P, Q, A, B에 있는 시계가 모두 같은 시간을 가리키도록 동기화하면, A, B는 P, Q에 벼락이 떨어지는 시각을 P, Q에 있는 시계로 측정하므로, A, B가 똑같이 P, Q에 동시에 벼락이 떨어진다고 관측한다. 이렇게 시계를 동기화하여 같은 관성 좌표계에서 시간의 측정값이 달라지지 않도록 하여 혼란을 없앤다.

C는 A, B와 다른 관성 좌표계에 있으므로 A, B가 동시라고 관측할 때 C는 동시가 아니라고 관측한다.

(2) B는 A와 같은 관성 좌표계에 있으므로 A가 P, Q에 벼락이 동시에 떨어졌다고 관측하면 B도 동시라고 관측한다.

C도 A와 같이 P, Q에 떨어진 벼락에서 방출된 빛이 동시에 A에 도

달한다고 관측한다. 이는 같은 장소에서 일어난 사건이므로 모든 관측자에게 동일하게 관측되기 때문이다. 그런데 C는 A가 P 쪽으로 이동하므로 P에서 방출된 빛이 A까지 이동한 거리보다 Q에서 방출된 빛이 A까지 이동한 거리가 길다고 관측한다. 따라서 C는 P보다 Q에 벼락이 먼저 떨어졌다고 관측한다.

(3) C가 보았을 때 P, Q에 벼락이 동시에 떨어졌다는 것은 P, Q에 떨어진 벼락에서 방출된 빛이 C에 동시에 도달하였다는 것이다. A가 보았을 때도 빛이 C에 동시에 도달한다. 그런데 A가 보았을 때 C는 Q 쪽으로 이동하므로 Q보다 P에 벼락이 먼저 떨어졌다고 관측한다.

채점 기준		배점(%)
(1)	풀이가 모두 옳은 경우	30
	빛의 이동으로 동시를 판단함을 옳게 설명한 경우	15
(2)	풀이 과정과 정답이 모두 옳은 경우	40
	풀이 과정이나 정답 중 한 가지만 옳은 경우	20
(3)	풀이 과정과 정답이 모두 옳은 경우	30
	풀이 과정이나 정답 중 한 가지만 옳은 경우	15

02 (3) A가 측정한 빛의 왕복 시간은 $\Delta t=\frac{2L}{c}$이고, B가 측정한 빛의 왕복 시간은 $t=\frac{\Delta t}{\sqrt{1-\frac{v^2}{c^2}}}$이다. $\frac{1}{\sqrt{1-\frac{v^2}{c^2}}}>1$이므로 $\Delta t<t$이다.

모범 답안 (1) 지면에 서 있는 B가 측정한 빛의 왕복 시간을 t라고 하면, 이 시간 동안 우주선은 앞으로 $2\left(\frac{vt}{2}\right)$만큼 이동한다. 따라서 빛이 이동한 거리는 다음과 같다.

$$2\left(\frac{ct}{2}\right)=2\sqrt{\left(\frac{vt}{2}\right)^2+L^2}$$

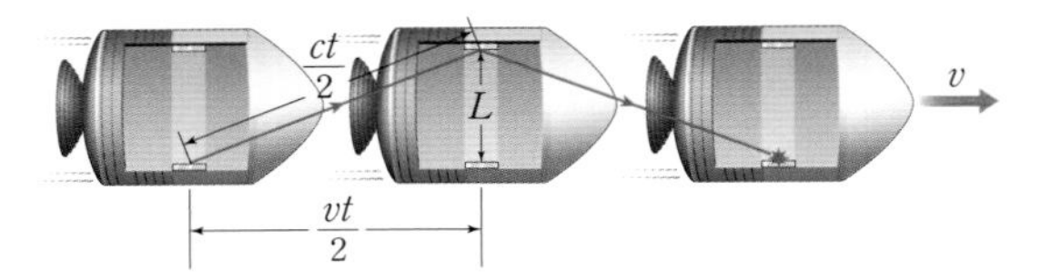

(2) 지면에 서 있는 B가 보았을 때 빛이 왕복하는 시간 동안 이동한 거리는 (1)과 같으므로 빛이 왕복하는 데 걸린 시간은 다음과 같다.

$$2\left(\frac{ct}{2}\right)=2\sqrt{\left(\frac{vt}{2}\right)^2+L^2}$$

$$t^2=\frac{L^2}{\left(\frac{c}{2}\right)^2-\left(\frac{v}{2}\right)^2}$$

$$t=\frac{\frac{2L}{c}}{\sqrt{1-\frac{v^2}{c^2}}}$$

(3) $\Delta t<t$

채점 기준		배점(%)
(1)	풀이 과정과 정답이 모두 옳은 경우	40
	빛의 이동 거리를 옳게 구한 경우	20
(2)	풀이 과정과 정답이 모두 옳은 경우	30
	B가 측정한 빛의 이동 시간만 옳게 표현한 경우	15
(3)	정답이 옳은 경우	30

03 (1) 이동 거리는 속도와 걸린 시간의 곱이므로 영희가 측정할 때 우주선의 길이 $L=vt_0$이다.

(3) 철수가 측정한 우주선의 길이는

$$L_0=vt=\frac{vt_0}{\sqrt{1-\frac{v^2}{c^2}}}=\frac{L}{\sqrt{1-\frac{v^2}{c^2}}}$$

이다. 우주선은 철수에 대해 정지해 있으므로 우주선의 길이는 철수가 측정한 길이가 고유 길이이다.

모범 답안 (1) vt_0

(2) 영희가 측정할 때 우주선의 맨 앞이 영희를 지나고 맨 끝이 영희를 지나는 것은 한 장소에서 일어난 사건이므로, 우주선 전체가 영희를 지나가는 데 걸리는 시간은 영희가 측정한 시간(t_0)이 고유 시간이다. 철수가 측정할 때 우주선 전체가 영희를 지나가는 데 걸리는 시간을 t라고 하면, 철수는 영희의 시간이 자신의 시간보다 느리게 간다고 생각하므로 다음과 같다.

$$t=\frac{t_0}{\sqrt{1-\frac{v^2}{c^2}}}$$

(3) $\frac{L}{\sqrt{1-\frac{v^2}{c^2}}}$

채점 기준		배점(%)
(1)	정답이 옳은 경우	30
(2)	풀이 과정과 정답이 모두 옳은 경우	40
	고유 시간을 옳게 생각한 경우	20
(3)	정답이 옳은 경우	30

04 (1) 영희가 측정할 때, 철수가 v의 속력으로 L의 거리를 이동하므로 철수가 두 가로등 사이를 지나가는 데 걸리는 시간 $t=\frac{L}{v}$이다.

(2) 철수가 측정한 두 가로등 사이의 거리는 길이 수축이 일어나므로 $L'=L\sqrt{1-\frac{v^2}{c^2}}$이다.

모범 답안 (1) $\frac{L}{v}$

(2) $L\sqrt{1-\frac{v^2}{c^2}}$

(3) 철수가 측정할 때, L'의 거리를 v의 속력으로 이동하므로 걸리는 시간은 다음과 같다.

$$t_0=\frac{L'}{v}=\frac{L}{v}\sqrt{1-\frac{v^2}{c^2}}=t\sqrt{1-\frac{v^2}{c^2}}$$

(4) 철수는 두 가로등이 철수가 있는 장소를 지나가는 것으로 관찰하므로 동일한 장소에서 사건이 일어난다고 생각한다. 따라서 철수가 측정한 시간이 고유 시간이다.

(5) 영희는 두 가로등이 정지해 있는 것으로 관찰하므로 영희가 측정한 거리가 고유 길이이다.

채점 기준		배점(%)
(1)	정답이 옳은 경우	20
(2)	정답이 옳은 경우	20
(3)	풀이 과정과 정답이 모두 옳은 경우	20
	길이 수축으로 걸린 시간을 계산한 경우	10
(4)	고유 시간인 까닭과 정답이 모두 옳은 경우	20
	고유 시간을 옳게 설명한 경우	10
(5)	고유 길이인 까닭과 정답이 모두 옳은 경우	20
	고유 길이를 옳게 설명한 경우	10

05 (1) 영희가 측정할 때, 우주선이 이동하므로 길이 수축에 의해 P에서 Q까지의 거리는 $L'=L\sqrt{1-\frac{v^2}{c^2}}$이다.

모범 답안 (1) $L\sqrt{1-\frac{v^2}{c^2}}$

(2) 영희가 측정할 때, 빛이 P에서 Q까지 이동하는 데 걸리는 시간을 t라고 하면, 이 시간 동안 Q가 v의 속도로 이동하므로 빛이 이동한 거리는 다음과 같다.

$$L\sqrt{1-\frac{v^2}{c^2}}+vt=ct$$

$$ct\left(1-\frac{v}{c}\right)=L\sqrt{1-\frac{v^2}{c^2}}$$

에서 빛이 이동한 거리는

$$ct=L\frac{\sqrt{1+\frac{v}{c}}}{\sqrt{1-\frac{v}{c}}}>L$$

이다. 따라서 P에서 Q까지 빛이 도달하는 데 걸리는 시간 t는 다음과 같다.

$$t=\frac{L}{c}\frac{\sqrt{1+\frac{v}{c}}}{\sqrt{1-\frac{v}{c}}}=t_0\frac{\sqrt{1+\frac{v}{c}}}{\sqrt{1-\frac{v}{c}}}$$

채점 기준		배점(%)
(1)	정답이 옳은 경우	40
(2)	풀이 과정과 정답이 모두 옳은 경우	60
	빛의 이동 거리와 걸리는 시간을 옳게 구한 경우	30

06 **모범 답안** (1) 충돌 전 A의 운동량의 크기는

$$P_A=\frac{0.6mc}{\sqrt{1-0.6^2}}=\frac{3}{4}mc$$

이고, B의 운동량은 0이므로 충돌 전 두 물체의 운동량의 크기는 $\frac{3}{4}mc$이다. 충돌 후 한 덩어리가 된 A, B의 속력 v를 kc라고 하면 운동량 보존 법칙에 의해 다음과 같다.

$$\frac{2mkc}{\sqrt{1-k^2}}=\frac{3}{4}mc$$

$$k=\frac{3}{\sqrt{73}}$$

따라서 충돌 후 한 덩어리가 된 A, B의 속력 $v=\frac{3}{\sqrt{73}}c$이다.

(2) 충돌 전 A, B의 에너지는 다음과 같다.

$$E=E_A+E_B=\gamma mc^2+mc^2$$

$$=\frac{mc^2}{\sqrt{1-0.6^2}}+mc^2=\frac{9}{4}mc^2$$

충돌 후 A, B의 에너지는 다음과 같다.

$$E'=\gamma(2m)c^2=\frac{2mc^2}{\sqrt{1-\frac{9}{73}}}=\frac{\sqrt{73}}{4}mc^2$$

따라서 충돌에 의한 에너지 감소량은 다음과 같다.

$$E-E'=\frac{9}{4}mc^2-\frac{\sqrt{73}}{4}mc^2=\frac{9-\sqrt{73}}{4}mc^2$$

채점 기준		배점(%)
(1)	풀이 과정과 정답이 모두 옳은 경우	50
	운동량 보존 법칙을 옳게 설명한 경우	30
(2)	풀이 과정과 정답이 모두 옳은 경우	50
	상대론에서의 운동 에너지를 옳게 설명한 경우	30

07 **모범 답안** (1) 일·운동 에너지 정리에 의해 힘이 한 일이 전자의 운동 에너지로 전환된다. 운동 에너지는 전체 에너지에서 정지 에너지를 뺀 값이므로 $Fs=\Delta E_k=5mc^2-mc^2=4mc^2$이다.

따라서 $F=\frac{4mc^2}{s}$이다.

(2) 특수 상대성 이론의 에너지 관계식으로부터

$$E=\frac{mc^2}{\sqrt{1-\frac{v^2}{c^2}}}=5mc^2 \rightarrow \frac{1}{\sqrt{1-\frac{v^2}{c^2}}}=5$$

이므로, $v=\frac{2\sqrt{6}}{5}c$이다.

채점 기준		배점(%)
(1)	풀이 과정과 정답이 모두 옳은 경우	50
	일·운동 에너지 정리를 옳게 설명한 경우	30
(2)	풀이 과정과 정답이 모두 옳은 경우	50
	특수 상대성 이론에서의 에너지를 옳게 설명한 경우	30

08 **모범 답안** (1) ㉠과 ㉡은 양성자수가 0이고 질량수가 1이므로 중성자($^1_0$n)이다. 동일한 중성자이지만, ㉠의 속력이 ㉡의 속력보다 느리므로 상대론적 질량 $m' = \dfrac{m}{\sqrt{1-\dfrac{v^2}{c^2}}}$에서 질량은 ㉡이 ㉠보다 크게 관측된다.

(2) 우라늄 원자 1개의 질량은

$235\ \mathrm{u} \times 1.66 \times 10^{-27}\ \mathrm{kg/u} \fallingdotseq 3.90 \times 10^{-25}\ \mathrm{kg}$

이다. 우라늄 원자 1개가 핵분열할 때 방출되는 에너지는

$$200\ \mathrm{MeV} = (2 \times 10^8\ \mathrm{eV}) \times (1.60 \times 10^{-19}\ \mathrm{J/eV}) = 3.2 \times 10^{-11}\ \mathrm{J}$$

이다. $20 \times 10^9\ \mathrm{W} = 20 \times 10^9\ \mathrm{J/s}$이고, 발전소의 에너지 효율이 20 %이므로 발전소에서 소비하는 에너지는 1초마다 $5 \times 20 \times 10^9$ J이고, 우라늄 원자 1개가 핵분열할 때 발생하는 에너지 3.2×10^{-11} J의 $\dfrac{5 \times 20 \times 10^9}{3.2 \times 10^{-11}} \fallingdotseq 3.1 \times 10^{21}$배이다. 이를 이용하여 1초 동안 핵반응하는 우라늄의 질량을 계산하면

$3.90 \times 10^{-25}\ \mathrm{kg} \times 3.1 \times 10^{21} \fallingdotseq 1.21 \times 10^{-3}\ \mathrm{kg}$

이다. 하루는 24시간×60분/시간×60초/분=86400초이므로 하루에 필요한 순수 우라늄의 질량은 다음과 같다.

$1.21 \times 10^{-3}\ \mathrm{kg} \times 86400 \fallingdotseq 105\ \mathrm{kg}$

	채점 기준	배점(%)
(1)	㉠과 ㉡의 질량을 옳게 비교하고 그 까닭을 옳게 설명한 경우	50
	중성자의 속력을 옳게 비교한 경우	30
(2)	풀이 과정과 정답이 모두 옳은 경우	50
	1초 동안 핵반응하는 우라늄의 질량을 옳게 구한 경우	30

논구술 대비 문제

I. 역학과 에너지

실전 문제 1 1권 208쪽

(1) 외력이 작용하지 않고 물체들 사이에서만 힘이 작용한다면 힘이 작용하기 전후 물체들의 운동량의 총합은 일정하게 보존된다.
(2) 상대 속도는 움직이는 관측자가 본 다른 물체의 속도로, A에 대한 B의 상대 속도는 B의 속도에서 A의 속도를 빼서 구한다.
(3) 탄성 충돌은 충돌 후에도 물체들의 전체 운동 에너지가 보존된다.
(4) 완전 비탄성 충돌은 충돌 후 물체들이 한 덩어리가 되어 물체의 전체 운동 에너지가 보존되지 않고 감소한다.

예시 답안 (1) 물체가 발사될 때 물체와 버스 사이에서만 힘이 작용하므로 발사되기 전후 전체 운동량은 보존된다. 발사 전 전체 운동량이 0이므로 발사 후 전체 운동량도 0이다. 물체가 발사된 후 버스의 속도를 V라고 하고 운동량 보존 법칙을 적용하면 $0 = MV + mv_0$이므로 $V = -\dfrac{m}{M}v_0$이다. 즉, 버스는 왼쪽으로 $\dfrac{m}{M}v_0$의 속력으로 운동한다.

(2) 버스와 물체의 운동 방향이 반대이므로 버스에 대한 물체의 상대 속도는 $v_0 - V = v_0 + \dfrac{m}{M}v_0$이다. 물체가 오른쪽 벽에 1차 충돌할 때까지 걸린 시간을 t라고 하면

$$t = \frac{L}{v_0 - V} = \frac{L}{v_0 + \frac{m}{M}v_0} = \frac{L}{\left(1+\frac{m}{M}\right)v_0}$$ 이다.

이 시간 동안 버스가 이동한 거리를 s라고 하면 다음과 같다.

$$s = Vt = \frac{m}{M}v_0 \times \frac{L}{\left(1+\frac{m}{M}\right)v_0} = \frac{m}{M+m}L$$

(3) 물체는 오른쪽 벽에 1차 충돌할 때 탄성 충돌을 하므로 운동 에너지가 충돌 전과 같아야 한다. 따라서 물체는 충돌 전과 반대 방향인 왼쪽으로 mv_0의 운동량을 갖고, 버스는 오른쪽으로 mv_0의 운동량을 가지므로 1차 충돌 후 버스의 속도를 V'이라고 하고 운동량 보존 법칙을 적용하면 $0 = MV' - mv_0$이므로 $V' = \dfrac{m}{M}v_0$이다. 즉, 1차 충돌 후 물체와 버스의 운동 방향은 반대이고, 상대 속도의 크기와 이동 거리는 (2)와 같다. 따라서 물체는 처음 위치에 왔을 때 왼쪽 벽에 도달한다.

(4) 물체가 왼쪽 벽에 2차 충돌하기 직전 전체 운동량이 0이므로 2차 충돌 후 전체 운동량도 0이다. 물체는 2차 충돌할 때 완전 비탄성 충돌을 하므로 2차 충돌 후 물체와 버스는 함께 운동하며 속력은 0이 된다. 즉, 2차 충돌 후 물체와 버스는 모두 정지한다.

실전 문제 2 1권 209쪽

(1) 충돌하는 물체들의 전체 운동량과 운동 에너지가 모두 보존되는 경우를 탄성 충돌이라고 한다.

(2) 충돌하는 물체들의 전체 운동량은 보존되지만 운동 에너지가 보존되지 않고 일부 감소하는 경우를 비탄성 충돌이라고 한다.

(3) 물체가 충돌할 때 손실된 물체의 운동 에너지는 충돌 후 빛, 소리, 열에너지 등과 같이 다른 에너지로 전환된다.

예시 답안 (1) 충돌 후 n개의 구슬이 튕겨 나간다고 가정하면 다음과 같다.

• 전체 운동량이 보존되는 경우:

$mv=mv_1+mv_2+\cdots+mv_n \rightarrow v=v_1+v_2+\cdots+v_n$

• 전체 운동 에너지가 보존되는 경우:

$\frac{1}{2}mv^2=\frac{1}{2}mv_1^2+\frac{1}{2}mv_2^2+\cdots+\frac{1}{2}mv_n^2 \rightarrow v^2=v_1^2+v_2^2+\cdots+v_n^2$

따라서 두 식이 모두 성립하기 위해서는 속력이 0이거나 $v=v_1$이어야 한다. 즉, 1개의 구슬이 충돌했을 때 1개의 구슬이 v의 속력으로 튕겨 나간다.

(2) 충돌 후 n개의 구슬이 튕겨 나간다고 가정하면 다음과 같다.

• 전체 운동량이 보존되는 경우:

$mv=mv_1+mv_2+\cdots+mv_n \rightarrow v=v_1+v_2+\cdots+v_n$

• 전체 운동 에너지가 보존되지 않는 경우:

$\frac{1}{2}mv^2>\frac{1}{2}mv_1^2+\frac{1}{2}mv_2^2+\cdots+\frac{1}{2}mv_n^2$

$v^2=(v_1+v_2+\cdots+v_n)^2>v_1^2+v_2^2+\cdots+v_n^2$

따라서 두 식이 모두 성립하므로 1개의 구슬이 충돌했을 때 1개 이상의 구슬이 v보다 작은 속력으로 튕겨 나간다.

(3) 실험 장치의 구슬은 완전한 탄성체가 아니므로 운동 에너지는 보존되지 않는다. 그러나 실험 장치를 제작할 때 탄성이 매우 좋은 구슬을 사용하므로 운동 에너지의 손실은 매우 작다. 즉, 충돌 후에는 충돌 전 구슬의 개수만큼, 충돌 전 속력보다 조금 작은 속력으로 튕겨 나가고, 나머지 구슬들은 작은 속력으로 움직이므로 운동량 보존과 운동 에너지의 보존을 어느 정도 보여준다. 그러나 충돌이 반복될수록 운동 에너지의 손실이 커져 거의 모든 구슬들이 작은 속력으로 흔들리게 된다.

실전 문제 3 1권 210쪽

(2) 비가 내릴 때 공기의 습도는 100 %이다. 습도가 100 %일 때 공기의 온도 변화는 습윤 단열선을 따르고, 습도가 100 % 이하일 때는 건조 단열선을 따른다.

예시 답안 (1) 공기는 열전도율이 매우 낮으므로 팽창하거나 수축할 때 단열 변화한다. 열역학 제1법칙 $Q=\Delta U+W$에서 단열 과정이므로 출입한 열량이 $Q=0$이고 $\Delta U=-W$가 된다. 따라서 바람이 불어 공기가 높은 곳으로 이동하여 압력이 감소하면 팽창하므로 외부에 하는 일이 $W>0$이고 내부 에너지 변화량은 $\Delta U=-W<0$이 되어 감소한다. 기체의 내부 에너지는 기체의 온도에 비례하므로 공기가 높이 올라가 내부 에너지가 감소하는 것은 온도가 내려간다는 것을 의미한다. 이와 반대로 공기의 높이가 낮아져 압력이 증가하면 단열 압축 현상에 의해 공기의 온도가 올라간다.

(2) 15 ℃인 공기가 800 m 높이까지 올라가는 동안 비가 내리지 않으므로 건조 단열선을 따라 100 m 높이를 올라갈 때마다 온도가 1 ℃ 내려간다. 따라서 800 m를 올라가면 15 ℃인 공기의 온도가 8 ℃ 낮아져 7 ℃가 된다. 800 m 이상의 높이에서는 비가 내리므로 습윤 단열선을 따라 100 m 높이를 올라갈 때마다 온도가 0.5 ℃ 내려간다. 따라서 800 m에서 1500 m로 높이 700 m를 올라가는 동안 온도가 3.5 ℃ 낮아지므로 공기의 온도는 7 ℃에서 3.5 ℃로 변한다. 1500 m 높이에서 내려오는 동안 비가 그쳐 공기는 건조 단열선을 따라 100 m를 내려갈 때마다 온도가 1 ℃ 증가하므로 3.5 ℃인 공기는 18.5 ℃가 된다. 즉, 영동 지방에서 15 ℃이었던 공기는 1500 m인 태백산맥을 넘었을 때 온도가 올라가 18.5 ℃가 된다.

실전 문제 4 1권 211쪽

(1) O 좌표계를 O′ 좌표계로 표현되게 로런츠 변환식을 바꾸어 정리한다.

(2) 속도는 위치 변화량 Δx를 걸린 시간 Δt로 나눈 것이므로 이를 적용하여 각 좌표계에서 측정된 속도 사이의 관계를 구한다.

예시 답안 (1) $\gamma=\frac{1}{\sqrt{1-\frac{v^2}{c^2}}}$라고 하면 로런츠 변환식은 $x'=\gamma(x-vt)$, $t'=\gamma\left(t-\frac{vx}{c^2}\right)$가 된다. 정리하여 다음의 관계를 얻는다.

$$x=\frac{x'}{\gamma}+vt \Rightarrow x=\frac{x'}{\gamma}+v\left(\frac{t'}{\gamma}+\frac{vx}{c^2}\right) \Rightarrow x=\gamma(x'+vt')$$

$$t=\frac{t'}{\gamma}+\frac{vx}{c^2} \Rightarrow t=\frac{t'}{\gamma}+\frac{v}{c^2}\left(\frac{x'}{\gamma}+vt\right) \Rightarrow t=\gamma\left(t'+\frac{vx'}{c^2}\right)$$

(2) 좌표계 O에서 측정한 P의 속도는 $\frac{\Delta x}{\Delta t}$이므로

$$\frac{\Delta x}{\Delta t}=\frac{\gamma(\Delta x'+v\Delta t')}{\gamma\left(\Delta t'+\frac{v\Delta x'}{c^2}\right)}=\frac{\frac{\Delta x'}{\Delta t'}+v}{1+\frac{v}{c^2}\frac{\Delta x'}{\Delta t'}}$$

이다. 좌표계 O에서 측정한 P의 속도를 $u=\frac{\Delta x}{\Delta t}$, 좌표계 O′에서 측정한 P의 속도를 $u'=\frac{\Delta x'}{\Delta t'}$라고 하면 $u=\frac{u'+v}{1+\frac{vu'}{c^2}}$의 관계가 있다. 따라서 A를 좌표계 O, B를 좌표계 O′으로 생각하면 A가 측정한 C의 속도는 $v_{02}=\frac{v_{01}+v_{12}}{1+\frac{v_{01}v_{12}}{c^2}}$가 되며 $v_{01}\ll c$이면 갈릴레이 변환식과 같아짐을 알 수 있다.

Ⅱ 물질과 전자기장

1. 물질의 구조와 성질

01 원자의 구조와 스펙트럼

탐구 확인 문제 2권 19쪽

01 ① **02** (1) 해설 참조 (2) 해설 참조

01 기체 원자의 에너지 준위는 양자화되어 있어서 전자가 에너지 준위 사이를 전이할 때 방출하는 빛이 선 스펙트럼으로 나타난다.

02 모범 답안 (1) 전자가 전이할 때 에너지 준위 차이에 해당하는 에너지를 갖는 빛을 방출하는데, 전이하는 궤도에 따라 에너지 준위 차이가 다르기 때문이다.
(2) 네온 원자의 에너지 준위가 양자화되어 있다.

채점 기준	배점(%)
(1)과 (2)를 모두 옳게 서술한 경우	100
(1)과 (2) 중 한 가지만 옳게 서술한 경우	50

집중 분석 2권 20쪽~21쪽

유제 1 ③ **유제 2** ④

유제 1 ㄱ. 쿨롱 법칙에 의해 원자핵과 전자 사이가 가까울수록 전자는 큰 전기력을 받는다. 따라서 전자가 원자핵과 가장 가까운 $n=1$인 궤도에 있을 때 가장 큰 전기력을 받는다.
ㄷ. b, c에서 방출하는 광자의 에너지는 두 에너지 준위의 차로 다음과 같다.
• b: $-1.51\ \text{eV}-(-3.40\ \text{eV})=1.89\ \text{eV}$
• c: $-3.40\ \text{eV}-(-13.6\ \text{eV})=10.2\ \text{eV}$
광자의 에너지는 $E=hf$로 진동수에 비례하므로 방출하는 빛의 진동수는 b보다 c가 더 크다.
바로 알기 ㄴ. 전자가 높은 에너지 준위로 전이할 때는 빛을 흡수하고, 낮은 에너지 준위로 전이할 때는 빛을 방출한다. 따라서 a일 때는 빛을 흡수하고, b, c일 때는 빛을 방출한다.

유제 2 ㄱ. 전자가 전이할 때 방출되는 광자의 에너지는 두 에너지 준위의 차이와 같다. 수소 원자의 에너지 준위에서 양자수가 증가할수록 이웃한 에너지 준위 사이의 차는 점점 작아지므로, $E_3-E_2<E_2-E_1$이다. 따라서 방출되는 광자의 에너지도 c가 a보다 크다.
ㄷ. $E_{3\to1}=E_{3\to2}+E_{2\to1}$이므로, 다음 식이 성립한다.
$hf_b=hf_a+hf_c \to f_b=f_a+f_c$

개념 모아 정리하기 2권 23쪽

❶ 전기력 ❷ 같은 ❸ 다른 ❹ 전하량
❺ 같다 ❻ 전기력 ❼ 선 ❽ 에너지 준위
❾ 양자수 ❿ 에너지 차이 ⓫ 발머 ⓬ $n\geq4$
⓭ 자외선

개념 기본 문제 2권 24쪽~25쪽

01 (1) C (2) A, B, C, E **02** ㉠ 질량 ㉡ 좁은 ㉢ 원자핵
03 (1) 전기력 (2) (가) **04** ㉠ 바닥 ㉡ 들뜬 **05** B, C
06 ㄱ, ㄴ, ㄷ **07** ㄷ **08** 10.2 eV **09** ㄷ
10 (1) 12.09 eV (2) 6가지 **11** (1) (가) 라이먼 계열 (나) 발머 계열 (다) 파션 계열 (2) (나)

01 (1) 같은 종류의 전하를 띠는 물체끼리는 서로 밀어낸다. 따라서 A와 C는 같은 전하를 띤다.
(2) (가)에서 B와 E는 전기력이 작용하지 않으므로, 전하를 띠지 않는다. (다)에서 D와 E는 서로 당기므로 D는 전하를 띤다. (라)에서 A와 D는 서로 끌어당기므로, 서로 다른 전하를 띤다. 즉, A, C는 같은 전하를 띠고, D는 다른 전하를 띠며, B, E는 전하를 띠지 않는 것을 알 수 있다. 따라서 D를 가까이 했을 때 A, B, C, E가 모두 끌려온다.

02 러더퍼드의 알파 입자 산란 실험에서 무거운 알파(α) 입자가 큰 각도로 산란하려면, 원자의 중심에 질량이 크고 (+)전하를 띠는 입자가 있어야 한다. 또, (+)전하가 좁은 공간에 집중되어 알파(α) 입자에 큰 전기력을 작용할 수 있어야 한다.

03 (1) (+)전하를 띠는 원자핵과 (−)전하를 띠는 전자 사이에 전기력이 작용하므로 전자는 원자에서 벗어나지 않고 원자핵 주위를 회전한다.

(2) 원자핵과 전자 사이에 작용하는 전기력의 크기는 두 입자 사이의 거리가 가까울수록 커지므로, 전자가 원자핵에 더 가까운 궤도인 (가)에 있을 때 더 큰 전기력을 받는다.

04 전자의 에너지가 가장 낮은 상태를 바닥상태라고 하고, 이보다 높은 에너지를 가진 상태를 들뜬상태라고 한다.

05 전자가 높은 에너지 준위에서 낮은 에너지 준위로 전이할 때 두 에너지 준위의 차이에 해당하는 에너지를 빛으로 방출한다.

06 ㄱ. (가)의 흡수선과 (나)의 선 스펙트럼이 일치하므로, A와 B의 에너지 준위가 같은 것을 알 수 있다. 따라서 A, B는 같은 종류의 원소이다.

ㄴ. 광자 1개의 에너지는 $E=hf$로 진동수 f에 비례한다. 빛의 진동수는 파장에 반비례하므로 파장이 짧은 ㉠이 ㉡보다 광자 1개의 에너지가 더 크다.

ㄷ. A가 흡수한 빛이 선 스펙트럼으로 나타나므로, A의 에너지 준위가 불연속적으로 양자화되어 있음을 알 수 있다.

07 태양광은 연속 스펙트럼이다. 태양광이 태양 대기와 지구 대기를 지나면서 대기를 구성하는 원소에 의해 특정 파장의 빛이 흡수되어 흡수 스펙트럼이 나타난다. 따라서 흡수 스펙트럼의 흡수선을 연구하면 대기를 구성하는 원소를 알 수 있다.

08 전자가 전이할 때 두 에너지 준위 차이만큼의 에너지를 갖는 광자를 방출한다. 따라서 $n=2$에서 $n=1$로 전이할 때 방출하는 광자 1개의 에너지는 다음과 같다.

$$E=13.6\left(\frac{1}{1^2}-\frac{1}{2^2}\right)=10.2(\text{eV})$$

09 ㄷ. $n=3$과 $n=2$인 궤도의 에너지 준위 차이가 1.89 eV이므로, 전자가 $n=3$인 상태에서 $n=2$인 상태로 전이하면 1.89 eV의 에너지를 갖는 빛을 방출한다.

바로 알기 ㄱ. 전자가 전이할 때는 에너지 준위 차이에 해당하는 에너지를 갖는 광자 1개를 흡수해야 한다. 전자가 광자 2개를 흡수해서 전이하지는 않는다.

ㄴ. 수소 원자 내의 전자는 에너지 준위에 해당하는 에너지만 가질 수 있으므로, -0.5 eV의 에너지를 가질 수 없다. 따라서 $n=2$에 있던 전자는 2.9 eV의 에너지를 갖는 광자를 흡수할 수 없다.

10 (1) 전자가 에너지 준위 사이를 전이할 때는 에너지 준위 차이만큼의 에너지를 갖는 광자를 흡수하거나 방출한다. 따라서 전자가 $n=3$인 상태에서 $n=1$인 상태로 전이할 때 방출하는 광자 1개의 에너지는 $E_{3\to1}=-1.51\text{ eV}-(-13.60\text{ eV})=12.09\text{ eV}$이다.

(2) 전자가 높은 에너지 준위에서 낮은 에너지 준위로 전이할 때 빛을 방출한다. $n=1$인 상태로 전이하는 경우가 3가지, $n=2$인 상태로 전이하는 경우가 2가지, $n=3$인 상태로 전이하는 경우가 1가지이므로, 이 수소 원자에서 방출할 수 있는 빛의 진동수는 모두 6가지이다.

11 (1) 수소 원자 스펙트럼에서 전자가 $n=1$인 상태로 전이할 때 방출하는 빛을 라이먼 계열이라고 하며 자외선 영역에 해당한다. 또, 전자가 $n=2$, $n=3$인 상태로 전이할 때 방출하는 빛을 각각 발머 계열, 파셴 계열이라고 한다.

(2) 발머 계열 중 파장이 긴 4개가 가시광선 영역에 속한다.

개념 적용 문제

2권 26쪽~31쪽

01 ③ **02** ⑤ **03** ④ **04** ④ **05** ③ **06** ① **07** ③ **08** ② **09** ② **10** ④ **11** ⑤ **12** ⑤

01 ㄱ. A를 $x=-d$인 위치에 놓았을 때 P, Q로부터 받는 전기력이 평형을 이룬다. 따라서 대전체 A의 전하량을 q라 하고, P, Q의 전하량을 Q_p, Q_q라고 할 때 다음과 같다.

$$k\frac{qQ_p}{d^2}+k\frac{qQ_q}{(3d)^2}=0 \rightarrow Q_q=-9Q_p$$

즉, P, Q는 서로 다른 전하를 띠고, 전하량은 Q가 P의 9배가 된다.

ㄴ. (+)전하로 대전된 A를 P, Q 사이에 놓았을 때 $+x$ 방향으로 전기력을 받았으므로, P는 (+)전하를 띠고 Q는 (−)전하를 띤다. 따라서 A가 $x=d$인 위치와 $x=3d$인 위치에서 받는 전기력은 다음과 같다.

- $x=d$일 때: $F_d=k\frac{qQ_p}{d^2}+k\frac{q(9Q_p)}{d^2}=10\frac{kqQ_p}{d^2}$
- $x=3d$일 때: $F_{3d}=k\frac{qQ_p}{(3d)^2}-k\frac{q(9Q_p)}{d^2}=-\frac{80}{9}\frac{kqQ_p}{d^2}$

따라서 A는 $x=d$인 위치에서 더 큰 전기력을 받는다.

바로 알기 ㄷ. A가 $x=3d$인 위치에서 받는 알짜힘의 방향이 (−) 방향이므로, A는 $-x$ 방향으로 움직인다.

02 ㄴ. (다)는 러더퍼드 원자 모형으로, 전자가 원자핵 주위를 원운동하며 전자기파를 방출할 때 전자의 궤도 반지름이 연속적으로 감소할 것이므로, 가열된 기체에서 방출되는 스펙트

럼은 연속 스펙트럼이어야 한다. 즉, (다)의 원자 모형으로는 기체의 선 스펙트럼을 설명할 수 없다.

ㄷ. (가)는 보어 원자 모형, (나)는 톰슨 원자 모형, (다)는 러더퍼드 원자 모형이다. 전자가 발견된 후 톰슨 원자 모형이 제안되었고, 이후 원자핵의 발견 후 러더퍼드 원자 모형이 제안되었다. 러더퍼드 원자 모형에서 설명하지 못한 기체의 선 스펙트럼이나 원자의 안정성을 보어 원자 모형으로 설명할 수 있었으므로, 원자 모형은 (나) - (다) - (가) 순서로 제안되었다.

바로 알기 ㄱ. (가)는 보어 원자 모형으로, 원자 내에 전자가 전자기파를 방출하지 않고 안정적으로 존재할 수 있는 정상 상태를 가정함으로써 원자의 안정성을 설명하였다.

03 ㄱ. 톰슨의 음극선 실험에서 전자의 진행 방향이 (+)극 쪽으로 휘어진다는 것으로부터 전자가 (−)전하를 띤다는 것을 알게 되었다.

ㄷ. 러더퍼드의 알파 입자 산란 실험의 결과로 원자 중심에 (+)전하를 띠며 원자 질량의 대부분을 차지하는 원자핵이 있음을 알게 되었다.

바로 알기 ㄴ. 러더퍼드의 실험에서 알파(α) 입자는 헬륨의 원자핵으로 (+)전하를 띤다.

04 ㄱ, ㄷ. 가열된 수소 기체에서 방출하는 빛은 선 스펙트럼이다. 이로부터 수소 원자의 에너지 준위가 양자화되어 있음을 알 수 있다.

바로 알기 ㄴ. 라이먼 계열은 자외선 영역이므로 사람이 맨눈으로 관찰할 수 없다.

05 ㄱ. 전자는 에너지 준위 차이에 해당하는 에너지를 가진 광자 1개를 흡수할 때만 더 높은 에너지 준위로 전이한다. $n=1$인 상태와 $n=2$인 상태의 에너지 준위 차이가 10.2 eV이므로 (가)에서 전자는 빛을 흡수하여 $n=2$인 상태로 전이한다.

ㄴ. (나)에서는 빛의 에너지가 10.2 eV가 안 되므로 빛을 흡수하지 않는다. 따라서 전자는 바닥상태를 유지한다.

바로 알기 ㄷ. 전자 1개가 전이할 때 광자 1개만 흡수할 수 있다.

06 ㄱ. 전자가 전이하는 두 에너지 준위의 차이가 클수록 전자의 에너지 감소량이 크므로, 전자의 에너지 감소량은 (가)에서가 (나)에서보다 크다.

바로 알기 ㄴ. 방출하는 빛의 파장은 에너지 감소량에 반비례하므로 (나)에서가 (가)에서보다 크다.

ㄷ. 수소 원자에서 전자가 $n=1$인 상태로 전이할 때 방출하는 빛은 라이먼 계열로, 모두 자외선 영역에 속한다.

07 ㄱ. 발머 계열 중 파장이 가장 긴 것 4개가 가시광선 영역에 속한다.

ㄴ. 발머 계열은 전자가 $n=2$인 상태로 전이할 때 방출하는 빛이다. 이 중 파장이 가장 긴 것은 광자 1개의 에너지가 가장 작은 경우이므로, $n=3$에서 $n=2$인 상태로 전자가 전이하며 방출하는 빛이다. 이때 광자 1개의 에너지는

$E=\frac{hc}{\lambda}=E_0\left(\frac{1}{2^2}-\frac{1}{3^2}\right)=\frac{5E_0}{36}$이므로 $\lambda=\frac{36hc}{5E_0}$이다.

바로 알기 ㄷ. 발머 계열 중 진동수가 가장 큰 것은 광자 1개의 에너지가 가장 큰 경우이므로, 전자가 $n=\infty$에서 $n=2$인 상태로 전이할 때 방출하는 빛이다.

08 ㄴ. λ_C는 $n=4$인 상태에서 $n=1$인 상태로 전이하는 경우이므로, $\frac{1}{\lambda_A}=\frac{3R}{4}$, $\frac{1}{\lambda_C}=\frac{15R}{16}$이다. 따라서 $\lambda_A : \lambda_C=5 : 4$이다.

바로 알기 ㄱ. 라이먼 계열은 전자가 높은 에너지 준위에서 $n=1$로 전이할 때 방출하는 빛이고, λ_A의 파장이 가장 길므로 광자 1개의 에너지는 가장 작다. 따라서 λ_A는 전자가 $n=2$인 궤도에서 바닥상태인 $n=1$인 궤도로 전이할 때 방출하는 빛이다.

ㄷ. 파장이 λ_B인 빛은 $n=3$인 궤도에서 $n=1$로 전이할 때 방출하는 빛이므로 $\frac{1}{\lambda_B}=R\left(1-\frac{1}{3^2}\right)=\frac{8R}{9}$이다. 따라서 광자 1개의 에너지는 $E=\frac{hc}{\lambda_B}=\frac{8hcR}{9}$이다.

09 수소 원자에서 들뜬상태의 전자가 낮은 에너지 준위로 전이하며 빛을 방출할 때 전자가 도달하는 에너지 준위에 따라 수소 원자 스펙트럼 계열이 정해진다. 즉, 전자가 $n=1$인 궤도로 전이할 때 방출하는 빛은 라이먼 계열이고, $n=2$인 궤도로 전이할 때 방출하는 빛이 발머 계열, $n=3$인 궤도로 전이할 때 방출하는 빛이 파셴 계열이다.

ㄷ. (가)를 보면 파셴 계열에서 파장이 가장 짧은 빛($n=\infty \rightarrow n=3$)이 발머 계열에서 파장이 가장 긴 빛($n=3 \rightarrow n=2$)보다 더 긴 것을 알 수 있다.

바로 알기 ㄱ. λ_3은 들뜬상태의 전자가 $n=1$인 에너지 준위로 전이하므로, 라이먼 계열의 빛이다. 따라서 λ_3은 자외선 영역에 속한다.

ㄴ. λ_1은 발머 계열에서 파장이 가장 긴 빛($n=3 \rightarrow n=2$)이고, λ_2는 라이먼 계열에서 파장이 가장 긴 빛($n=2 \rightarrow n=1$)이다. 따라서 (가)로부터 λ_1이 λ_2보다 더 긴 것을 알 수 있다.

10 ㄱ. 보어의 수소 원자 모형에서 전자는 전이하는 궤도의 에너지 준위 차이만큼의 에너지를 갖는 빛을 방출한다. 양자수 n일 때 에너지 준위는 $E_n=-\frac{13.6}{n^2}$(eV)이므로, a, b 과정에서 방출하는 광자의 에너지 E_a, E_b는 다음과 같다.

$$E_a=-\frac{13.6}{2^2}-\left(-\frac{13.6}{1^2}\right)=\frac{3}{4}\times13.6=10.2(\text{eV})$$

$$E_b=-\frac{13.6}{4^2}-\left(-\frac{13.6}{2^2}\right)=\frac{3}{16}\times13.6=2.55(\text{eV})$$

따라서 방출하는 광자의 에너지는 a가 b보다 크다.

ㄷ. a와 b에서 방출하는 광자의 에너지의 합은 c에서 흡수하는 광자의 에너지와 같다.

$$E_a+E_b=E_c \rightarrow \frac{hc}{\lambda_a}+\frac{hc}{\lambda_b}=\frac{hc}{\lambda_c}$$

따라서 $\frac{1}{\lambda_a}+\frac{1}{\lambda_b}=\frac{1}{\lambda_c}$이다.

바로 알기 ㄴ. c에서 흡수하는 빛의 파장은 $n=4$인 상태에서 $n=1$인 상태로 전이할 때 방출하는 빛의 파장과 같으므로, 라이먼 계열(자외선)이다.

11 ㄴ. 전자가 $n=\infty$인 상태에서 $n=2$인 상태로 전이할 때 방출하는 광자의 에너지는 3.40 eV이고, $n=2$인 상태에서 $n=1$인 상태로 전이할 때 방출하는 광자의 에너지는 10.2 eV이다. 빛의 파장은 광자의 에너지에 반비례하므로 $n=2$인 상태에서 $n=1$인 상태로 전이하는 경우가 더 짧다.

ㄷ. 라이먼 계열($n\geq2 \rightarrow n=1$)에서 에너지가 가장 큰 빛의 에너지는 13.6 eV이고, 발머 계열($n\geq3 \rightarrow n=2$)에서 에너지가 가장 큰 빛의 에너지는 3.40 eV이다. 빛의 진동수는 광자의 에너지에 비례하므로, 라이먼 계열에서 에너지가 가장 큰 빛의 진동수는 발머 계열에서 에너지가 가장 큰 빛의 진동수의 4배이다.

바로 알기 ㄱ. $\frac{E_1+E_3}{2}\fallingdotseq7.56$ eV로, 이 상태의 에너지 준위는 존재하지 않으므로, 전자가 안정하게 존재할 수 없다.

12 ㄱ. a에서 방출하는 광자의 에너지는 b에서 방출하는 광자의 에너지와 c에서 흡수하는 광자의 에너지의 합이므로 $f_a=f_b+f_c$이다.

ㄴ. $n=2$인 상태로 전이하는 빛 중 파장이 긴 것 4개가 가시광선 영역에 속한다.

ㄷ. a에서 방출하는 광자의 에너지는 2.55 eV이고 c에서 흡수하는 광자의 에너지는 0.66 eV이므로, 광자 1개의 에너지는 a에서가 c에서보다 크다.

02 고체의 에너지띠 이론과 물질의 전기 전도성

탐구 확인 문제 2권 **38**쪽

01 ① **02** ②

01 ① 전기 전도도는 전류가 잘 흐르는 정도를 나타내는 양으로 비저항의 역수이다.

바로 알기 ② 전기 전도도는 도체>반도체>절연체 순으로 크다.

③ 전기 전도도가 작은 물체는 절연체이다.

④ 전압계는 전압을 측정하려고 하는 물체에 병렬로 연결한다.

⑤ 같은 전압을 걸었을 때 전류가 세게 흐를수록 전기 전도도가 크다.

02 원통형 연필심에서 전압 측정 단자 사이의 거리를 l, 연필심의 반지름을 r라고 하면 저항은 다음과 같다.

$$R=\rho\frac{l}{S}=\frac{l}{\sigma\pi r^2}$$

위 식에서 $R=\frac{V}{I}$를 대입하여 정리하면 연필심의 전기 전도도는 다음과 같다.

$$\sigma=\frac{Il}{\pi r^2V}=\frac{0.15\text{ A}\times0.1\text{ m}}{3.14\times(1\times10^{-3}\text{ m})^2\times1.50\text{ V}}$$
$$\fallingdotseq3.18\times10^3\ (\Omega\cdot\text{m})^{-1}$$

개념 모아 정리하기 2권 **41**쪽

❶ 옴 ❷ IR ❸ 전기 전도도 ❹ 도체 ❺ 도체와 절연체 사이이다. ❻ 전도띠 ❼ 띠 간격 ❽ (+) ❾ 커 ❿ 작아 ⓫ 증가

개념 기본 문제 2권 **42**쪽~**43**쪽

01 $\frac{l}{RS}$ **02** (가) ㄴ (나) ㄷ (다) ㄱ **03** ㉠ 파울리 배타 ㉡ 연속 **04** ㄱ, ㄷ **05** ㄱ, ㄷ **06** C **07** (1) ㉠ 전자 ㉡ 양공 (2) 전자가 띠 간격 이상의 에너지를 흡수해야 한다. **08** ㄱ, ㄷ **09** (1) (가) 유리, 고무 (나) 구리, 알루미늄 (2) ㄴ, ㄷ **10** (나)

01 전기 전도도 σ는 비저항의 역수 $\frac{1}{\rho}$과 같다. 일정한 온도에서 길이가 l, 단면적이 S이고, 비저항이 ρ인 물체의 저항 $R=\rho\frac{l}{S}$이므로, 비저항 $\rho=\frac{RS}{l}$가 된다. 따라서 이 물체의 전기 전도도는 다음과 같다.

$\sigma=\frac{1}{\rho}=\frac{l}{RS}$

02 고체는 온도에 따라 비저항이 변하는 특성에 따라 도체, 절연체, 반도체로 구분할 수 있다.
(가)는 비저항이 크고, 온도가 높아짐에 따라 비저항이 감소하므로 절연체이다.
(나)는 비저항이 도체와 절연체 사이이므로 반도체이다.
(다)는 비저항이 작고, 온도가 높아짐에 따라 비저항이 커지므로 도체이다.

03 기체 원자는 에너지 준위가 불연속적이지만, 고체는 인접한 수많은 원자들의 영향으로 에너지 준위가 미세하게 나뉘어져 연속적인 띠의 형태를 이루는데, 이것을 에너지띠라고 한다.

04 ㄱ. 기체 원자의 에너지 준위는 원자핵에 가장 가까운 $n=1$일 때 에너지가 가장 낮고, $n=\infty$일 때 에너지가 0이다.
ㄷ. (나)에서 전자는 에너지띠에만 존재할 수 있으며 에너지띠 사이에는 전자가 존재할 수 없다. 즉, 전자는 에너지띠에 해당하는 범위의 에너지 값만을 가질 수 있다.
바로 알기 ㄴ. 고체에서는 이웃한 원자들의 영향으로 에너지 준위들이 미세하게 나뉘어져 연속적인 띠를 이룬다. 따라서 하나의 에너지띠에는 수많은 에너지 준위가 존재한다.

05 ㄱ. 전도띠에는 비어 있는 에너지 준위들이 많으므로, 전도띠로 전이한 전자는 약간의 에너지만 주어져도 빈 에너지 준위로 전이할 수 있다. 따라서 고체 내부를 자유롭게 움직이며 에너지 상태가 바뀔 수 있는 자유 전자가 된다.
ㄷ. 기체 상태의 원자에서 원자 내의 전자가 에너지 준위에만 존재할 수 있는 것처럼, 고체에서도 전자는 에너지띠 영역에만 존재할 수 있다.
바로 알기 ㄴ. 에너지띠 사이의 에너지 영역에는 전자가 존재할 수 없으므로, 전자가 갖는 에너지 값 전체가 연속적인 것은 아니다.

06 원자가 띠는 전자가 채워진 에너지띠 중에서 에너지가 가장 높은 에너지띠이다. 따라서 전자가 채워진 에너지띠 C, D 중 에너지가 가장 높은 C가 원자가 띠이다.

07 (1) 그림에서 B는 전자가 모두 채워져 있고, 바로 위의 에너지띠 A는 전자가 없으므로, B는 원자가 띠이고 A는 전도띠이다. 전자가 모두 채워진 원자가 띠에 있던 전자가 전도띠로 전이하여 자유 전자가 되면, 원자가 띠에는 전자의 빈 자리인 양공이 생긴다.
(2) 원자가 띠와 전도띠 사이에는 전자가 존재할 수 없으므로 원자가 띠의 전자가 전도띠로 전이하려면 띠 간격 이상의 에너지를 흡수해야 한다.

08 ㄱ. 표의 물질들은 모두 띠 간격이 있으므로, 절연체 또는 반도체이다. 이 중 띠 간격이 작은 Si, Ge, InSb는 반도체이고, 띠 간격이 큰 다이아몬드, AgCl은 절연체이다.
ㄷ. 반도체인 InSb는 띠 간격이 작아 상온에서 일부 전자가 원자가 띠에서 전도띠로 전이하여 자유 전자와 양공이 생긴다. 따라서 InSb는 절연체인 AgCl보다 전기 전도성이 좋다.
바로 알기 ㄴ. 다이아몬드는 띠 간격이 5.33 eV이므로, 전도띠와 원자가 띠가 5.33 eV만큼 떨어져 있다.

09 (1) (가)는 원자가 띠가 모두 채워져 있고, 띠 간격이 넓으므로 절연체의 에너지띠이다. (나)는 원자가 띠의 일부가 채워져 있으므로 도체의 에너지띠이고, (다)는 원자가 띠가 모두 채워져 있고, 띠 간격이 좁으므로 반도체의 에너지띠이다. 표에서 전기 전도도가 큰 구리, 알루미늄은 도체(나)이고, 전기 전도도가 작은 유리, 고무는 절연체(가)이고, 전기 전도도가 도체와 절연체 사이인 저마늄, 규소는 반도체(다)이다.
(2) ㄴ. 반도체는 띠 간격이 작아 상온에서 일부 전자가 열에너지를 얻어 전도띠로 전이하여 자유 전자와 양공이 생긴다. 이렇게 생긴 자유 전자와 양공이 모두 전하 나르개 역할을 한다.
ㄷ. 반도체는 온도가 높아질수록 열에너지를 얻어 띠 간격을 뛰어넘는 전자가 점점 많아지므로, 전하 나르개 밀도가 증가한다.
바로 알기 ㄱ. (다)는 반도체의 에너지띠 구조이다.

10 (가)와 같이 온도가 0 K일 때는 전자가 에너지를 얻지 못해 띠 간격을 뛰어넘을 수 없다. 따라서 자유 전자와 양공이 생기지 않으므로, 전기 전도도가 절연체에 가깝다. 그러나 상온에서는 일부 전자가 원자가 띠에서 전도띠로 전이하여 자유 전자와 양공이 생기고, 자유 전자와 양공이 전하 나르개 역할을 하므로 0 K일 때보다 전기 전도도가 높아진다.

개념 적용 문제 2권 44쪽~49쪽

01 ④ **02** ① **03** ⑤ **04** ② **05** ③ **06** ⑤ **07** ① **08** ①
09 ② **10** ④ **11** ⑤ **12** ②

01 ㄱ. 전기 전도도는 비저항의 역수이므로, 비저항이 작을수록 전기 전도도가 좋다. 따라서 B가 A보다 전기 전도도가 더 좋다.
ㄷ. A, B는 모두 온도가 증가함에 따라 비저항이 감소하므로, 절연체나 반도체에 해당한다. 절연체나 반도체는 모두 띠 간격이 존재한다.
바로 알기 ㄴ. 비저항이 큰 A는 절연체이고, 비저항이 작은 B는 반도체이다.

02 ㄱ. 고체의 에너지띠에서 전자는 에너지 준위가 있는 에너지 띠에만 존재할 수 있다.
바로 알기 ㄴ. 고체에서는 수많은 인접한 원자의 영향으로 에너지 준위가 미세하게 나뉘어 연속적인 띠를 이룬다. 이를 에너지띠라고 하며, 에너지띠에서 전자의 에너지 준위는 연속적이다.
ㄷ. 에너지띠는 수많은 에너지 준위들이 촘촘하게 모여 연속적인 띠의 형태를 이루는 것이다. 파울리 배타 원리에 의해 하나의 양자 상태에 2개 이상의 전자가 있을 수 없으므로, 전자는 낮은 에너지 준위부터 높은 에너지 준위로 차례대로 채워진다.

03 ㄱ. (가)에서 기체 상태일 때 원자는 서로 멀리 떨어져 있으므로 서로의 에너지 준위에 영향을 주지 않는다. 따라서 같은 종류의 원자는 모두 동일한 에너지 준위를 가진다.
ㄴ. 원자에 속박된 전자는 에너지 준위에 해당하는 에너지 값만 가질 수 있다.
ㄷ. 파울리 배타 원리에 의해 하나의 양자 상태에 2개 이상의 전자가 있을 수 없으므로, 인접한 원자의 수가 늘어나면 에너지 준위가 나누어지는 수도 늘어난다.

04 ㄴ. C 영역은 에너지 준위가 존재하지 않는다.
바로 알기 ㄱ. A는 하나의 에너지 준위이지만, B는 아보가드로수 규모의 에너지 준위가 촘촘하게 존재하는 에너지띠이다. 따라서 B가 수용할 수 있는 전자 수는 A보다 훨씬 많다.
ㄷ. 수많은 원자가 모인 고체에서는 서로 중첩되는 에너지 준위가 미세하게 갈라져 에너지띠가 된다. 따라서 (가)에서 에너지 준위가 없던 영역에도 에너지 준위가 존재하므로, 전자가 가질 수 없는 에너지 영역은 (나)가 (가)보다 좁다.

05 ㄱ. (가)에서 A는 원자가 띠의 일부만 전자가 채워져 있으므로 도체이다.
ㄷ. 반도체는 띠 간격이 좁아서, 상온에서 일부 전자가 열에너지를 얻어 원자가 띠에서 전도띠로 전이하여 자유 전자와 양공이 생긴다. 온도가 높아질수록 전도띠로 전이하는 전자의 숫자가 늘어나므로, 전하 나르개의 밀도는 증가한다.
바로 알기 ㄴ. (가)에서 A가 도체이므로, B는 반도체이다. 전기 전도도는 도체가 반도체보다 훨씬 크므로, 전하 나르개 밀도가 높은 ㉠이 도체인 A이고, 전하 나르개 밀도가 작은 ㉡이 반도체인 B에 해당한다.

06 ㄴ. A는 온도가 높을수록 비저항이 증가하므로 도체이다. 도체의 에너지띠는 전도띠와 원자가 띠가 일부 겹쳐 있는 (나)이다.
ㄷ. B는 온도가 높아질수록 비저항이 감소하고, 비교적 비저항이 작으므로 반도체이다. C는 온도가 높아질수록 비저항이 감소하고, 비저항이 크므로 절연체이다. 반도체의 띠 간격은 절연체의 띠 간격보다 작아서, 상온에서 띠 간격을 뛰어넘어 전도띠로 전이하는 전자의 수는 절연체보다 많다. 따라서 상온에서 자유 전자 수는 B가 C보다 많다.
바로 알기 ㄱ. (가)는 원자가 띠가 전자로 모두 채워져 있다. 즉, 전자가 옮겨갈 수 있는 빈 에너지 준위가 없으므로, 파울리 배타 원리에 따라 (가)의 전자들은 이동할 수 없다.

07 ㄱ. ㉠은 전도띠이다. 전도띠에는 빈 에너지 준위가 많으므로, 전자에 약간의 에너지만 주어도 에너지 상태가 바뀌며 고체 내부를 자유롭게 이동할 수 있다.
ㄷ. 규소는 반도체이므로 온도가 높을수록 원자가 띠에서 전도띠로 전이하는 전자의 수가 많아진다.
바로 알기 ㄴ. B는 전자가 전도띠로 전이하여 생긴 양공이므로 원자가 띠의 전자가 이동하여 갈 수 있다.
ㄹ. 규소는 띠 간격이 작아 상온에서 일부 전자가 전도띠로 전이하지만, 다이아몬드는 띠 간격이 크므로 상온에서 전자가 전도띠로 전이하기 어렵다. 따라서 A의 밀도는 다이아몬드가 규소보다 훨씬 적다.

08 ㄴ. (가), (다)는 원자가 띠가 모두 전자로 채워져 있고, 띠 간격이 있으므로 절연체 또는 반도체의 에너지띠 구조이다. 이 중 띠 간격이 큰 (가)가 절연체, 띠 간격이 작은 (다)가 반도체의 에너지띠이다. (나)는 원자가 띠가 일부만 차 있으므로 도체의 에너지띠 구조이다. 따라서 전기 전도도는 (나)>(다)>(가) 순으로 크다.

바로 알기 ㄱ. (가)는 절연체의 에너지띠 구조이다. 절연체에서도 띠 간격 이상의 에너지를 흡수하면 원자가 띠의 전자가 전도띠로 이동한다. 이를 절연 파괴라고 한다.

ㄷ. 반도체의 에너지띠인 (다)는 띠 간격이 좁으므로, 원자가 띠의 전자가 적당한 에너지를 흡수하면 전도띠로 전이할 수 있다. 따라서 상온에서 (다)는 열에너지를 얻어 전도띠로 전이한 소수의 전자가 존재한다.

09 ㄴ. 발머 계열은 전자가 $n=2$인 상태로 전이할 때 방출하는 빛이므로 광자의 에너지의 최솟값은 1.89 eV이다. 이 값은 규소의 띠 간격보다 크므로, 규소 원자에서 원자가 띠에 있던 전자를 전도띠로 전이시킬 수 있다.

바로 알기 ㄱ. 규소와 저마늄은 온도가 높아지면 띠 간격이 감소하고, 전하 나르개 밀도가 증가한다. 따라서 온도가 높아질수록 비저항이 감소한다는 것을 알 수 있다.

ㄷ. $n=4$인 상태에서 $n=3$인 상태로 전이할 때 방출하는 빛의 에너지는 0.66 eV이다. 이 값은 0 K에서 저마늄의 띠 간격보다 작으므로 원자가 띠의 전자가 전도띠로 전이할 수 없다.

10 ㄱ. 수소 원자의 에너지 준위가 양자화되어 있으므로 에너지 준위 사이를 전이할 때 방출하는 빛은 선 스펙트럼을 나타낸다.

ㄷ. 수소 원자에서 이웃한 에너지 준위 사이의 간격은 양자수가 커질수록 작아진다. 즉, E_3-E_2가 (나)의 띠 간격 E_4-E_3보다 크므로, 원자가 띠에 있던 전자가 E_3-E_2의 에너지를 갖는 빛을 흡수하면 전도띠로 전이할 수 있다.

바로 알기 ㄴ. (나)는 원자가 띠가 전자로 모두 채워져 있고, 띠 간격이 있으므로 절연체 또는 반도체의 에너지띠 구조이다.

11 ㄴ. 띠 간격이 작은 규소는 반도체이므로 규소가 다이아몬드보다 전기 전도성이 좋다.

ㄷ. 1.2 eV의 빛을 흡수하면 규소의 원자가 띠의 전자가 전도띠로 전이할 수 있으므로 전기 전도성이 좋아진다.

바로 알기 ㄱ. 고체의 에너지띠는 에너지 준위가 미세하게 갈라지며 연속적인 형태가 된 것이다. 파울리 배타 원리에 의해 0 K일 때 전자들은 각각의 에너지 준위에 낮은 에너지 부터 차례대로 채워진다.

12 ㄴ. 아래의 에너지띠는 전자가 채워진 가장 높은 에너지띠인 원자가 띠이고, E는 원자가 띠와 전도띠 사이의 에너지 간격이므로 띠 간격이다. 표에서 다이아몬드는 절연체이므로 반도체인 규소보다 띠 간격이 크다.

바로 알기 ㄱ. ㉠은 띠 간격이 작으므로 반도체이다.

ㄷ. 1.00 eV는 띠 간격보다 작으므로 전자가 전이할 수 없다.

03 다이오드

집중 분석 2권 59쪽

유제 ③

유제 ㄱ. 스위치를 a에 연결하면 p형 반도체에 (−)극이 연결되고, n형 반도체에 (+)극이 연결되므로 다이오드에 역방향 바이어스가 걸린다.

ㄷ. n형 반도체에서는 자유 전자가 주요 전하 나르개이고, p형 반도체에서는 양공이 주요 전하 나르개이다.

바로 알기 ㄴ. 스위치를 b에 연결하면 다이오드에 순방향 바이어스가 걸려 p형 반도체에 있던 양공과 n형 반도체에 있던 자유 전자가 접합면 쪽으로 이동하여 재결합하며 소멸한다.

개념 모아 정리하기 2권 61쪽

❶ 도핑 ❷ 높아 ❸ n ❹ 5
❺ 양공 ❻ 정류 ❼ 순방향 ❽ 커
❾ 흐른다 ❿ 띠 간격 ⓫ 광자

개념 기본 문제 2권 62쪽~63쪽

01 (1) 4개 (2) 공유 결합 **02** 전기 전도도가 높아진다. **03** (1) (가) n형 (나) p형 (2) (가) 자유 전자 (나) 양공 **04** ㄴ **05** (가) **06** 10^{22}개 **07** A: ㉡, B: ㉠ **08** ㄱ, ㄷ **09** ㉠ (+) ㉡ (−) ㉢ 순방향 **10** (1) 순방향 바이어스 (2) ㄱ, ㄷ **11** 해설 참조 **12** ㄱ, ㄴ

01 (1) 규소는 원자 번호 14번으로, 원자가 전자는 4개이다.

(2) 규소 원자는 이웃한 4개의 규소 원자들과 전자 1개씩을 공유하여 결합을 형성하는 공유 결합을 한다.

02 순수한 반도체에 13족 원소나 15족 원소를 도핑하면, 불순물에 의해 양공 또는 자유 전자가 생긴다. 따라서 반도체 내의 전하 나르개 밀도가 증가하므로, 전기 전도도가 증가한다.

03 (가)는 원자가 전자가 5개인 인(P) 주위에 공유 결합에 참여하지 않는 여분의 전자가 존재한다. 이 여분의 전자는 전도띠로 전이하여 쉽게 자유 전자가 되므로, (가)는 주로 자유 전자에 의해 전류가 흐르는 n형 반도체이다.

(나)는 원자가 전자가 3개인 알루미늄(Al)의 공유 결합에 전자의 빈 자리 1개가 있다. 이 빈 자리로 주위의 전자가 이동해 와서 양공이 생기므로, (나)는 주로 양공에 의해 전류가 흐르는 p형 반도체이다.

04 ㄴ. A에 약하게 결합된 전자는 상온에서 전도띠로 전이하여 자유 전자가 된다. 따라서 전자를 1개 잃은 A는 양이온이 된다.
바로 알기 ㄱ. A의 원자가 전자 중 4개는 주변의 규소 원자 4개와 공유 결합을 하고, 여분의 전자 1개가 약하게 결합되어 있다. 따라서 A는 원자가 전자가 5개인 15족 원소이다.
ㄷ. (가)는 불순물이 없는 순수한 반도체이고, (나)는 도핑한 n형 반도체이다. 도핑한 반도체는 불순물에 의해 많은 수의 양공이나 자유 전자가 추가되므로, 순수한 반도체보다 전기 전도도가 높다. 따라서 전기 전도도는 (나)가 (가)보다 높다.

05 (가)는 원자가 띠의 양공 수보다 전도띠의 전자 수가 훨씬 많으므로, 주로 자유 전자에 의해 전류가 흐르는 n형 반도체의 에너지띠 모습이다. (나)는 전도띠의 전자 수보다 원자가 띠의 양공 수가 훨씬 많으므로, 주로 양공에 의해 전류가 흐르는 p형 반도체의 에너지띠 모습이다.

06 순수한 반도체를 15족 원소인 비소로 도핑하면, 비소 원자 1개당 1개의 자유 전자가 생긴다. 따라서 반도체 내의 자유 전자 밀도를 10^6배만큼 높이기 위해 1 m^3 당 필요한 비소 원자 수는 다음과 같다.
10^{16}개/$m^3 \times 10^6 = 10^{22}$개/$m^3$

07 p−n 접합 다이오드의 전기 기호에서 화살표의 방향은 전류가 흐르는 방향을 나타내므로, (나)에서 전류는 ㉡ → ㉠ 방향으로 흐른다. p−n 접합 다이오드에서 전류는 p형 반도체에서 n형 반도체 쪽으로 흐르므로, p형 반도체 쪽인 A는 ㉡이고, n형 반도체 쪽인 B는 ㉠이다.

08 ㄱ. A는 양공이 주요 전하 나르개이므로, p형 반도체이다.
ㄷ. p형 반도체와 n형 반도체를 접합하면 접합면에서 확산에 의해 양공의 일부가 n형 반도체로 이동하고 자유 전자의 일부가 p형 반도체로 이동하여 접합면에는 n형 반도체에서 p형 반도체 방향으로 전기장이 형성된다. 이를 공핍층이라고 한다.
바로 알기 ㄴ. B에서 접합면에 가까운 영역은 p형 반도체에서 확산에 의해 이동해온 양공과 자유 전자가 재결합하여 소멸되므로, 고정된 불순물 이온만 남게 된다. 전자가 주요 전하 나르개인 B에는 불순물 이온이 양이온이므로, B에서 접합면에 가까운 영역은 (+)전하를 띤다.

09 p−n 접합 다이오드에 전류가 흐르게 하려면, p형 반도체 쪽에 전지의 (+)극을 연결하고 n형 반도체 쪽에 (−)극을 연결하여 순방향 바이어스가 걸리도록 해야 한다.

10 (1) p−n 접합 다이오드의 p형 반도체 쪽에 전지의 (+)극, n형 반도체 쪽에 전지의 (−)극이 연결되어 있으므로 순방향 바이어스가 걸려 있다.
(2) ㄱ. p형 반도체에는 양공이 자유 전자보다 많으므로, 양공이 주요 전하 나르개이다.
ㄷ. p−n 접합 다이오드에 순방향 바이어스가 걸리면 양공과 자유 전자가 접합면 쪽으로 이동하여 재결합한다.
바로 알기 ㄴ. p−n 접합 다이오드에 순방향 바이어스가 걸려 있으므로, n형 반도체의 자유 전자는 접합면 쪽인 (+)극 쪽으로 이동한다.

11 p−n 접합 다이오드는 p형 반도체에서 n형 반도체 방향으로만 전류를 흐르게 하는 정류 작용을 하며, 이때 전류가 흐르는 방향은 다이오드의 전기 기호에서 화살표가 가리키는 방향이다.
- (가): 1개의 p−n 접합 다이오드를 사용하면 입력 전압이 (+)일 때만 저항에 전류가 흐르므로 출력 전압은 그림과 같다.

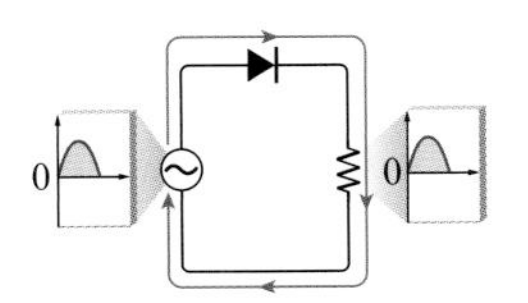

- (나): 4개의 p−n 접합 다이오드를 이용하면 그림과 같이 저항에는 항상 위에서 아래 방향으로만 전류가 흐르므로, 이를 그래프로 나타내면 다음 그림과 같다.

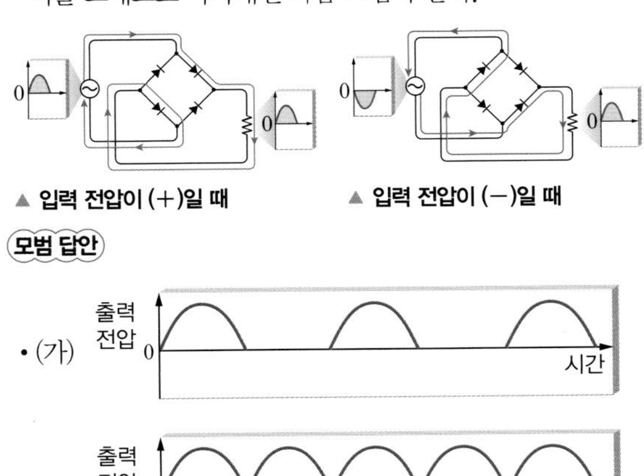

12 ㄱ. 발광 다이오드는 접합면에서 전도띠의 전자가 원자가 띠로 전이하여 양공과 재결합한다. 이때 전자가 잃는 에너지가 광자로 방출된다.
ㄴ. 반도체 물질이 띠 간격에 따라 방출하는 광자의 에너지도 다르므로, 방출하는 빛의 색도 달라진다.
바로 알기 ㄷ. 전자가 전이하는 띠 간격이 클수록 큰 에너지를 갖는 광자를 방출하므로, 반도체 물질의 띠 간격이 클수록 파장이 짧은 빛을 방출한다.

개념 적용 문제 2권 64쪽~68쪽

01 ④ **02** ① **03** ④ **04** ④ **05** ① **06** ③ **07** ③ **08** ② **09** ⑤ **10** ③

01 ㄱ. 순수한 반도체는 원자가 띠의 전자가 전도띠로 전이하여 양공이 생기므로, 원자가 띠의 양공과 전도띠의 전자 수는 같다.
ㄷ. (가)의 순수한 반도체는 원자가 띠에서 전도띠로 전이한 소수의 전자와 이로 인해 생긴 양공에 의해 전류가 흐른다. (나)의 불순물 반도체는 전도띠에 원자가 띠에서 전이한 전자보다 불순물의 주개 준위에서 전이한 전자의 수가 훨씬 많다. 따라서 전기 전도도는 전하 나르개의 수가 더 많은 (나)가 (가)보다 더 높다.
바로 알기 ㄴ. (나)는 원자가 띠의 양공 수보다 전도띠의 전자 수가 훨씬 많으므로, 주로 전자에 의해 전류가 흐르는 n형 반도체의 에너지띠 구조이다. n형 반도체는 원자가 전자가 5개인 주개 원자로 도핑한다.

02 ㄱ. 인듐은 주변의 규소 원자로부터 전자를 얻어 음이온이 된다.
바로 알기 ㄴ. 받개 준위의 전자는 주변의 규소 원자에서 인듐으로 이동한 전자로, 인듐 이온에 속박된 전자이다. 따라서 반도체 내부를 자유롭게 이동할 수 없다.
ㄷ. (나)에서 양공은 전도띠로 전이한 전자 외에도, 인듐 원자에 의한 받개 준위로 전이한 전자에 의해서도 생긴다.

03 ㄴ. 접합면에서 p형 반도체의 양공과 n형 반도체의 자유 전자가 확산에 의해 이동하여 재결합하며 소멸한다. 따라서 접합면 근처에는 양공과 자유 전자가 없는 공핍층이 생긴다.
ㄷ. 접합면 근처의 공핍층에는 전하 나르개의 밀도가 상대적으로 적어 고정된 불순물 이온만 남게 된다. 따라서 접합면 부근의 p형 반도체 쪽은 음이온에 의해 (−)전하를 띠고, n형 반도체 쪽은 양이온에 의해 (+)전하를 띤다. 이 두 영역에 의해 전위 장벽이 생겨 더 이상의 자유 전자와 양공의 확산을 막는다.
바로 알기 ㄱ. p형 반도체의 주요 전하 나르개는 양공이다. 따라서 A는 원자가 띠에 존재한다.

04 ㄱ. (가)는 p형 반도체에 전지의 (+)극, n형 반도체에 (−)극이 연결되었으므로 순방향 바이어스이다. (나)는 p형 반도체에 전지의 (−)극, n형 반도체에 (+)극이 연결되었으므로 역방향 바이어스이다. 따라서 역방향 바이어스가 걸린 (나)의 전위 장벽이 더 크다.
ㄷ. p−n 접합 다이오드에 순방향 바이어스가 걸리면 센 전류가 흐르고, 역방향 바이어스가 걸리면 전류가 거의 흐르지 않는다. 따라서 다이오드에 흐르는 전류의 세기는 (가)가 더 크다.
바로 알기 ㄴ. 다이오드에 순방향 바이어스가 걸리면 접합면 근처에서 자유 전자와 양공의 재결합이 계속해서 일어나고, 전원에 의해 다이오드의 양 끝에서 자유 전자와 양공이 계속해서 공급되어 전류가 흐른다. 그러나 역방향 바이어스가 걸리면 전류가 거의 흐르지 않으므로, 전원에 의해 단위 시간당 다이오드로 공급되는 자유 전자와 양공의 수는 (가)가 더 많다.

05 ㄱ. (가)는 p형 반도체에 전원의 (+)극, n형 반도체에 (−)극이 연결되었으므로 순방향 바이어스가 걸려 있다.
바로 알기 ㄴ, ㄷ. 전류−전압 그래프의 기울기가 전압에 따라 일정하지 않으므로, 다이오드의 저항은 전압에 따라 달라진다. 즉, 다이오드는 전압이 약 0.6 V보다 작을 때는 저항이 매우 크지만, 그 이상이 되면 공핍층이 얇아지며 다이오드의 저항이 매우 작아진다.

06 ㄷ. a는 순방향 바이어스가 걸렸을 때이므로 p형 반도체에 (+)극을, n형 반도체에 (−)극을 연결했을 때 측정된 것이다.
바로 알기 ㄱ. 순방향 바이어스가 걸렸을 때는 전류−전압 그래프의 1사분면처럼 다이오드에 흐르는 전류가 급격하게 증가한다. 따라서 다이오드를 이용한 회로에서는 반드시 저항을 연결해서 사용해야 한다.
ㄴ. V_E는 다이오드의 역방향 임계 전압이다. 이보다 큰 역방향 바이어스가 걸리면 다이오드의 접합 파괴가 일어나 역방향으로 급격한 전류가 흐르게 된다.

07 ㄱ. p−n 접합 다이오드는 순방향 바이어스일 때만 전류가 흐르는 특성이 있다.

ㄴ. 그림과 같이 A 방향으로 전류가 흐를 때는 D_2와 D_4에 순방향 바이어스가 걸려 전류가 흐른다.

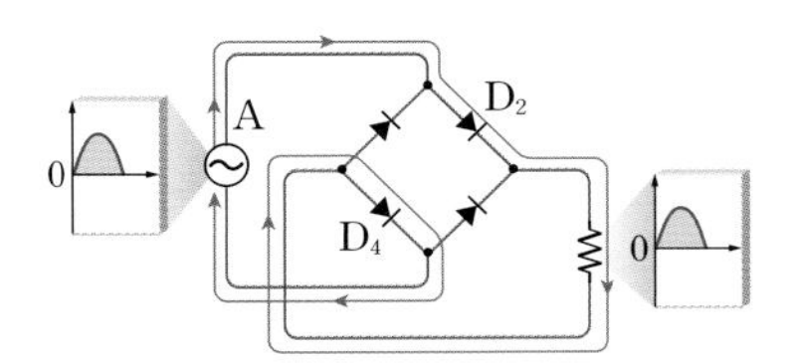

바로 알기 ㄷ. 시간이 $\frac{3}{2}t$일 때 교류 전원에는 B 방향 전압이 걸린다. 이때는 D_3과 D_1에 순방향 바이어스가 걸려 저항에 전류가 흐른다.

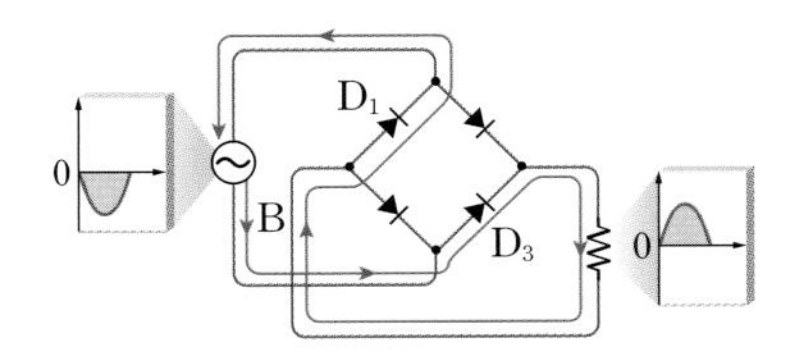

08 ㄴ. 스위치를 a에 연결했을 때 발광 다이오드에서 빛을 방출하므로 발광 다이오드에 순방향 바이어스가 걸린다. 따라서 발광 다이오드의 접합면에서는 전자와 양공이 재결합한다.

바로 알기 ㄱ. X에 (+)극이 연결되었을 때 발광 다이오드에서 빛이 방출되므로 X는 p형 반도체이다. 따라서 X는 양공이 주요 전하 나르개이다.

ㄷ. 스위치를 b에 연결하면 교류 전원의 전압이 순방향 바이어스일 때만 발광 다이오드에서 빛이 방출된다.

09 ㄴ. A는 p형 반도체 쪽 단자이므로 전원의 (+)극이 연결되었고, B는 n형 반도체 쪽 단자이므로 (−)극이 연결되었다.

ㄷ. 발광 다이오드에서 전도띠와 원자가 띠의 띠 간격이 클수록 전자가 전이하며 방출하는 광자의 에너지가 크다. 따라서 띠 간격이 클수록 방출하는 빛의 파장은 짧다.

바로 알기 ㄱ. 발광 다이오드에 순방향 바이어스가 걸리면 n형 반도체의 자유 전자가 접합면 쪽으로 이동하여 양공과 재결합한다.

10 ㄱ. 양공과 자유 전자가 접합면 쪽으로 이동하고 있으므로, p−n 접합 다이오드에 순방향 바이어스가 걸려 있다.

ㄴ. 접합면에서 전도띠의 전자가 에너지를 방출하며 원자가 띠로 전이하여 양공과 재결합한다.

바로 알기 ㄷ. 전자가 전이하며 방출하는 에너지가 E_g이므로 $E_g=\frac{hc}{\lambda}$에서 $\lambda=\frac{hc}{E_g}$이다.

통합 실전 문제

2권 **70쪽~73쪽**

01 ② **02** ③ **03** ② **04** ⑤ **05** ④ **06** ③ **07** ② **08** ②

01 ㄷ. 전자가 $n=4$에서 $n=1$인 상태로 전이할 때 방출하는 광자와 전자가 $n=3$에서 $n=1$인 상태로 전이할 때 방출하는 광자의 에너지는 다음과 같다.

- $n=4 \rightarrow n=1$: $E_4-E_1=hf_c$
- $n=3 \rightarrow n=1$: $E_3-E_1=hf_b$

따라서 $h(f_c-f_b)$는 다음과 같다.

$h(f_c-f_b)=(E_4-E_1)-(E_3-E_1)=E_4-E_3$

즉, $h(f_c-f_b)$는 전자가 $n=4$에서 $n=3$인 상태로 전이할 때 방출하는 광자의 에너지와 같으므로, $n=3$인 상태에 있던 전자가 $h(f_c-f_b)$의 에너지를 흡수하면 $n=4$인 상태로 전이할 수 있다.

바로 알기 ㄱ. ㉠은 $n\geq3$인 에너지 준위에 있던 전자가 $n=2$인 상태로 전이하며 방출하는 발머 계열 스펙트럼이다. a는 $n=4$에서 $n=2$인 상태로 전이하는 과정이므로 발머 계열 중 파장이 두 번째로 긴 빛이다. 발머 계열에서 파장이 가장 짧은 빛은 $n=2$인 상태로 전자가 전이할 때 방출하는 빛 중 광자의 에너지가 가장 큰 빛이므로, 전자가 $n=\infty$에서 $n=2$인 상태로 전이할 때 방출하는 빛이다.

ㄴ. c는 전자가 $n=4$에서 $n=1$인 상태로 전이하는 과정이므로, 이때 방출되는 빛은 라이먼 계열에 포함된다.

02 ㄱ. $n=4$에 있던 전자가 전이할 때 방출하는 빛의 에너지는 표와 같다.

처음 상태	나중 상태	에너지(eV)	스펙트럼 선
$n=4$	$n=1$	12.75	a
	$n=2$	2.55	b
	$n=3$	0.66	c

a와 b 사이의 간격이 b와 c 사이의 간격보다 크므로 a가 $n=1$인 상태로 전이할 때 방출하는 빛의 스펙트럼이다. 따라서 $hf_a=12.75$ eV이다.

ㄴ. b는 $n=2$인 상태로 전이할 때 방출하는 빛이므로 발머 계열의 빛이다.

바로 알기 ㄷ. 위의 표에서 $hf_a>hf_b+hf_c$이므로 $f_a>f_b+f_c$이다.

03 ㄴ. 전자가 전이할 때 에너지 준위 차이만큼의 에너지를 갖는 광자를 흡수 또는 방출한다.

- 파장이 λ_2인 광자의 에너지$=-0.85\text{ eV}-(-1.51\text{ eV})=0.66\text{ eV}$
- 파장이 λ_3인 광자의 에너지$=-1.51\text{ eV}-(-3.40\text{ eV})=1.89\text{ eV}$

따라서 파장이 λ_2인 광자의 에너지가 파장이 λ_3인 광자의 에너지보다 작다.

바로 알기 ㄱ. 파장이 λ_2, λ_3인 광자의 에너지의 합은 전자가 $n=4$에서 $n=2$인 상태로 전이할 때 방출되는 광자의 에너지와 같다. 따라서 $n=1$에서 $n=4$인 상태로 전이할 때 흡수하는 파장이 λ_1인 광자의 에너지보다 작으므로 다음과 같다.

$hf_1>hf_2+hf_3$

$\frac{hc}{\lambda_1}>\frac{hc}{\lambda_2}+\frac{hc}{\lambda_3} \rightarrow \frac{1}{\lambda_1}>\frac{1}{\lambda_2}+\frac{1}{\lambda_3}$

ㄷ. 파장이 λ_2인 광자의 에너지는 0.66 eV이므로, 파장이 λ_2보다 긴 광자의 에너지는 0.66 eV보다 작다. (나)에서 띠 간격이 1.2 eV이므로, 원자가 띠의 전자가 이 광자를 흡수해도 전도띠로 전이할 수 없다.

04 ㄴ. B는 온도가 높아질수록 저항이 감소한다. 이는 B의 온도가 높아질수록 원자가 띠에서 전도띠로 열에너지를 얻어 전이하는 전자의 수가 많아지기 때문이다.

ㄷ. B가 반도체이므로 A는 도체이다. 따라서 상온에서 도체인 A가 반도체인 B보다 전기 전도성이 좋다.

바로 알기 ㄱ. A는 온도가 높아질수록 저항이 커지므로 도체이다.

05 ㄱ. 상온에서 순수한 저마늄(Ge)의 원자가 띠에 있던 전자 중 일부가 열에너지를 얻어 전도띠로 전이하면 원자가 띠에는 양공이 생성된다.

ㄷ. (나)는 n형 반도체이다. n형 반도체에는 원자가 띠에서 전도띠로 전이한 전자 외에도 불순물로 인해 주개 준위에서 전도띠로 전이한 전자가 존재한다. 따라서 전도띠의 전자가 원자가 띠의 양공보다 더 많다.

바로 알기 ㄴ. 원자 a의 원자가 전자 중 4개는 주위의 저마늄 원자와의 공유 결합에 참여하고, 공유 결합에 참여하지 않는 여분의 전자가 1개 존재한다. 따라서 a의 원자가 전자는 5개이다.

06 ㄱ. 에너지띠 그림에서 전위 장벽에 의해 에너지가 더 높은 쪽이 p형 반도체이다. 따라서 A와 C는 p형 반도체이다.

ㄴ. 발광 다이오드에서 전도띠의 전자가 원자가 띠의 양공과 재결합하며 띠 간격만큼의 에너지를 가진 광자를 방출한다. 따라서 (나)에서 띠 간격이 더 작은 쪽에서 빨간색 빛이 방출되므로, X가 빨간색, Y가 파란색 빛을 방출하는 발광 다이오드이다. (가)에서 X는 p형 반도체인 A가 전원의 (+)극 쪽에 연결되었고, n형 반도체인 B가 (−)극 쪽에 연결되었다. 따라서 X에는 순방향 바이어스가 걸렸으므로 빨간색 빛이 방출된다.

바로 알기 ㄷ. Y는 n형 반도체인 D가 전원의 (+)극 쪽에 연결되었고 p형 반도체인 C가 (−)극 쪽에 연결되었다. 따라서 Y에는 역방향 바이어스가 걸렸으므로 빛이 방출되지 않는다.

07 ㄴ. 에너지띠 구조를 보면 접합면 근처에서 전자와 양공의 재결합이 일어나며 빛이 방출되므로, 발광 다이오드에 순방향 바이어스가 걸린 것을 알 수 있다. n형 반도체인 Y는 전원 장치의 (−)극에서 나온 전자가 계속해서 공급되고, X는 전자가 (+)극으로 빠져나가며 양공이 공급되므로 접합면에서 자유 전자와 양공의 재결합이 계속 일어날 수 있다.

바로 알기 ㄱ. X는 p형 반도체이므로, 양공이 주된 전하 나르개이다. 따라서 X는 양공을 공급할 수 있는 원자가 전자 3개인 원소로 도핑한 불순물 반도체이다.

ㄷ. 전원 장치의 단자를 서로 바꾸어 연결하면 발광 다이오드에 역방향 바이어스가 걸린다. 따라서 회로에 전류가 거의 흐르지 않으므로, 저항에 걸리는 전압도 거의 0이 된다.

08 ㄷ. 스위치를 a에 연결했을 때 A, D가 켜지므로, 전류가 흐르는 방향은 D → 저항 → A이다. 이때 A, D가 순방향으로 연결되었으므로, 둘은 모두 아래쪽이 p형 반도체, 위쪽이 n형 반도체가 된다. 한편, 스위치를 b에 연결했을 때 B, C가 켜졌으므로, 전류의 방향은 B → 저항 → C이고, B, C는 모두 위쪽이 p형 반도체, 아래쪽이 n형 반도체가 된다.

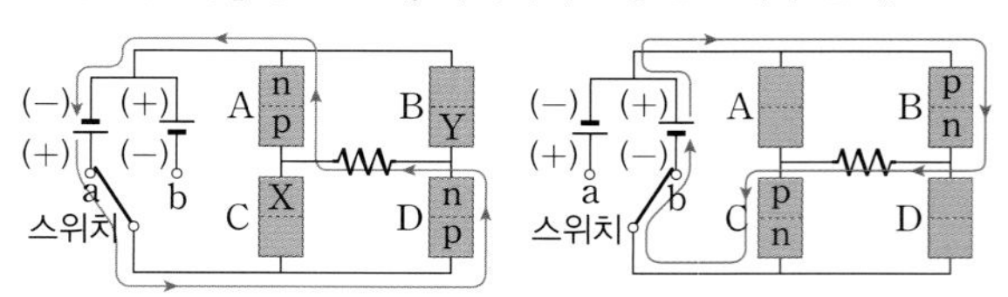

(가) 스위치를 a에 연결했을 때 (나) 스위치를 b에 연결했을 때

따라서 어느 스위치에 연결해도 저항에는 전류가 왼쪽 방향으로 흐른다.

바로 알기 ㄱ. X는 p형 반도체이다.

ㄴ. 스위치를 a에 연결하면 B에는 역방향 바이어스가 걸려 전류가 흐르지 않으므로, Y로 전자가 공급되지 않는다.

사고력 확장 문제 2권 74쪽~77쪽

01 (1) a인 지점에 전하량이 $+Q$인 입자를 놓았을 때 고정된 두 전하에 의해 받는 전기력은 다음과 같다.

$$F=-k\frac{qQ}{\left(a+\frac{d}{2}\right)^2}+k\frac{qQ}{\left(a-\frac{d}{2}\right)^2}$$

이때 $a+\frac{d}{2}>a-\frac{d}{2}$이므로 $F>0$이 된다. 따라서 전하량 $+Q$인 입자는 $+x$축 방향으로 전기력을 받는다.

모범 답안 (1) $+x$축 방향

(2) 쿨롱 법칙에 의해 전하량이 Q인 입자가 고정된 두 전하로부터 받는 전기력은 다음과 같다.

$$F=-k\frac{qQ}{\left(a+\frac{d}{2}\right)^2}+k\frac{qQ}{\left(a-\frac{d}{2}\right)^2}$$
$$=-\frac{kqQ}{a^2}\left(\left(1+\frac{d}{2a}\right)^{-2}-\left(1-\frac{d}{2a}\right)^{-2}\right)$$

r가 매우 작을 때 $(1+r)^{-n}\simeq 1-nr$이므로, $a\gg d$일 때 위 식은 다음과 같다.

$$F=-\frac{kqQ}{a^2}\left(\left(1-\frac{d}{a}\right)-\left(1+\frac{d}{a}\right)\right)=\frac{2kqQd}{a^3}$$

따라서 $a\gg d$일 때 전하량이 $+Q$인 입자가 받는 전기력은 $+x$ 방향으로 $\frac{2kqQd}{a^3}$이다.

	채점 기준	배점(%)
(1)	입자가 받는 전기력의 방향을 옳게 쓴 경우	30
(2)	쿨롱 법칙을 이용하여 전하량이 $+Q$인 입자가 받는 전기력의 식을 옳게 세우고, $a\gg d$인 경우의 근삿값을 옳게 구한 경우	70
	쿨롱 법칙을 이용하여 전하량이 $+Q$인 입자가 받는 전기력의 식을 옳게 세웠으나, $a\gg d$인 경우의 근삿값을 구하지 못한 경우	30

02 (1) ㉠은 흡수 스펙트럼 중 에너지가 큰 빛이므로 파장이 짧은 c이고, ㉡은 방출 스펙트럼 중 에너지가 작은 빛이므로 파장이 긴 b이다.

모범 답안 (1) ㉠ c ㉡ b

(2) 수소 원자의 선 스펙트럼으로부터 수소 원자의 에너지 준위가 양자화되어 있음을 알 수 있다.

	채점 기준	배점(%)
(1)	㉠, ㉡에 해당하는 스펙트럼 선을 옳게 고른 경우	20
(2)	수소 원자의 선 스펙트럼과 에너지 준위의 양자화를 모두 언급하여 서술한 경우	80
	에너지 준위의 양자화만 언급하여 서술한 경우	40

03 (1) 태양이나 백열등 같은 광원에서 방출하는 백색광을 분광기로 관찰하면 연속 스펙트럼이 나타난다. 이 빛이 저온의 기체를 지날 때 기체를 이루는 원소에 따라 고유한 특정 파장의 빛만 흡수되어 연속 스펙트럼 사이에 몇 개의 검은 선으로 나타나게 되는데, 이를 흡수 스펙트럼이라고 한다.

(2) 프라운호퍼가 관찰한 태양 빛의 흡수 스펙트럼은 태양 대기와 지구 대기에서 일부 파장의 빛이 흡수되어 나타나는 것이다.

모범 답안 (1) 백색광이 저온의 기체를 통과할 때 기체를 이루는 원소의 에너지 준위 차이에 해당하는 특정 파장의 빛이 기체에 흡수되어 연속 스펙트럼에 어두운 흡수선이 나타난다.

(2) 원소에 따라 고유한 에너지 준위를 가지므로, 저온의 기체를 이루는 원소에 따라 고유한 파장의 빛이 흡수 스펙트럼으로 나타난다. 따라서 태양 대기나 지구 대기를 구성하는 원소를 알 수 있다.

	채점 기준	배점(%)
(1)	저온의 기체를 지난다는 조건과 원소에 따라 특정 파장의 빛이 흡수된다는 것을 모두 서술한 경우	50
	원소에 따라 특정 파장의 빛이 흡수된다는 것만 서술한 경우	30
(2)	태양 대기와 지구 대기를 이루는 원소를 알 수 있다고 근거를 들어 설명한 경우	50
	태양 대기나 지구 대기 중 하나만 명시한 경우	30

04 보어의 수소 원자 모형에서 전자가 양자수 m에서 양자수 n인 상태로 전이할 때 방출하는 광자의 에너지는 다음과 같다.

$$E=-E_0\left(\frac{1}{m^2}-\frac{1}{n^2}\right)\text{ (단, }m>n\text{)}$$

또, 파장이 최소일 때는 광자의 에너지가 가장 클 때이고, 파장이 최대일 때는 광자의 에너지가 가장 작을 때이다.

모범 답안 발머 계열의 빛 중 파장이 가장 작을 때 λ_{min}은 전자가 $n=\infty$인 상태에서 $n=2$인 상태로 전이할 때이므로 다음과 같다.

$$\frac{hc}{\lambda_{min}}=-E_0\left(0-\frac{1}{2^2}\right)$$
$$\lambda_{min}=\frac{4hc}{E_0}$$

또, 파장이 가장 길 때 λ_{max}는 전자가 $n=3$인 상태에서 $n=2$인 상태로 전이할 때이므로 다음과 같다.

$$\frac{hc}{\lambda_{max}}=-E_0\left(\frac{1}{3^2}-\frac{1}{2^2}\right)$$
$$\lambda_{max}=\frac{36hc}{5E_0}$$

채점 기준	배점(%)
발머 계열 파장의 최솟값과 최댓값을 모두 옳게 구한 경우	100
발머 계열 파장의 최솟값과 최댓값 중 하나만 옳게 구한 경우	50

05 반도체는 온도가 높아지면 더 많은 원자가 띠의 전자가 열에너지를 흡수하여 전도띠로 전이하므로, 전기 전도성이 좋아진다.

모범 답안 반도체는 띠 간격이 작아 상온에서 일부 전자가 열에너지를 얻어 원자가 띠에서 전도띠로 전이한다. 온도가 높아질수록 더 많은 전자가 전도띠로 전이하여 전하 나르개의 밀도가 급격하게 증가하므로, 반도체는 온도가 높아질수록 비저항이 감소한다.

채점 기준	배점(%)
반도체의 띠 간격이 작아 상온에서 일부 전자가 전도띠로 전이하는 것과 온도가 높아질수록 전도띠로 전이하는 전자 수가 증가함을 모두 서술한 경우	100
두 가지 중 한 가지만 서술한 경우	50

06 (1) ㉠ 주위에는 공유 결합에 참여하지 못하고 ㉠에 약하게 결합된 전자가 1개 있다. 따라서 ㉠의 원자가 전자 중 4개는 주변 규소 원자와 공유 결합을 하고 남은 1개의 여분의 전자가 더 있으므로, ㉠의 원자가 전자는 총 5개이다.

(2) ㉠의 여분의 전자의 에너지 준위는 전도띠 바로 아래에 생긴다. 상온에서 이 전자는 쉽게 전도띠로 전이한다. 따라서 상온에서 이 불순물 반도체는 전도띠에 있는 전자가 원자가 띠의 양공보다 훨씬 많이 존재하며, 주로 자유 전자에 의해 전류가 흐른다.

(3) 순수한 반도체는 모든 원자가 전자가 공유 결합에 참여하므로 전기 전도성이 좋지 않다. 여기에 불순물을 첨가하면 전하 나르개 밀도가 증가하여 전기 전도성이 좋아진다.

모범 답안 (1) 5개

(2) 자유 전자

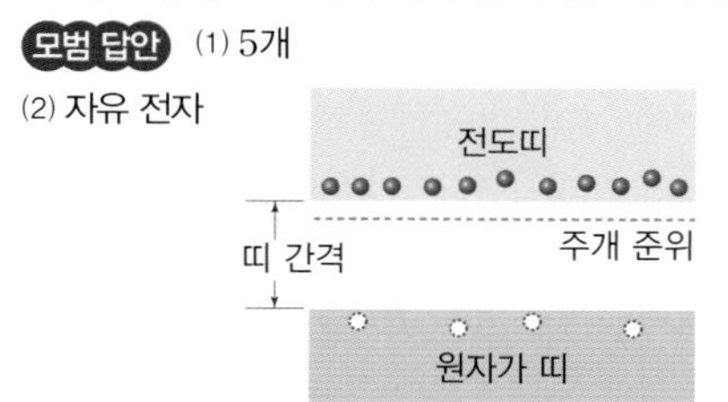

(3) 자유 전자나 양공의 수를 증가시켜 반도체의 전기 전도성을 좋게 하기 위해서이다.

	채점 기준	배점(%)
(1)	원자가 전자의 수를 옳게 쓴 경우	20
(2)	에너지띠에 주개 준위를 그리고, 원자가 띠의 양공보다 전도띠의 전자의 수가 훨씬 많도록 옳게 그렸으며, 주요 전하 나르개가 자유 전자임을 명시한 경우	40
	에너지띠 구조와 주요 전하 나르개 중 한 가지만 옳게 표현한 경우	20
(3)	전하 나르개의 수를 증가시켜 전기 전도성을 향상시키는 것을 언급하여 옳게 서술한 경우	40
	전기 전도성을 향상시키기 위해서라고만 서술한 경우	20

07 순방향 바이어스일 때는 전위 장벽이 작아져 접합면 부근에서 양공과 자유 전자의 재결합이 일어나며 전류가 잘 흐르고, 역방향 바이어스일 때는 전위 장벽이 커져 전류가 거의 흐르지 못한다.

모범 답안 (1) (가) 순방향 바이어스 (나) 역방향 바이어스

(2) (가) p-n 접합 다이오드에 순방향 바이어스가 걸리면 자유 전자와 양공이 접합면 쪽으로 이동한다.

(나) p-n 접합 다이오드에 역방향 바이어스가 걸리면 자유 전자와 양공이 거의 이동하지 않는다.

	채점 기준	배점(%)
(1)	(가)와 (나)의 바이어스를 모두 옳게 쓴 경우	40
	(가)와 (나) 중 한 가지만 옳게 쓴 경우	20
(2)	(가)와 (나)에서 자유 전자와 양공의 이동 방향을 옳게 서술한 경우	60
	(가)와 (나) 중 한 쪽의 이동 방향만 옳게 서술한 경우	30

08 (1) A에 순방향 바이어스가 걸릴 때는 교류 전원의 왼쪽이 (+)극이고, 오른쪽이 (−)극이다.

(2) 교류 전원에서 왼쪽으로 전류가 흐를 때는 A, D에 순방향 바이어스가 걸리고, 오른쪽으로 전류가 흐를 때는 B, C에 순방향 바이어스가 걸린다.

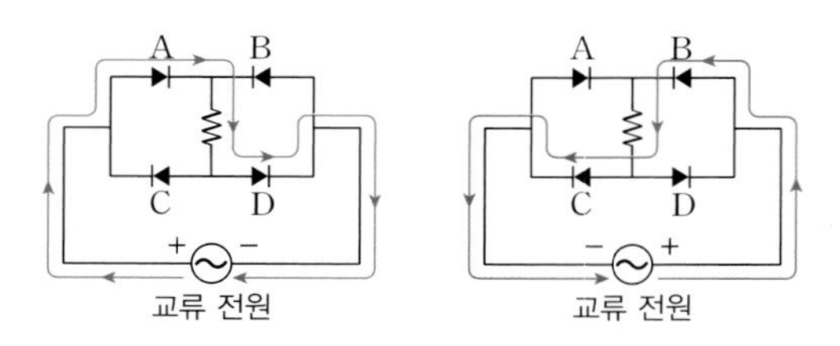

모범 답안 (1) 순방향 바이어스: D, 역방향 바이어스: B, C

(2) 저항에는 교류 전원의 전압 방향과 상관없이 항상 위에서 아래의 한 방향으로 전류가 흐른다.

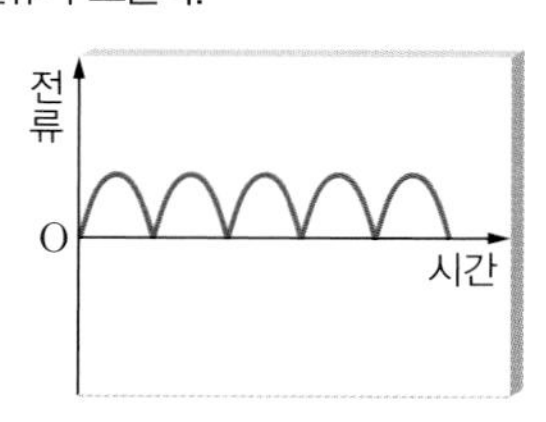

	채점 기준	배점(%)
(1)	순방향 바이어스가 걸린 다이오드와 역방향 바이어스가 걸린 다이오드를 모두 옳게 고른 경우	40
(2)	전류-시간 그래프를 옳게 그리고 전파 정류 회로의 특징을 옳게 설명한 경우	60
	그래프와 전파 정류 회로의 특징 중 한 가지만 옳게 표현한 경우	30

2. 전자기장과 우리 생활

01 전류에 의한 자기 작용

탐구 확인 문제 2권 89쪽

01 (1) a (2) 북동쪽, 45° **02** d

01 (1) 나침반 자침의 N극이 북서쪽으로 회전하였으므로, P점에서 전류에 의한 자기장의 방향은 서쪽이다. 오른손의 네 손가락을 자기장의 방향으로 감아쥘 때 엄지손가락이 향하는 방향인 a 방향이 도선에 전류가 흐르는 방향이다.
(2) Q에서는 전류에 의한 자기장 방향이 동쪽이므로, 자침의 N극은 북동쪽을 가리키고, 전류에 의한 자기장의 세기는 P점에서와 같으므로 나침반 자침의 회전각은 45°이다.

02 오른손의 네 손가락을 솔레노이드에 흐르는 전류의 방향으로 감아쥘 때 엄지손가락이 향하는 방향이 솔레노이드 내부에 생기는 자기장의 방향이다. 따라서 스위치를 닫았을 때 솔레노이드에 흐르는 전류에 의해 왼쪽은 S극, 오른쪽은 N극이 되므로, 나침반 자침의 N극은 d 방향을 가리킨다.

집중 분석 2권 91쪽

유제 ①

유제 p, q에서 A와 B에 흐르는 전류에 의한 합성 자기장은 세기와 방향이 같다. 또, p, q에서 C에 흐르는 전류에 의한 자기장은 세기가 같고 방향이 반대이다. 그런데 p, q에서 세 도선에 흐르는 전류에 의한 합성 자기장의 세기가 같고 방향이 반대이므로, A, B에 흐르는 전류에 의한 합성 자기장은 0임을 알 수 있다. 직선 도선에 흐르는 전류에 의한 자기장의 세기는 도선으로부터의 수직 거리에 반비례하므로, B에 흐르는 전류의 세기는 $\frac{I_0}{2}$이고 방향은 $+y$ 방향이다.

개념 모아 정리하기 2권 93쪽

❶ 접선 ❷ $\frac{\Phi}{S}$ ❸ 동심원 ❹ 비례
❺ 반지름 ❻ 균일한 ❼ 단위 길이당 도선을 감은 수
❽ 자기력 ❾ 길이 ❿ 전류

개념 기본 문제 2권 94쪽~95쪽

01 (1) ㉠ S극 ㉡ N극 (2) B **02** ㄱ **03** (1) c (2) b, e
04 (1) 종이면에서 수직으로 나오는 방향, $k\frac{I}{d}$ (2) R>P>Q
05 $B_C > B_B = B_D > B_A$ **06** $B_2 > B_1 = B_3$ **07** ㄱ, ㄴ
08 $\frac{BVl}{R}$ **09** 증가한다. **10** (1) 시계 반대 방향 (2) 코일의 회전 방향이 반대로 바뀐다. **11** ㉠ 전류 ㉡ 자기

01 (1) 자기력선은 N극에서 나와 S극으로 들어가는 방향을 향한다. 따라서 ㉠은 자기장이 들어가는 방향이므로 S극이고, ㉡은 자기장이 나오는 방향이므로 N극이다.
(2) 자기력선의 한 점에서 그은 접선 방향이 그 지점의 자기장 방향이므로, A, C점에서 자기장의 방향은 왼쪽이다. 자석의 내부에서는 자기력선이 S극에서 N극을 향하므로, B점에서 자기장의 방향은 오른쪽이다.

02 ㄱ. 나침반 자침은 직선 도선에 흐르는 전류에 의한 자기장과 지구 자기장이 합성된 방향을 가리킨다. 따라서 전류에 의한 자기장의 세기가 증가할수록 자침의 회전각은 증가한다. 직선 전류에 의한 자기장 세기는 전류의 세기에 비례하고, 도선으로부터 수직 거리에 반비례하므로, 직선 도선에 흐르는 전류의 세기를 증가시키면 자침의 회전각이 증가한다.

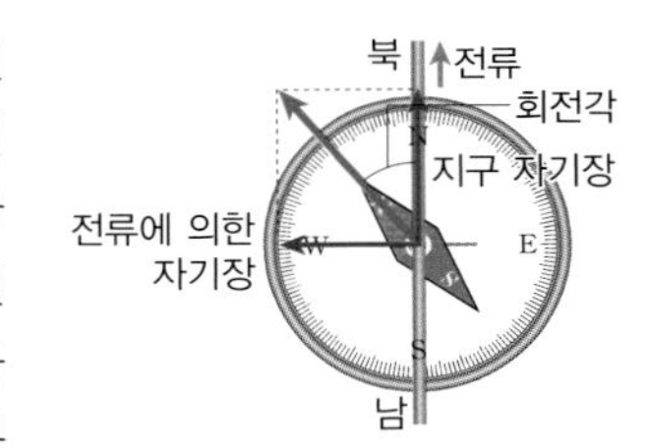

바로 알기 ㄴ. 전류의 방향을 반대로 하면 나침반 자침의 회전 방향이 반대로 바뀐다.
ㄷ. 도선과 나침반 사이의 거리를 더 멀리 하면, 전류에 의한 자기장의 세기가 감소하므로 자침의 회전각은 감소한다.

03 (1) c에서 두 도선에 의한 자기장은 아래 방향으로 같다.
(2) 직선 도선에 흐르는 전류에 의한 자기장은 도선으로부터의 수직 거리에 반비례한다. a에서 A에 흐르는 전류에 의한 자기장의 세기를 B_0라고 하면 b와 e에서 자기장의 세기는 B_0로 같다.

b점에서의 자기장의 세기

$$=\sqrt{{B_A}^2+{B_B}^2}=\sqrt{\left(\frac{B_0}{\sqrt{2}}\right)^2+\left(\frac{B_0}{\sqrt{2}}\right)^2}=B_0$$

04 (1) 직선 도선에 흐르는 전류가 I이고, 도선으로부터의 수직

거리가 r일 때 직선 도선에 흐르는 전류에 의한 자기장의 세기는 $B=k\frac{I}{r}$이다. 따라서 P에서 A에 흐르는 전류에 의한 자기장의 세기는 $k\frac{I}{d}$이고, 자기장의 방향은 종이면에서 수직으로 나오는 방향이다.

(2) $B_0=k\frac{I}{d}$라고 하고, 종이면에서 수직으로 나오는 방향을 (+)로 나타내면, P, Q, R에서 합성 자기장은 다음과 같다.

• P점: $B_P=B_0+\frac{B_0}{3}-\frac{B_0}{5}=\frac{17B_0}{15}$

• Q점: $B_Q=-\frac{B_0}{3}$

• R점: $B_R=-\frac{B_0}{3}-B_0-B_0=-\frac{7B_0}{3}$

따라서 자기장의 세기는 $|B_R|>|B_P|>|B_Q|$이다.

05 A에서 $+y$ 방향으로 흐르는 전류에 의한 자기장을 $+B_0$이라고 하면, 두 직선 도선에 흐르는 전류에 의한 자기장은 A와 C에서 각각 $+2B_0$, $-2B_0$이고, B와 D에서는 0이다. 원형 도선에 흐르는 전류에 의한 자기장은 항상 $-2\pi B_0$이므로, 세 도선에 의한 자기장의 세기는 $B_C>B_B=B_D>B_A$이다.

06 솔레노이드 내부의 자기장의 세기는 단위 길이당 도선의 감은 수 n에 비례하고 전류의 세기 I에 비례한다.

$B=k''nI$

세 실험에서 단위 길이당 도선의 감은 수는 모두 같으므로, 저항이 일정할 때 솔레노이드 내부의 자기장 세기는 전압에 비례한다. 즉, $B_2>B_1=B_3$이다.

07 ㄱ. 직선 전류에 의한 자기장의 세기는 전류의 세기에 비례하고 도선으로부터 수직 거리에 반비례한다.

ㄴ. 원형 도선의 중심에서 자기장 세기는 전류의 세기에 비례하므로, 전류의 세기가 2배가 되면 자기장 세기도 2배가 된다.

바로 알기 ㄷ. 솔레노이드 내부의 자기장의 세기는 단위 길이당 도선의 감은 수에 비례한다. 따라서 길이와 감은 수를 모두 2배로 하면 자기장의 세기는 변하지 않는다.

08 자기장 속에 놓인 전류가 흐르는 도선이 받는 자기력은 자기장의 세기 B와 전류의 세기 I, 자기장 내에 들어 있는 전류가 흐르는 도선의 길이 l에 비례한다. 도선 PQ에 흐르는 전류의 세기는 $I=\frac{V}{R}$이므로, PQ가 받는 자기력은 다음과 같다.

$F=BIl=\frac{BVl}{R}$

09 구리 막대에 전류가 흐르지 않을 때 용수철저울의 눈금은 구리 막대의 무게만큼을 가리킨다. 스위치를 닫아 전류가 흐르면 구리 막대에 자기력이 작용하여 용수철저울의 눈금이 변한다. 오른손의 네 손가락이 자기장의 방향(N극 → S극)을 향하게 하고 엄지손가락이 전류의 방향((+)극 → (−)극)을 향하게 할 때 손바닥이 아래쪽을 향하므로, 구리 도선은 아래쪽으로 자기력을 받고 용수철저울의 눈금은 증가한다.

10 (1) 자석 사이에 놓인 코일에 전류가 흐르면 코일이 자기력을 받는다. 자기력의 방향은 오른손의 네 손가락이 자기장의 방향을 향하게 하고 엄지손가락이 전류의 방향을 향하게 할 때 손바닥이 향하는 방향이다. 코일의 왼쪽 부분은 아래쪽으로 자기력을 받고, 코일의 오른쪽 부분은 위쪽으로 자기력을 받는다. 따라서 코일은 시계 반대 방향으로 회전한다.

(2) 전동기에 전원을 반대로 연결하면, 코일에 흐르는 전류의 방향이 반대가 된다. 따라서 코일의 각 부분이 받는 자기력의 방향이 반대가 되므로 코일은 반대 방향으로 회전한다.

11 스위치를 닫아 코일에 전류가 흐르면, 전류에 의한 자기장이 발생하여 철편에 자기력이 작용한다. 따라서 철편이 코일의 윗부분으로 끌려오면 그림과 같이 전구가 연결된 쪽의 접점이 붙게 되므로, 전구에 불이 켜진다.

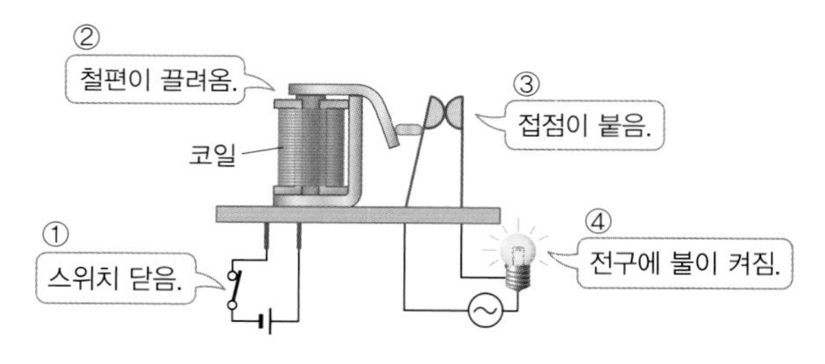

개념 적용 문제 2권 96쪽~99쪽

01 ④ **02** ⑤ **03** ② **04** ⑤ **05** ⑤ **06** ② **07** ④ **08** ①

01 ㄱ. q에서 A와 C에 의한 자기장이 0이므로, A와 C에 흐르는 전류에 의한 자기장의 세기는 같고 방향은 반대이다. 자기장의 세기는 전류의 세기에 비례하고 도선으로부터의 수직 거리에 반비례하는데, q에서 A까지의 거리가 C까지의 거리보다 크므로 A에 흐르는 전류의 세기가 C보다 더 크다.

ㄷ. A와 B 사이에서 A에 흐르는 전류에 의한 자기장은 $-y$ 방향이고, B와 C에 흐르는 전류에 의한 자기장은 $+y$ 방향이다. 따라서 A와 B 사이에서 자기장이 0인 지점이 존재한다.

바로 알기 ㄴ. C에는 종이면에서 수직으로 나오는 방향으로 전류가 흐르므로, p에서 C에 흐르는 전류에 의한 자기장의 방향은 $-y$ 방향이다. 그런데 p에서 B와 C에 흐르는 전류에 의한 자기장이 $+y$ 방향이므로, B에 흐르는 전류에 의한 자기장의 방향은 $+y$ 방향이다. 따라서 B에는 종이면에 수직으로 들어가는 방향으로 전류가 흐른다.

02 ㄱ, ㄴ. p, q에서 세 도선에 흐르는 전류에 의한 자기장의 세기와 방향이 같으므로, p, q에서 A, B에 흐르는 전류에 의한 자기장의 세기와 방향이 같아야 한다. 따라서 A와 B에 흐르는 전류의 방향은 같다. 지면에서 나오는 자기장 방향을 (+)로 하고 A에 흐르는 전류의 세기를 I라고 하면 다음 식이 성립한다.

$-\frac{kI}{d}+\frac{kI_0}{d}=-\frac{kI}{3d}-\frac{kI_0}{d} \rightarrow I=3I_0$

ㄷ. C에 흐르는 전류의 방향을 $+x$ 방향으로 바꾸면 p에서의 자기장은 다음과 같다.

$-\frac{3kI_0}{d}+\frac{kI_0}{d}+\frac{2kI_0}{d}=0$

03 ㄴ. 도선에 흐르는 전류의 세기가 클수록 나침반 자침의 회전각이 크다.

바로 알기 ㄱ. (다)에서 전류의 세기가 (나)의 2배이므로 회전각은 (다)에서가 (나)에서보다 크다. 따라서 처음 상태인 (가)에서 나침반 자침의 N극은 도선의 왼쪽을 가리킨다. 즉, 직선 도선은 남북 방향으로 설치되지 않았다.

ㄷ. 전류의 방향이 반대로 바뀌었으므로 전류에 의한 자기장의 방향도 반대이다.

04 ㄱ. (나)에서 $I=-\frac{I_0}{2t_0}t+3I_0$이고, t_0일 때 A에 흐르는 전류의 세기는 $I=-\frac{I_0}{2}+3I_0=2.5I_0$이다. O에서 A, B에 의한 자기장의 세기는 $-\frac{k'I_0}{r}+\frac{2.5k'I_0}{2r}=\frac{k'I_0}{4r}$이다. 따라서 자기장은 종이면에서 수직으로 나오는 방향이다.

ㄴ. $2t_0$일 때 A에 흐르는 전류의 세기는 $2I_0$이다. 원형 도선의 중심에서 자기장 세기는 도선에 흐르는 전류의 세기에 비례하고 반지름에 반비례하므로, A와 B에 흐르는 전류에 의한 자기장의 세기는 같고 방향은 반대이다. 따라서 $2t_0$일 때 O에서 자기장은 0이다.

ㄷ. O에서 B에 흐르는 전류에 의한 자기장을 $-B_0$이라고 하면, t_0, $3t_0$일 때 O에서 A에 흐르는 전류에 의한 자기장은 $\frac{5B_0}{4}$, $\frac{3B_0}{4}$이다. 따라서 t_0, $3t_0$일 때 O에서 합성 자기장은 각각 $\frac{B_0}{4}$, $-\frac{B_0}{4}$이다.

05 ㄴ. O에서 원형 도선에 흐르는 전류에 의한 자기장은 종이면에 수직인 방향이고, 직선 도선에 흐르는 전류에 의한 자기장은 종이면에 나란한 방향이다. 따라서 두 도선에 흐르는 전류에 의한 자기장의 방향은 서로 수직이다.

ㄷ. O에서 원형 도선에 흐르는 전류에 의한 자기장의 세기는 B_0이고, 직선 도선에 흐르는 전류에 의한 자기장의 세기는 $\frac{B_0}{2}$이다. 두 자기장이 서로 수직이므로 합성 자기장의 세기는 $\sqrt{B_0^2+\left(\frac{B_0}{2}\right)^2}=\frac{\sqrt{5}}{2}B_0$이다.

바로 알기 ㄱ. O에서 I_0에 의한 자기장의 세기는 $2\pi\times10^{-7}\times\frac{I_0}{r}$이고, P에서 I에 의한 자기장의 세기는 $2\times10^{-7}\times\frac{I}{r}$이다. 따라서 $I=\pi I_0$이다.

06 ㄴ. P에서 나침반 자침의 N극이 $+x$ 방향을 가리키고 있고, B에 의한 자기장의 방향은 $-x$ 방향이므로 A에 의한 자기장은 $+x$ 방향이고 B에 의한 자기장의 세기보다 크다.

바로 알기 ㄱ. 원형 도선에 연결된 전원 장치의 왼쪽이 (+)극이므로, p에서 B에 흐르는 전류에 의한 자기장의 방향은 $-x$ 방향이다.

ㄷ. A에 의한 자기장 방향이 $+x$ 방향이므로 b가 (+)극이다.

07 ㄱ. 코일에 전류가 흐를 때 세로 방향의 두 코일이 받는 자기력의 방향은 반대 방향이므로 서로 상쇄된다. 따라서 용수철저울의 눈금이 0.2 N만큼 증가한 것은 전류가 흐르는 AB 부분이 받는 자기력과 같으므로, 자석에 의한 자기장의 세기 B는 다음과 같다.

$F=BIl\times100$

$0.2\text{ N}=B\times0.1\text{ A}\times2\times10^{-2}\text{ m}\times100 \rightarrow B=1\text{ T}$

ㄷ. 코일이 받는 자기력의 세기는 자기장 속에 놓인 AB의 길이에 비례한다. 따라서 코일을 찌그러뜨려 AB의 길이가 $\frac{1}{2}$배가 되면, 코일이 받는 자기력의 세기도 $\frac{1}{2}$배가 되므로 용수철저울의 눈금은 2 N+0.1 N=2.1 N이 된다.

바로 알기 ㄴ. 전류의 방향을 반대로 하면 코일이 받는 자기력의 방향은 반대가 된다. 따라서 용수철저울의 눈금은 $2\ \mathrm{N} - 0.2\ \mathrm{N} = 1.8\ \mathrm{N}$을 가리킨다.

08 ㄱ. 코일에 전류가 흐르면 전류에 의한 자기장이 발생한다. 따라서 코일과 영구 자석 사이에는 자기력이 작용한다.

바로 알기 ㄴ. 코일에 흐르는 전류의 방향이 반대가 되면, 코일 내부의 자기장 방향도 반대가 된다. P, Q에 흐르는 전류의 방향이 반대이므로, 코일이 받는 자기력의 방향은 반대가 된다.

ㄷ. 진동판이 진동하여 소리가 발생할 때 소리의 높이는 진동판이 진동하는 진동수에 비례하므로, (가) 구간보다 (나) 구간에서 더 높은 소리가 발생한다.

02 물질의 자성

집중 분석 2권 107쪽

유제 ④

유제 (가)에서 자기화되지 않은 상태로 자석에 가까이 가져갔을 때 밀려나는 힘을 받는 A는 반자성체이다. (가)에서 끌어당기는 힘을 받는 B는 상자성체 또는 강자성체인데, (나)에서 클립이 붙었으므로 B는 자석을 제거한 후에도 자기화된 상태를 오래 유지하는 강자성체임을 알 수 있다.

개념 모아 정리하기 2권 109쪽

❶ 궤도 ❷ 스핀 ❸ 반대 ❹ 불규칙(무질서)
❺ 반자성체 ❻ 자기 구역 ❼ 같은 ❽ 유지
❾ 철 ❿ 강자성체

개념 기본 문제 2권 110쪽~111쪽

01 ㉠ 반대 ㉡ B **02** 철수 **03** ㄷ **04** (1) A: 상자성체, B: 강자성체, C: 반자성체 (2) C **05** ㄱ, ㄴ **06** (1) N극 (2) 오른쪽 **07** ㄱ, ㄷ **08** (1) 오른쪽 (2) 0이 된다. **09** ㉠ 자기장(아래) ㉡ 넓어 ㉢ 세다 **10** (1) 강자성체 (2) A: N극, B: S극

01 전자는 (−)전하를 띠고 전류의 방향은 (+)전하의 이동 방향으로 정의하므로, 전자의 이동 방향과 전류의 방향은 서로 반대 방향이다. 전자의 궤도 운동은 작은 고리 모양의 원형 전류로 볼 수 있다. 이때 전자가 시계 반대 방향으로 회전하므로, 원형 고리의 전류는 시계 방향으로 흐르는 것과 같다. 오른손의 네 손가락을 전류의 방향으로 감아쥘 때 엄지손가락이 향하는 방향이 원형 전류의 중심에서 자기장의 방향이므로, 전자의 궤도 운동에 의한 자기 모멘트는 B 방향이다.

02 • 철수: 물질의 자성은 전자의 궤도 운동과 스핀 때문에 나타난다. 원자핵 내의 양성자와 중성자의 스핀에 의해서도 나타나지만, 그 세기가 매우 약해 고려하지 않는다.

바로 알기 • 영희: 모든 전자들의 자기 모멘트가 상쇄되면 원자가 자기 모멘트를 가지지 않으므로 반자성체가 된다.
• 민수: 외부 자기장에 의해 자기화된 강자성체는 외부 자기장이 사라져도 자기화된 상태를 일부 유지한다.

03 ㄷ. 못이 자석에 끌려가 붙었으므로, 못의 내부는 외부 자기장과 같은 방향으로 자기화되었음을 알 수 있다. 자석 주위의 자기장은 자석의 N극에서 나가는 방향이므로, 못 내부의 자기장 방향은 a 방향이다.

바로 알기 ㄱ. 못은 자석에 강하게 끌려가 붙었으므로, 강자성체이다.
ㄴ. P는 자석의 N극으로 끌려가므로 S극이다. 또는 못 내부에 자기장이 a 방향으로 생기므로, 못의 위쪽은 S극이 되고 아래쪽은 N극이 되는 것을 알 수 있다.

04 (1) A는 자석에 약하게 끌리므로, 외부 자기장 방향으로 약하게 자기화되는 상자성체이다. B는 자석에 강하게 끌리므로, 외부 자기장 방향으로 강하게 자기화되는 강자성체이다. C는 자석에 약하게 밀려나므로, 외부 자기장의 반대 방향으로 약하게 자기화되는 반자성체이다.
(2) 초전도체는 임계 온도 이하에서 완전한 반자성을 나타내므로, C에 해당한다.

05 ㄱ. (가)에서 외부 자기장이 없을 때 원자가 자기 모멘트를 가지지 않았고, (나)에서 물질 내의 자기 모멘트 방향이 외부 자기장과 반대 방향으로 정렬되었으므로, 이 물질은 반자성체이다.
ㄴ. (가)에서 원자가 자기 모멘트를 가지지 않으므로, 내부의 총 자기장은 0이다.

바로 알기 ㄷ. 반자성체는 외부 자기장을 제거하면 원자의 자기 모멘트가 바로 사라진다.

06 (1) 강자성체는 외부 자기장 방향으로 자기화되므로, P는 N극이다.
(2) N극인 P가 직선 전류에 의한 자기장에 의해 시계 방향으로 회전하므로, 직선 도선 위쪽에는 막대에 수직으로 뒤에서 앞으로 자기장이 형성됨을 알 수 있다. 따라서 직선 도선에는 오른쪽으로 전류가 흐른다.

07 ㄱ, ㄷ. 플래터는 표면에 강자성체인 산화철 막을 씌워 만들며, 강자성체는 외부 자기장이 제거된 후에도 오랫동안 자기화된 상태를 유지하는 성질이 있다. 따라서 헤드가 지나간 후에도 정보가 사라지지 않아 정보를 저장할 수 있다.
바로 알기 ㄴ. 헤드의 철심은 코일에서 발생하는 자기장을 세게 하고 자기장을 가둘 수 있는 강자성체를 사용한다.

08 (1) 상자성체 내부의 자기장 방향이 오른쪽이고 상자성체는 외부 자기장과 같은 방향으로 자기화되므로, 외부 자기장의 방향은 오른쪽이다.
(2) 상자성체는 외부 자기장이 사라지면 원자의 열운동에 의해 자기 모멘트 방향이 다시 흐트러져 내부 자기장이 0이 된다.

09 강자성체에 외부 자기장을 가하면 강자성체 내부의 자기 모멘트가 외부 자기장 방향으로 정렬하고, 외부 자기장 방향의 자기 구역이 넓어진다. 따라서 강자성체가 외부 자기장 방향으로 강하게 자기화되므로 자기장 세기가 훨씬 세진다.

10 (1) 리드 조각에 외부 자기장을 가했을 때 리드 조각이 서로 붙으려면, 리드 조각이 외부 자기장에 의해 강하게 자기화되어야 한다. 따라서 리드 조각은 강자성체로 만든다.
(2) 강자성체는 외부 자기장의 방향으로 자기화되므로, 두 리드 조각 모두 왼쪽이 S극, 오른쪽이 N극을 띠게 된다.

개념 적용 문제 2권 112쪽~115쪽

01 ① **02** ② **03** ② **04** ③ **05** ① **06** ③ **07** ④ **08** ①

01 ㄱ. 전류는 (+)전하가 이동하는 방향으로 정의하므로 전자가 이동하는 방향과는 반대 방향으로 흐른다. 따라서 전자가 a 방향으로 원운동하면 전류의 방향은 b 방향이다.
바로 알기 ㄴ. 전자가 b 방향으로 원운동하면 전류는 a 방향으로 흐르므로, 전자 궤도의 중심에는 $-y$ 방향이 N극인 자기장이 생긴다.
ㄷ. 원형 전류의 중심에서 자기장 세기는 $B \propto \frac{I}{r}$로, 궤도의 반지름 r에 반비례하고 전류의 세기 I에 비례한다. 전자의 회전 속력이 감소하면 전류의 세기가 줄어드는 것과 같으므로, r가 증가하고 I가 감소하면, 중심에서 자기장의 세기 B는 감소한다.

02 ㄴ. A는 강자성체이므로 자석을 제거한 후에도 자기화된 상태를 유지한다. 자성체 C 위에 A를 가까이 가져가면 C가 A와 반대 방향으로 자기화되어 서로 밀어내는 자기력이 작용한다.
바로 알기 ㄱ. C는 반자성체이므로, 자석에서 밀려나는 방향으로 자기화된다. 따라서 C의 윗면은 자석의 아랫면과 같은 N극으로 자기화된다.
ㄷ. B는 상자성체이고, C는 반자성체이므로 외부 자기장이 사라지면 모두 자기화된 상태가 사라지므로, 서로 자기력이 작용하지 않는다. 따라서 저울의 측정값은 W_1과 W_3이 같고, A를 가까이 가져갔을 때인 W_2가 가장 크다.

03 ㄴ. A가 막대자석에서 밀려났으므로, A의 오른쪽은 자석의 왼쪽과 같은 N극을 띤다. 따라서 p는 S극이 된다.
바로 알기 ㄱ. A가 막대자석으로부터 밀려났으므로, A는 반자성체이다. 자기 구역은 강자성체에만 있다.
ㄷ. 반자성체 내부의 자기 모멘트는 외부 자기장의 반대 방향으로 정렬된다.

04 ③ 두 솔레노이드에 흐르는 전류에 의한 자기장의 방향이 솔레노이드 내부에서 모두 $+x$ 방향이고, 상자성체와 강자성체는 모두 외부 자기장의 방향으로 자기화된다. 따라서 상자성 막대의 오른쪽은 N극, 강자성 막대의 왼쪽은 S극이 되어, 두 막대 사이에는 서로 끌어당기는 방향으로 자기력이 작용한다.
바로 알기 ① a에서 자기장의 방향은 $+x$ 방향이다.
② 강자성체는 외부 자기장 방향으로 자기화되므로, 강자성 막대 내부는 $+x$ 방향으로 자기화된다.
④ 스위치를 열어 외부 자기장이 사라지더라도 강자성 막대가 자기화된 상태를 유지하므로 상자성 막대도 강자성 막대의 자기장 방향으로 자기화된다. 따라서 상자성 막대와 자기화된 강자성 막대 사이에 서로 끌어당기는 방향으로 자기력이 작용한다.
⑤ 스위치를 닫았을 때 a에서 두 솔레노이드에 흐르는 전류에 의한 자기장의 방향과 자기화된 상자성 막대와 강자성 막대에 의한 자기장 방향이 모두 같다. 스위치를 열면 솔레노이드에 흐르는 전류에 의한 자기장이 0이 되고, 두 막대의 자기화된 정도도 감소하므로 a에서 자기장 세기는 감소한다.

05 ㄱ. 솔레노이드에 전류가 흐를 때 P는 항상 솔레노이드 쪽으로 운동하므로, 솔레노이드가 만드는 자기장과 같은 방향으로 자기화되는 것을 알 수 있다. 따라서 P는 강자성체이다.

바로 알기 ㄴ. 스위치를 a에 연결하면 솔레노이드는 오른쪽이 S극이 된다. P가 강자성체이면 Q는 반자성체이므로, Q의 왼쪽 면은 솔레노이드의 오른쪽과 같은 S극으로 자기화된다.

ㄷ. Q는 반자성체이므로 외부 자기장의 반대 방향으로 자기화된다. 따라서 스위치를 a, b 중 어느 곳에 연결하더라도 솔레노이드에서 밀려나는 방향으로 자기력을 받는다.

06 ㄱ. 자석을 놓았을 때 A가 위로 운동하므로 A는 자석과 반대 방향으로 자기화되어 척력을 받았음을 알 수 있다. 따라서 A는 반자성체이고, B는 상자성체이다. A는 외부 자기장 속에 놓여 있으므로 원자에 자기 모멘트가 유도된 상태이고, B는 상자성체이므로 원자가 영구 자기 모멘트를 가진다.

ㄴ. 자석의 윗면이 N극이므로 A의 아랫면은 N극으로 자기화된다.

바로 알기 ㄷ. 반자성체는 항상 외부 자기장에 반대 방향으로 자기화되어 척력을 받으므로, 자석의 윗면이 S극이 되도록 자석을 놓아도 A는 위쪽으로 운동한다.

07 ㄱ. A는 상자성체이므로 솔레노이드에 흐르는 전류에 의한 자기장과 같은 방향으로 자기화된다. 따라서 A와 솔레노이드는 서로 끌어당기는 방향으로 자기력이 작용한다.

ㄷ. (가)에서 실이 A를 당기는 힘의 크기는 A의 중력과 A가 받는 자기력의 합력의 크기와 같고, (나)에서 실이 B를 당기는 힘과 B가 받는 자기력의 합력의 크기는 B의 중력의 크기와 같다.(→ ㄴ) 이때 A, B에 작용하는 중력의 크기는 같으므로, 실이 A를 당기는 힘의 크기는 실이 B를 당기는 힘의 크기보다 크다.

08 ㄱ. A를 가까이 가져갔을 때 p 방향으로 회전하였으므로 A는 반자성체이다. 따라서 자석과 A 사이에는 밀어내는 방향으로 자기력이 작용한다.

바로 알기 ㄴ. B를 가까이 가져갔을 때 q 방향으로 회전하므로 B와 자석은 서로 당기는 방향으로 자기력이 작용한다. 따라서 B는 자석에 의한 자기장과 같은 방향으로 자기화되는 상자성체 또는 강자성체이다.

ㄷ. B가 강자성체인 경우 자기화된 B를 A에 가까이 가져가면 서로 밀어내는 방향으로 자기력이 작용한다. 또, B가 상자성체인 경우 외부 자기장이 없으면 자기화되지 않으므로, A와 B 사이에는 자기력이 작용하지 않는다.

03 전자기 유도

탐구 확인 문제 2권 123쪽

01 ① **02** 해설 참조

01 자석과 코일이 상대적인 운동을 하면 전자기 유도가 일어나 코일에 유도 전류가 흐른다. 이때 자석의 극을 바꾸거나 운동 방향을 바꾸면 코일에 흐르는 유도 전류의 방향이 반대로 바뀐다.

02 전자기 유도가 일어날 때 유도 기전력은 단위 시간당 자기 선속의 변화량에 비례하고, 솔레노이드의 감은 수에 비례한다. 코일의 저항이 일정할 때 유도 전류의 세기는 유도 기전력에 비례한다.

모범 답안 자석을 더 빨리 움직인다. 더 강한 자석을 사용한다. 감은 수가 더 많은 코일을 사용한다.

채점 기준	배점(%)
3가지를 모두 옳게 서술한 경우	100
2가지만 옳게 서술한 경우	60
1가지만 옳게 서술한 경우	30

집중 분석 2권 125쪽

유제 ②

유제 ㄴ. 도체 막대가 움직이면서 도선이 이루는 사각형 영역을 지나는 자기 선속이 증가한다. 따라서 전자기 유도에 의해 도선에 전류가 유도되어 저항으로 흐른다. 이때 유도 전류의 세기는 자기 선속의 시간적 변화율에 비례하므로, 도체 막대의 속력에 비례한다. 도체 막대의 속력이 t일 때가 $3t$일 때의 2배이므로, 전류의 세기도 t일 때가 $3t$일 때의 2배이다.

바로 알기 ㄱ. t일 때와 $3t$일 때 모두 도체 막대는 오른쪽으로 이동한다. 이때 종이면에 수직으로 들어가는 방향의 자기 선속이 증가하므로, 사각형의 닫힌회로에는 종이면에서 수직으로 나오는 방향의 자기장이 형성되는 방향으로 유도 전류가 흐른다. 따라서 R에 흐르는 유도 전류는 두 경우 모두 p → R → q 방향으로 흐른다.

ㄷ. 소비 전력은 $P=I^2R$로, 저항에 흐르는 전류의 제곱에 비례한다. 전류의 세기는 t일 때가 $3t$일 때의 2배이므로, 저항의 소비 전력은 t일 때가 $3t$일 때의 4배이다.

개념 모아 정리하기 2권 127쪽

❶ 자기 선속 ❷ 유도 전류 ❸ 패러데이 ❹ 코일의 감은 수 ❺ 렌츠 ❻ 방해 ❼ 에너지 보존 법칙 ❽ 유도 전류 ❾ 코일

개념 기본 문제 2권 128쪽~129쪽

01 ㄱ, ㄴ **02** (1) a 방향 (2) 해설 참조 **03** X: b 방향, Y: a 방향 **04** (가) 시계 방향 (나) 시계 반대 방향 **05** (1) A: 왼쪽, C: 왼쪽 (2) A>B>C **06** ㄱ, ㄴ, ㄷ **07** Blv **08** a>b>c **09** 전자기 유도 **10** ㄴ **11** ㉠ 전자기 유도 ㉡ 위

01 ㄱ. 전자기 유도가 일어날 때 코일에 흐르는 유도 전류는 자석의 운동을 방해하는 방향으로 흐른다. 자석의 N극을 넣을 때는 자석의 N극을 밀어낼 수 있도록 코일의 윗면에 N극이 생기도록 유도 전류가 흐른다. 자석의 N극을 뺄 때는 자석을 끌어당길 수 있도록 코일의 윗면에 S극이 생기도록 유도 전류가 흐른다. 따라서 자석이 움직이는 방향이 반대가 되면 코일에 흐르는 유도 전류의 방향도 반대가 된다.

ㄴ. 자석을 빠르게 움직일수록 코일을 지나는 자기 선속이 빠르게 변한다. 코일에 흐르는 유도 전류는 코일을 지나는 자기 선속의 시간적 변화율에 비례하므로, 자석을 빠르게 움직일수록 유도 전류의 세기는 증가하여 바늘이 크게 움직인다.

바로 알기 ㄷ. 자석이 코일 속에 정지해 있을 때는 코일을 지나는 자기 선속에 변화가 없다. 따라서 코일에 유도 전류가 흐르지 않아 검류계 바늘은 0을 가리킨다.

02 (1) 막대자석의 N극을 금속 고리에 가까이 가져가면, 금속 고리를 왼쪽으로 지나는 자기 선속이 증가한다. 따라서 금속 고리에는 오른쪽 방향의 자기장을 만드는 방향으로 유도 전류가 흐른다. 따라서 오른손의 엄지손가락이 오른쪽을 향하게 하면 네 손가락이 감아쥐는 유도 전류의 방향은 a이다.

(2) 유도 전류의 세기를 증가시키려면 단위 시간당 자기 선속 변화량을 크게 하여 유도 기전력을 증가시키거나, 저항이 작은 고리를 사용해야 한다.

모범 답안 자석을 더 빠르게 움직인다. 더 센 자석을 사용한다. 저항이 더 작은 금속 고리를 사용한다.

채점 기준	배점(%)
2가지를 모두 옳게 서술한 경우	50
1가지만 옳게 서술한 경우	30

03 원형 도선 X에서는 오른쪽으로 자석의 S극이 멀어지므로, X의 오른쪽이 N극이 되도록 유도 전류가 흐른다. 또, Y에서는 자석의 N극이 왼쪽에서 다가오므로, Y의 왼쪽이 N극이 되도록 유도 전류가 흐른다. 따라서 X에서는 b 방향으로, Y에서는 a 방향으로 유도 전류가 흐른다.

04 (가) 직선 도선 주위의 자기장 방향은 전류의 방향으로 오른손의 엄지손가락을 향하게 할 때 나머지 네 손가락이 감아쥐는 방향이다. 따라서 원형 도선이 있는 위치에서 직선 도선에 흐르는 전류에 의한 자기장의 방향은 종이면에서 수직으로 나오는 방향이다. 직선 도선에 흐르는 전류의 세기를 증가시키면 원형 도선을 지나는 자기 선속이 증가한다. 따라서 원형 도선에는 종이면에 수직으로 들어가는 방향의 자기장이 생기도록 시계 방향으로 유도 전류가 흐른다.

(나) 직선 도선 주위의 자기장 세기는 도선으로부터의 수직 거리에 반비례한다. 원형 도선을 $+y$ 방향으로 움직이면 원형 도선을 통과하는 자기 선속이 점점 감소한다. 따라서 원형 도선에는 종이면에서 수직으로 나오는 방향의 자기장이 생기도록 시계 반대 방향으로 유도 전류가 흐른다.

05 (1) 구리 관에는 자석의 운동을 방해하는 방향으로 유도 전류가 흐른다. 따라서 A, C 구간에서 자석은 모두 운동 방향의 반대 방향인 왼쪽으로 자기력을 받는다.

(2) 자석이 운동할 때 구리 관에 유도되는 전류에 의해 A~C 구간에서 모두 운동 반대 방향으로 자기력을 받으므로, 자석의 속력은 점점 감소한다. 따라서 자석의 평균 속력은 A>B>C 순으로 크다.

06 ㄱ. (가)에서 N극이 왼쪽에서 다가오므로, 코일에는 자석을 밀어낼 수 있도록 코일의 왼쪽이 N극이 되도록 유도 전류가 흐른다. 따라서 전류는 b → LED → a 방향으로 흐른다.

ㄴ. 자석의 운동을 방해하는 방향으로 코일에 유도 전류가 흐르므로, (가)에서 자석은 왼쪽 방향으로 자기력을 받는다.

ㄷ. (나)에서 S극이 오른쪽에서 다가오므로, 코일에는 자석을 밀어낼 수 있도록 코일의 오른쪽이 S극이 되도록 유도 전류가 흐른다. 즉, 유도 전류의 방향은 (가)와 같이 b → LED → a 방향이므로, LED에 불이 켜진다.

07 패러데이 법칙에 의해 전자기 유도가 일어날 때 유도 기전력은 코일을 지나는 자기 선속의 시간적 변화율에 비례하고, 코일의 감은 수에 비례하므로 다음과 같다.

$$V = -N\frac{\Delta\Phi}{\Delta t}$$

여기서 코일의 감은 수는 1이고, 자기 선속은 $\Phi=BA=Blx$이므로, 위 식은 다음과 같다.

$$V=-Bl\frac{\Delta x}{\Delta t}=-Blv$$

08 자석이 낙하할 때 코일에 흐르는 유도 전류에 의해 자석은 위쪽으로 자기력을 받아 운동을 방해받는다. 따라서 자석의 역학적 에너지는 코일을 지날 때마다 감소한다.

09 교통 카드, 전동 칫솔의 충전, 교류 발전기는 모두 전자기 유도 현상을 이용한다.

• 교통 카드를 시간에 따라 변하는 자기장이 발생하는 단말기에 가까이 가져가면, 카드 내부의 코일을 지나는 자기 선속이 변하면서 코일에 전류가 유도된다. 이 전류에 의해 IC 칩을 구동하여 정보를 주고받는다.

• 전동 칫솔을 무선 충전할 때는 충전 장치에서 형성된 자기장의 변화에 의해 칫솔의 코일에 유도 전류가 흘러 충전이 이루어진다.

• 교류 발전기는 외부 자기장 속에서 코일을 회전시켜 전기 에너지를 얻는다.

10 ㄴ. 시간에 따라 변하는 자기장이 냄비 바닥을 지나면, 전자기 유도에 의해 냄비 바닥에 유도 전류가 발생한다.

바로 알기 ㄱ. 코일은 시간에 따라 변하는 자기장을 발생시키는 역할을 하므로, 코일에 흐르는 전류도 시간에 따라 변하는 교류가 흘러야 한다.

ㄷ. 유리에는 전류가 흐르지 못하므로, 유도 전류가 발생하지 않는다. 따라서 열도 발생하지 않는다.

11 영구 자석이 빠르게 다가올 때 금속판이 코일 역할을 하여 금속판에 유도 전류가 발생한다. 금속판에 흐르는 유도 전류에 의한 자기력이 영구 자석의 운동 반대 방향인 위쪽으로 작용하여 놀이 기구의 속력이 감소한다.

개념 적용 문제 2권 130쪽~134쪽

01 ② **02** ① **03** ④ **04** ③ **05** ⑤ **06** ④ **07** ⑤ **08** ①
09 ① **10** ④

01 ㄷ. $x>0$인 지점에서 직선 도선에 흐르는 전류에 의한 자기장 방향은 종이면에 수직으로 들어가는 방향이다. 또, 직선 도선에 흐르는 전류에 의한 자기장 세기는 도선으로부터의 수직 거리에 반비례하므로, x가 증가할수록 직선 도선에 의한 자기장 세기는 약해진다. $3t_0$일 때 원형 도선은 $+x$ 방향의 일정한 속도로 이동하므로, 원형 도선을 지나는 자기 선속은 점점 감소한다. 따라서 원형 도선에는 시계 방향의 유도 전류가 흘러 직선 도선에 흐르는 전류에 의한 자기장과 같은 방향의 자기장을 만든다.

바로 알기 ㄱ. t_0일 때 원형 도선은 정지해 있으므로 유도 전류가 흐르지 않는다.

ㄴ. 직선 도선에 흐르는 전류에 의한 자기장의 세기는 도선으로부터의 수직 거리에 반비례하므로, 원형 도선이 직선 도선에서 멀어질수록 원형 도선을 지나는 자기 선속은 감소한다.

02 ㄱ. 자석이 원형 도선을 지날 때마다 원형 도선에 유도 전류가 흘러 자석의 운동을 방해하도록 자기력이 계속 작용한다. 이때 자석의 역학적 에너지의 일부는 원형 도선에서 전기 에너지로 전환되므로, 자석의 역학적 에너지는 올라갈 때보다 내려올 때가 더 작다. 따라서 p에서 자석의 속력은 자석이 올라갈 때가 내려올 때보다 크다.

바로 알기 ㄴ. 자석이 올라갈 때는 N극이 아래쪽에서 접근하므로, 원형 도선에는 자석을 밀어내도록 아래쪽에 N극을 만드는 방향으로 유도 전류가 흐른다. 자석이 내려올 때는 아래쪽에서 N극이 멀어지므로, 원형 도선에는 자석을 끌어당기도록 아래쪽에 S극을 만드는 방향으로 유도 전류가 흐른다. 따라서 원형 도선에 흐르는 유도 전류의 방향은 자석이 올라갈 때와 내려올 때 반대이다.

ㄷ. 자석은 원형 도선에 흐르는 유도 전류에 의해 운동 반대 방향으로 자기력을 받는다. 따라서 자석이 p를 통과하며 올라갈 때는 아래쪽으로 자기력을 받고, 내려올 때는 위쪽으로 자기력을 받는다.

03 ① 8초일 때 금속 고리는 모두 영역 Ⅰ에 들어가 있으므로, 금속 고리를 지나는 자기 선속은 일정하다. 따라서 금속 고리에는 유도 전류가 흐르지 않는다.

② 10초일 때 금속 고리는 영역 Ⅰ에서 Ⅱ로 이동하므로, 금속 고리에는 종이면에 수직으로 들어가는 방향의 자기 선속이 증가한다. 따라서 종이면에서 수직으로 나오는 방향의 자기장을 만드는 시계 반대 방향으로 유도 전류가 흐른다.

③ 15초일 때 금속 고리를 지나는 자기장은 $-2B_0$에서 B_0

로 변하고, 10초일 때 금속 고리를 지나는 자기장은 $-B_0$에서 $-2B_0$로 변한다. 따라서 15초일 때 금속 고리를 지나는 자기 선속 변화율이 10초일 때의 3배이므로, 유도 전류의 세기도 3배이다.

⑤ 5초일 때 금속 고리는 영역 Ⅰ로 들어가는 중이므로, 종이면에 수직으로 들어가는 방향의 자기 선속이 증가한다. 따라서 금속 고리에는 종이면에서 수직으로 나오는 방향의 자기장을 만드는 시계 반대 방향으로 유도 전류가 흐른다. 20초일 때 금속 고리는 영역 Ⅲ을 빠져나오는 중이므로, 금속 고리는 종이면에서 수직으로 나오는 방향의 자기 선속이 감소한다. 따라서 금속 고리에는 같은 방향의 자기장을 만드는 시계 반대 방향으로 유도 전류가 흐른다. 이때 유도 기전력은 $V=-Blv=-B_0\times0.02\ \text{m}\times0.01\ \text{m/s}$로 같으므로, 유도 전류의 세기도 같다.

바로 알기 ④ 10초일 때 금속 고리는 영역 Ⅰ에서 Ⅱ로 이동하므로, 금속 고리는 종이면에 수직으로 들어가는 방향의 자기 선속이 증가한다. 따라서 금속 고리에는 자기 선속의 증가를 방해하는 방향인 시계 반대 방향으로 유도 전류가 흐른다.

20초일 때 금속 고리는 영역 Ⅲ을 빠져나오는 중이므로, 종이면에서 수직으로 나오는 방향의 자기 선속이 감소한다. 따라서 금속 고리에는 같은 방향의 자기장을 만드는 시계 반대 방향으로 유도 전류가 흐른다. 따라서 10초일 때와 20초일 때 고리에 흐르는 유도 전류의 방향은 같다.

04 ㄱ. 알루미늄 관을 A가 통과하는 시간보다 B가 통과하는 시간이 더 크므로, A보다 B가 유도 전류에 의해 더 센 자기력을 받았음을 알 수 있다. 따라서 자석의 세기는 B가 A보다 크고(→ ㄴ), 구리 관을 통과하는 시간도 B가 A보다 크다.

ㄹ. 자석이 구리 관의 중심을 지날 때 구리 관의 위쪽은 자석의 위쪽과 같은 방향의 자기장을 만들도록 유도 전류가 흐르고, 구리 관의 아래쪽은 자석의 아래쪽과 반대 방향의 자기장을 만들도록 유도 전류가 흐른다.

바로 알기 ㄷ. B가 낙하하는 동안 운동 반대 방향으로 자기력을 받으므로 역학적 에너지는 점점 감소한다.

05 ㄴ. $x=0.5l$일 때 사각 도선은 영역 Ⅰ에 들어가는 중이므로, 사각 도선에는 영역 Ⅰ의 자기장과 반대 방향의 자기장을 만들도록 유도 전류가 흐른다. 이때 사각 도선에 시계 방향으로 유도 전류가 흘렀으므로, 영역 Ⅰ의 자기장 방향은 종이면에서 수직으로 나오는 방향임을 알 수 있다. $x=1.5l$일 때 사각 도선은 영역 Ⅰ에서 영역 Ⅱ에 들어가는 중이다. 이때 사각 도선에 흐르는 유도 전류의 세기는 $x=0.5l$일 때의 2배이므로, 단위 시간당 사각 도선을 지나는 자기 선속의 변화도 2배이다. 즉, 영역 Ⅱ의 자기장은 영역 Ⅰ과 같은 방향으로 세기가 $3B_1$이거나, 영역 Ⅰ과 반대 방향으로 세기가 B_1이어야 한다. 그런데 $x=1.5l$일 때 유도 전류가 시계 반대 방향으로 흘렀으므로, 사각 도선을 지나는 자기 선속은 종이면에 수직으로 들어가는 방향으로 증가하고 있음을 알 수 있다. 따라서 영역 Ⅱ의 자기장은 영역 Ⅰ과 반대 방향이고(→ ㄱ), 세기가 B_1으로 같다.

ㄷ. $x=2.5l$일 때 사각 도선은 영역 Ⅱ에서 빠져나가는 중이고, 영역 Ⅱ의 자기장 방향이 종이면에 수직으로 들어가는 방향이므로, 사각 도선에는 시계 방향으로 유도 전류가 흐른다.

06 ㄱ. 7초일 때 고리는 B에서 정지해 있으므로, 고리를 지나는 자기 선속이 변하지 않는다. 따라서 고리에 유도 전류가 흐르지 않는다.

ㄷ. 3초일 때는 고리가 자석에서 멀어지는 중이므로 고리를 위로 통과하는 자기 선속이 감소한다. 9초일 때는 고리가 자석에 가까워지는 중이므로 고리를 위로 통과하는 자기 선속이 증가한다. 따라서 3초일 때와 9초일 때 고리에 흐르는 유도 전류의 방향은 반대이다.

바로 알기 ㄴ. 3초일 때 금속 고리는 자석에서 멀어지는 방향으로 운동하므로, 금속 고리에는 자석을 끌어당기는 방향으로 전류가 유도된다.

07 ㄴ. A가 구리 고리를 통과하기 직전과 직후에 모두 구리 고리에 흐르는 유도 전류에 의해 운동 방향의 반대 방향으로 자기력을 받는다. 따라서 A에 작용하는 자기력의 방향은 구리 고리를 통과하기 직전과 직후가 같다.

ㄷ. A가 B보다 센 자석이므로 구리 고리에 더 센 유도 전류가 발생한다. 따라서 A가 B보다 구리 고리로부터 더 센 자기력을 받으므로, 역학적 에너지 감소량은 A가 B보다 크다.

바로 알기 ㄱ. A, B의 처음 역학적 에너지는 자석을 놓은 지점에서 가지는 중력 퍼텐셜 에너지로 같다. 빗면을 내려오는 동안 역학적 에너지 감소량은 A가 B보다 크므로, $v_A<v_B$이다.

08 ㄱ. $\theta=45°$일 때 직사각형 도선을 오른쪽으로 지나는 자기 선속이 증가한다. 따라서 도선에는 왼쪽 방향의 자기장을 만드는 a → b → c 방향으로 유도 전류가 흐른다.

바로 알기 ㄴ. $\theta=90°$일 때 유도 전류의 방향이 반대 방향으로 바뀐다. 따라서 이때 유도 전류의 세기는 0이다.

ㄷ. $\theta=135°$일 때는 직사각형 도선을 오른쪽으로 지나는 자기 선속이 점점 감소한다. 따라서 도선에는 오른쪽 방향의 자기장을 만드는 c → b → a 방향으로 유도 전류가 흐른다. 따라서 $\theta=45°$일 때와 $\theta=135°$일 때 유도 전류는 서로 반대 방향으로 흐른다.

[별해] ㄴ. 패러데이 법칙 $V=-N\dfrac{\Delta\Phi}{\Delta t}$에 의해 단면적 S인 직사각형 도선에 생기는 유도 기전력은 다음과 같다.

$$V=-BS\frac{d}{dt}\sin\theta=-BS\omega\cos\theta$$

여기서 ω는 직사각형 도선이 회전하는 각속도로, $\theta=\omega t$이다. 따라서 $\theta=90°$이면 유도 기전력이 0이 되어 유도 전류가 0이 된다.

09 ㄱ. 송전용 안테나에서 형성되는 자기장이 변하면 수전용 안테나를 통과하는 자기장도 변한다. 이때 수전용 안테나에는 전자기 유도에 의한 유도 전류가 흘러 배터리를 충전하게 된다.

바로 알기 ㄴ. 송전용 안테나에는 교류 전류가 흐르므로 안테나가 만드는 자기장의 세기는 시간에 따라 변한다.

ㄷ. 수전용 안테나에 흐르는 유도 전류는 교류이다.

10 ㄱ. 단말기의 코일에 흐르는 전류의 세기가 시간에 따라 변하므로, 단말기의 코일에서 발생하는 자기장의 세기도 시간에 따라 변한다.

ㄷ. $3t$일 때 단말기의 코일에 흐르는 전류에 의한 자기장의 세기가 감소하고 있으므로, 카드의 코일에는 외부 자기장의 방향과 같은 방향으로 자기장을 만들도록 유도 전류가 흐른다.

바로 알기 ㄴ. 카드의 코일에 흐르는 유도 전류의 세기는 외부 자기장의 시간당 변화율에 비례한다. 단말기의 코일에 흐르는 전류에 의한 자기장의 세기 변화율은 $4t$일 때가 $2t$일 때보다 크다. 따라서 카드의 코일에 흐르는 유도 전류의 세기는 $4t$일 때가 $2t$일 때보다 크다.

통합 실전 문제

2권 136쪽~139쪽

01 ② **02** ④ **03** ② **04** ① **05** ④ **06** ② **07** ① **08** ①

01 p에서 자기장이 0이므로, B에는 $+y$ 방향으로 전류가 흐른다. 또, 직선 도선에 흐르는 전류에 의한 자기장의 세기는 도선으로부터의 수직 거리에 반비례하고, 도선에 흐르는 전류의 세기에 비례한다. 따라서 A와 B에 흐르는 전류의 세기가 I_0, $2I_0$이므로 p는 A에서 1 m만큼 떨어진 지점이다.

B를 $+x$ 방향으로 6 m 이동시키면 A, B 사이의 거리는 9 m가 되고, 자기장이 0인 지점은 A로부터 3 m 떨어진 지점이 된다. 따라서 이때 자기장의 세기가 0이 되는 지점과 p 사이의 거리는 2 m이다.

02 ㄱ. O에서 A, B에 흐르는 전류에 의한 합성 자기장이 0이므로, A, B에 흐르는 전류에 의한 자기장의 세기는 같고 방향은 반대이다. 따라서 B에 흐르는 전류 $I_{\rm B}$는 다음과 같다.

$$2\pi\times10^{-7}\times\frac{I_0}{r}=2\times10^{-7}\times\frac{I_{\rm B}}{4r}\rightarrow I_{\rm B}=4\pi I_0$$

ㄷ. p에서 B에 흐르는 전류에 의한 자기장 $B_{\rm B}$의 방향이 종이면에서 수직으로 나오는 방향이고, A에 흐르는 전류에 의한 자기장 $B_{\rm A}$도 종이면에서 수직으로 나오는 방향이다. 따라서 P에서 자기장의 세기 $B_0=B_{\rm B}+B_{\rm A}$이고, 이때 $B_{\rm B}$는 다음과 같다.

$$B_{\rm B}=2\times10^{-7}\times\frac{4\pi I_0}{r}$$

한편, O에서 A에 흐르는 전류에 의한 자기장의 세기는 다음과 같다.

$$B=2\pi\times10^{-7}\times\frac{I_0}{r}=\frac{B_{\rm B}}{4}$$

따라서 O에서 A에 흐르는 전류에 의한 자기장의 세기는 $\dfrac{B_0}{4}$보다 작다.

바로 알기 ㄴ. 오른손을 이용하여 P에서 A, B에 흐르는 전류에 의한 자기장의 방향을 구하면 모두 xy 평면에서 수직으로 나오는 방향이다.

03 A에서 합성 자기장이 0이므로 P, Q에 흐르는 전류에 의한 자기장을 각각 B_0, $-B_0$라고 한다.

ㄴ. B에서 P, Q에 흐르는 전류에 의한 자기장은 각각 $-B_0$, $\dfrac{B_0}{2}$가 된다. 이때 B에서 합성 자기장이 0이 되도록 하려면 Q에 흐르는 전류의 세기를 2배로 해야 한다.

바로 알기 ㄱ. P에 흐르는 전류의 방향만 반대로 하면 B에서 P, Q에 흐르는 전류에 의한 자기장은 B_0, $\dfrac{B_0}{2}$로 같은 방향이 되므로, 자기장은 0이 되지 않는다.

ㄷ. P에 흐르는 전류의 세기를 $\frac{1}{2}$배로 하면 B에서 P에 흐르는 전류에 의한 자기장이 $-\frac{B_0}{2}$가 된다. Q에 흐르는 전류의 방향을 반대로 하면 B에서 Q에 흐르는 전류에 의한 자기장이 $-\frac{B_0}{2}$가 된다. 따라서 두 자기장의 방향이 같으므로, B에서 합성 자기장이 0이 되지 않는다.

04 과정 (1)에서 A, C는 솔레노이드에 의한 자기장 방향으로 정렬하였고, B는 회전하여 수직으로 정렬하였으므로 A, C는 강자성체 또는 상자성체이고, B는 반자성체이다. 그런데 (2)에서 A만 전자기 유도가 일어나 검류계에 전류가 흘렀으므로, A는 외부 자기장을 제거한 후에도 자기화된 상태를 유지하는 강자성체이고, C는 외부 자기장이 사라지면 자기화도 바로 사라지는 상자성체임을 알 수 있다.

05 ㄱ. 스위치를 닫았다가 열었을 때도 나침반 자침의 N극이 북동쪽을 가리키므로, A는 외부 자기장 방향으로 강하게 자기화되었다가 외부 자기장이 사라져도 자기화된 상태를 유지하는 강자성체임을 알 수 있다.

ㄷ. 스위치를 열면 솔레노이드에 흐르는 전류에 의한 자기장이 사라지고, 반자성체도 자기화된 상태가 사라진다. 따라서 Q에 놓인 나침반의 N극은 북쪽을 가리킨다.

바로 알기 ㄴ. (가)에서 아래쪽 솔레노이드에 의한 자기장 방향은 서쪽이다. 반자성체는 외부 자기장의 반대 방향으로 자기화되므로, P면은 S극으로 자기화된다.

06 ㄴ. 스위치를 전원 장치에 연결했을 때 솔레노이드 내부의 자기장 방향은 오른쪽이므로, 강자성체 X가 자기화되는 방향도 오른쪽이다. 따라서 X를 오른쪽으로 빼내면 솔레노이드에는 오른쪽 방향의 자기 선속이 점점 감소하므로, 오른쪽 방향으로 자기장이 형성되도록 유도 전류가 흐른다. 이때 LED에는 오른쪽으로 전류가 흐르고 빛이 방출되므로, b는 p형 반도체이다.

바로 알기 ㄱ. (나)에서 X를 뺄 때 LED에 전류가 흐르므로, X는 솔레노이드에 의한 자기장이 사라진 후에도 자기화된 상태를 유지하고 있음을 알 수 있다. 따라서 X는 강자성체이고, 외부 자기장 방향으로 강하게 자기화된다. (가)에서 나침반을 가까이 했을 때 자침의 N극이 오른쪽을 가리켰으므로, 솔레노이드에 의한 자기장 방향은 오른쪽이고, a는 (−)극임을 알 수 있다.

ㄷ. X를 왼쪽으로 빼낼 때도 솔레노이드 내부에서는 오른쪽 방향의 자기 선속이 감소하므로, 솔레노이드에는 오른쪽 방향의 자기장이 형성되도록 유도 전류가 흐른다. 따라서 이때에도 LED에 순방향 바이어스가 걸려 빛이 방출된다.

07 ㄱ. 막대자석이 a 방향으로 운동하면 코일을 지나는 오른쪽 방향의 자기 선속이 감소하므로, 오른쪽 방향의 자기장을 형성하도록 유도 전류가 흐른다. 즉, B → A 방향으로 전류가 흐른다.(→ ㄴ) 이때 전구에 불이 켜졌으므로 p−n 접합 다이오드에는 순방향 바이어스가 걸렸다. 따라서 A는 n형 반도체이므로, 자유 전자가 주요 전하 나르개이다.

바로 알기 ㄷ. 막대자석이 b 방향으로 운동하면 코일에는 오른쪽 방향의 자기 선속이 증가한다. 따라서 왼쪽 방향의 자기장이 형성되도록 유도 기전력이 발생한다. 그러나 p−n 접합 다이오드에 역방향 바이어스가 걸리므로, 유도 전류가 흐르지 않아 전구에서 빛이 방출되지 않는다.

08 ㄱ. $\frac{7t}{2}$일 때 도선은 왼쪽으로 운동하며 자기장이 $3B$인 영역으로 들어가는 중이다. 따라서 유도 전류는 시계 방향으로 흐른다.

바로 알기 ㄴ. 도선이 자기장 영역에 들어가거나 나올 때마다 전류의 방향이 반대로 바뀌므로, 0부터 $6t$까지 A의 위치에 따라 도선에 흐르는 유도 전류의 방향을 시간에 따라 나타내면 다음 표와 같다.

A의 위치	시간	유도 전류 방향
$0 \rightarrow d$	$0 \sim \frac{2t}{5}$	시계 반대 방향
$d \rightarrow 3d$	$\frac{2t}{5} \sim \frac{6t}{5}$	시계 방향
$3d \rightarrow 5d$	$\frac{6t}{5} \sim 2t$	시계 반대 방향
$5d \rightarrow 3d$	$2t \sim 4t$	시계 방향
$3d \rightarrow d$	$4t \sim \frac{16t}{3}$	시계 반대 방향
$d \rightarrow 0$	$\frac{16t}{3} \sim 6t$	시계 방향

따라서 도선에 흐르는 유도 전류의 방향은 5번 바뀐다.

ㄷ. A점이 d만큼 이동했을 때 도선의 오른쪽 끝 부분이 두 자기장 영역의 경계선에 도달하므로, 이때 시간은 $\frac{2t}{5}$이다. 따라서 $\frac{t}{3}$일 때 도선은 자기장이 $2B$인 영역으로 들어가는

중이다. 도선의 저항을 R라고 하면 유도 기전력의 크기는 다음과 같다.

$V_{\frac{t}{3}}=Blv=2B\times 2d\times\frac{5d}{2t}=I_0R$

또, t일 때는 도선이 자기장이 $2B$인 영역에서 $3B$인 영역으로 이동하는 중이므로, 유도 기전력의 크기는 다음과 같다.

$V_t=(2B+3B)\times 2d\times\frac{5d}{2t}=\frac{5}{2}I_0R$

따라서 t일 때 A에 흐르는 전류의 세기는 $\frac{5}{2}I_0$이다.

사고력 확장 문제

2권 **140쪽~143쪽**

01 (1) 두 도선에 같은 세기의 전류가 흐르므로, B에서는 Q에 흐르는 전류의 영향을 더 크게 받는다.

(2) A에서는 두 도선에 의한 자기장이 같은 방향이고, B에서는 반대 방향이므로 합성 자기장은 A에서가 B에서보다 크다. 따라서 나침반 자침의 N극이 회전한 각은 A에서가 B에서보다 크다.

모범 답안 (1) B에서 자침의 N극이 북동쪽을 가리키므로, Q에 흐르는 전류의 방향은 종이면에서 수직으로 나오는 방향이다. 만약, P에 흐르는 전류의 방향이 Q와 같다면 A에서 합성 자기장은 0이 되어야 한다. 그런데 자침의 N극이 북서쪽을 가리키므로, P에 흐르는 전류의 방향은 종이면에 수직으로 들어가는 방향이다.

(2) A에서는 P에 의한 자기장과 Q에 의한 자기장이 같은 방향이고, B에서는 P에 의한 자기장과 Q에 의한 자기장의 방향이 반대이므로, $\theta_A>\theta_B$이다.

	채점 기준	배점(%)
(1)	P, Q에 흐르는 전류의 방향을 근거를 제시하여 옳게 설명한 경우	50
	P, Q에 흐르는 전류의 방향만 옳게 서술한 경우	30
(2)	$\theta_A>\theta_B$임을 근거를 들어 옳게 서술한 경우	50
	$\theta_A>\theta_B$라고만 쓴 경우	30

02 (1) (나)에서는 A의 왼쪽과 B의 오른쪽에서 자기장이 모두 $-y$ 방향이다.

(다)에서는 A와 B 사이에서 자기장이 0인 지점이 있으므로 두 도선에 흐르는 전류의 방향은 같다. A의 왼쪽에서 자기장이 $-y$ 방향이므로 A에 흐르는 전류는 종이면에서 수직으로 나오는 방향이다. 또, B의 오른쪽에서 자기장이 $+y$ 방향이므로 B에 흐르는 전류도 종이면에서 수직으로 나오는 방향이다.

(2) 직선 도선에 흐르는 전류에 의한 자기장의 세기 B는 전류의 세기 I에 비례하고 도선으로부터의 거리 r에 반비례한다.

$B\propto\frac{I}{r}$

모범 답안 (1) (나)에서는 A에 흐르는 전류는 종이면에서 수직으로 나오는 방향이고, B에 흐르는 전류는 종이면에 수직으로 들어가는 방향이다. (다)에서는 A, B에 흐르는 전류가 모두 종이면에서 수직으로 나오는 방향이다.

(2) 자기장의 세기는 전류의 세기에 비례하고 도선으로부터의 수직 거리에 반비례한다. 두 도선에서 자기장이 0인 지점까지의 거리의 비가 1 : 2이므로, 전류의 세기 비도 1 : 2이다.

	채점 기준	배점(%)
(1)	(나), (다)에서 도선에 흐르는 전류의 방향을 모두 옳게 쓴 경우	50
	(나), (다) 중 한 가지만 옳게 쓴 경우	30
(2)	근거를 들어 전류의 비를 옳게 구한 경우	50
	전류의 비만 옳게 구한 경우	30

03 (1) 전자 스핀이 모두 짝을 이루고 있으면 반자성체, 짝을 이루지 못한 전자가 있으면 상자성체가 된다.

(2) 상온에서 각각의 원자는 열적 진동을 하여 전체적으로 자기장이 상쇄되어 자성을 띠지 않는다.

모범 답안 (1) 전자 배치 그림에서 짝을 이루지 못한 전자가 있으므로, 알루미늄은 상자성을 보인다.

(2) 상온에서 각 원자들의 열운동으로 인해 각 원자들의 자기 모멘트가 무질서한 방향을 가리키므로, 전체적으로 상쇄되기 때문이다.

	채점 기준	배점(%)
(1)	스핀이 짝을 이루지 않는 전자가 있음을 근거로 상자성을 보인다고 서술한 경우	50
	상자성을 보인다고만 쓴 경우	30
(2)	원자의 열운동을 언급하며 자기 모멘트가 상쇄됨을 서술한 경우	50
	각 원자의 자기 모멘트가 무질서한 방향을 가리킨다고만 서술한 경우	30

04 **모범 답안** 코일에 전류가 흐르면 내부에는 축에 나란한 방향으로 자기장이 생긴다. 이때 강자성체인 A, B가 강하게 자기화되어 A의 오른쪽 끝과 B의 왼쪽 끝이 서로 다른 자극을 띠게 된다. 따라서 두 금속 리드는 자기력에 의해 달라붙으므로, 리드 스위치가 닫히고 전류가 흐르게 된다.

채점 기준	배점(%)
코일의 자기장과 강자성체의 자기화를 포함하여 리드 스위치의 작동 원리를 옳게 서술한 경우	100
둘 중 한 가지 용어만 사용하여 원리를 서술한 경우	50

05 (1) (나)에서 X를 빼낼 때 저항에 전류가 흐르므로, X는 외부 자기장을 제거해도 자기화된 상태를 유지하는 강자성체이다. 강자성체는 외부 자기장 방향으로 강하게 자기화되고, (가)에서 솔레노이드가 만드는 자기장 방향이 위쪽이 N극이므로, A는 N극으로 자기화된다.

(2) 전자기 유도는 코일을 지나는 자기 선속의 변화를 방해하는 방향으로 일어난다.

모범 답안 (1) X는 강자성체이고, A는 N극이다.

(2) X를 위로 빼내면 위쪽 방향의 자기 선속이 감소한다. 렌츠 법칙에 의해 솔레노이드에는 위쪽 방향의 자기장을 형성하도록 유도 전류가 흐르므로, 저항에 흐르는 전류 방향은 ⓐ이다.

채점 기준		배점(%)
(1)	X의 종류와 A의 극을 모두 옳게 쓴 경우	50
	둘 중 한 가지만 옳게 쓴 경우	30
(2)	렌츠 법칙을 들어 전류의 방향을 옳게 서술한 경우	50
	전류 방향만 옳게 쓴 경우	30

06 전자기 유도에서 유도 전류는 자기 선속의 변화를 방해하는 방향으로 흐른다.

모범 답안 시계 반대 방향으로 전류가 흐를 때를 (+)로, 종이면에서 수직으로 나오는 방향의 자기장을 (+)로 정하고, 도선의 저항을 R, 영역 Ⅰ에서 자기장은 $+B$이고, 영역 Ⅱ와 Ⅲ에서 자기장을 각각 B_2, B_3이라고 하자.

(가)에서 도선이 이동함에 따라 종이면에 수직으로 들어가는 방향의 자기장 $-B$가 증가하므로 유도 기전력은 $V=I_0R=-Bdv$이다.

(나)에서 도선이 $+x$ 방향으로 운동할 때는 영역 Ⅰ에 의한 자기 선속은 증가하고, 영역 Ⅱ와 Ⅲ에 의한 자기 선속은 감소하므로 전체 유도 기전력은 다음과 같다.

$$V_x=+B\times\frac{d}{2}v-B_2\times\frac{d}{2}v-B_3\times\frac{d}{2}v=\frac{dv}{2}(B-B_2-B_3)$$

이때 전류가 $2I_0$이므로,

$$V_x=\frac{dv}{2}(B-B_2-B_3)=-2I_0R=2Bdv$$

가 된다. 즉, $B-B_2-B_3=4B$에서,

$B_2+B_3=-3B$ ······ ①

이다. 또, 도선이 $+y$ 방향으로 운동할 때는 영역 Ⅰ과 Ⅱ에 의한 자속은 증가하고, 영역 Ⅲ에 의한 자속은 감소하므로 전체 유도 기전력은

$$V_y=+B\times\frac{d}{2}v+B_2\times\frac{d}{2}v-B_3\times\frac{d}{2}v=\frac{dv}{2}(B+B_2-B_3)$$

이고, 이때 전류가 $2I_0$이므로 $B+B_2-B_3=-4B$에서

$B_2-B_3=-5B$ ······ ①

이다. ①과 ②를 연립하여 풀면 $B_2=-4B$, $B_3=+B$이다. 따라서 영역 Ⅱ에서 자기장은 세기가 $4B$이고 종이면에 수직으로 들어가는 방향이고, 영역 Ⅲ에서 자기장은 세기가 B이고 종이면에서 수직으로 나오는 방향이다.

채점 기준	배점(%)
풀이 과정과 자기장의 방향, 세기를 모두 옳게 서술한 경우	100
자기장의 방향과 세기만 옳게 서술한 경우	50

07 (1) B만 움직일 때 LED가 빛을 방출하므로 영역 Ⅱ에서 자기장의 방향은 종이면에서 수직으로 나오는 방향이다. A, B가 모두 운동할 때는 LED가 빛을 방출하지 않으므로 영역 Ⅰ에서 자기장은 종이면에 수직으로 들어가는 방향이다.

또, A, B의 속력이 같으므로 자기장의 세기는 영역 Ⅰ에서가 영역 Ⅱ에서보다 크거나 같다.

(2) A가 더 빨리 운동하면 A에 의한 유도 기전력이 B에 의한 유도 기전력보다 크다. 따라서 LED에는 역방향 바이어스가 걸린다.

모범 답안 (1) 영역 Ⅰ의 자기장 방향은 종이면에 수직으로 들어가는 방향이고, 영역 Ⅱ의 자기장 방향은 종이면에서 수직으로 나오는 방향이다. 자기장의 세기는 Ⅰ에서가 Ⅱ에서보다 크거나 같다.

(2) A에 의한 유도 기전력이 B에 의한 유도 기전력보다 커서 LED에 역방향 바이어스가 걸리므로 빛을 방출하지 않는다.

채점 기준		배점(%)
(1)	자기장의 방향을 옳게 쓰고, 자기장의 세기를 옳게 비교한 경우	50
	둘 중 한 가지만 옳게 쓴 경우	30
(2)	유도 기전력을 비교하여 역방향 바이어스임을 들어 빛이 방출되지 않음을 옳게 서술한 경우	50
	빛이 방출되지 않는다고만 쓴 경우	30

08 (1) 자기장에 수직인 단면적이 증가하고 있으므로 도선에는 외부 자기장과 반대 방향으로 자기장을 만들도록 유도 전류가 흐른다. 따라서 X는 n형 반도체이다.

(2) 전구에서 빛이 방출되려면 전구 → 다이오드 방향으로 전류가 흘러야 한다.

(3) 유도 전류의 세기는 도선의 감은 수와 단위 시간당 자기 선속의 변화율에 비례한다.

모범 답안 (1) n형 반도체

(2) $-90^\circ \sim +90^\circ$(또는 $0^\circ \sim 90^\circ$, $270^\circ \sim 360^\circ$)

(3) 사각 도선을 더 빨리 회전시킨다. 더 강한 자석을 사용한다. 사각 도선을 여러 번 감는다.

채점 기준		배점(%)
(1)	n형 반도체라고 쓴 경우	30
(2)	θ의 범위를 옳게 쓴 경우	30
(3)	2가지 모두 옳게 서술한 경우	40
	1가지만 옳게 서술한 경우	20

III 파동과 정보통신

1. 파동과 정보의 전달

01 파동의 전파와 굴절

탐구 확인 문제 2권 158쪽

01 ①, ③ **02** (1) $\sqrt{3}$ (2) $\sqrt{3}:1$

01 (1) ② $\frac{\sin i}{\sin r}$는 각 매질에서 빛의 속력의 비와 같다. 따라서 입사각의 크기보다 굴절각의 크기가 작을 때는 빛의 속력이 빠른 매질에서 느린 매질로 진행하는 경우이므로, 빛의 속력은 공기에서보다 물에서 더 느리다.

④ 공기에 대한 물의 상대 굴절률은 1.33이므로, 물에 대한 공기의 상대 굴절률은 $\frac{1}{1.33}$로 1보다 작다.

⑤ 물에 대한 글리세린의 상대 굴절률은 다음과 같다.

$\frac{\text{공기에 대한 글리세린의 굴절률}}{\text{공기에 대한 물의 굴절률}}=\frac{1.47}{1.33}>1$

바로 알기 ① 빛이 굴절할 때 입사각과 굴절각의 사인값의 비 $\frac{\sin i}{\sin r}$는 입사각에 관계없이 일정하다.

③ 물의 굴절률보다 글리세린의 굴절률이 더 크므로, 빛의 속력은 물에서보다 글리세린에서 더 느리다.

02 (1) 공기에 대한 매질의 상대 굴절률은 입사각과 굴절각의 사인값의 비와 같으므로, $\frac{\sin i}{\sin r}=\frac{\sin 60°}{\sin 30°}=\sqrt{3}$이다.

(2) 공기와 매질에서 빛의 속력의 비는 입사각과 굴절각의 사인값의 비와 같으므로 다음과 같다.

$v_{공기}:v_{매질}=\sin i:\sin r=\sqrt{3}:1$

집중 분석 2권 159쪽

유제 ③

유제 ㄷ. 파동의 마루가 A에서 B까지 0.2 m를 이동하는 데 0.1초가 걸렸으므로, 파동의 속력$=\frac{0.2\text{ m}}{0.1\text{ s}}=2$ m/s이다.

바로 알기 ㄱ. $\frac{1}{4}$파장만큼 진행하는 데 걸린 시간이 0.1초이므로, 한 파장만큼 진행하는 데 걸리는 시간인 주기는 0.4초이다.

ㄴ. $\frac{3}{2}\lambda=1.2$ m이므로, $\lambda=0.8$ m이다.

개념 모아 정리하기 2권 161쪽

❶ 에너지 ❷ 파장 ❸ 주기 ❹ 진동수
❺ 속력 ❻ 굴절률 ❼ 위 ❽ 아래
❾ 빠르 ❿ 위

개념 기본 문제 2권 162쪽~163쪽

01 (1) 횡파 (2) ㄱ **02** (1) • 파장: 10 cm • 주기: 0.2 s (2) ㉠ 파장 ㉡ 10 ㉢ 0.2 ㉣ 50 **03** (1) 2.5 Hz (2) ㉠ 진동수 ㉡ 2.5 ㉢ 8 ㉣ 20 **04** (1) A, D, E (2) 0 **05** (1) 입사각>굴절각 (2) ㉠>㉡ **06** (1) 공기에서의 파장>액체에서의 파장 (2) 같다. (3) ㄴ, ㄷ (4) $\frac{\sin i}{\sin r}=\frac{n_2}{n_1}$ **07** (1) 물<유리<다이아몬드 (2) 공기>물>유리>다이아몬드 **08** $\sqrt{2}$ **09** (1) 빛의 굴절 (2) 속력 **10** (1) ㄱ, ㄷ (2) 밤

01 (1) 줄은 위 아래로 진동하고, 줄에 생긴 파동의 진행 방향은 진동 방향에 수직인 오른쪽이므로, 이 파동은 횡파이다.

(2) ㄱ. 파장은 마루와 마루 사이의 거리로, ae 사이의 거리와 같다.

바로 알기 ㄴ. 파동의 주기는 매질의 한 점이 한 번 진동하는 데 걸리는 시간이므로 0.8초이다.

ㄷ. 0.6초 때 평형점에 있던 줄의 b점이 0.8초 때 골에 있게 되므로, 0.6초일 때 줄의 b점은 아래로 움직인다.

02 (1) 파장은 위상이 같은 이웃한 두 점 사이의 거리와 같으므로, (가)에서 이 파동의 파장이 10 cm인 것을 알 수 있다. 또, 두 점 사이의 주기는 매질의 한 점이 1번 진동하여 원래의 진동 상태로 되돌아오는 데 걸리는 시간이므로, (나)에서 주기가 0.2초인 것을 알 수 있다.

(2) 파동의 속력은 파장을 주기로 나누어 구할 수 있으므로, 속력$=\frac{\text{파장}}{\text{주기}}=\frac{10\text{ cm}}{0.2\text{ s}}=50$ cm/s이다.

03 (1) 마루의 위치가 P에서 P′까지 $\frac{1}{4}$ 파장만큼 진행하는 데 0.1초가 걸렸으므로, 이 파동의 주기는 $T=0.1\text{ s}\times4=0.4\text{ s}$이다. 진동수는 주기의 역수이므로 $f=\frac{1}{T}=\frac{1}{0.4\text{ s}}=2.5\text{ Hz}$이다.

(2) 파동의 속력은 진동수와 파장의 곱으로 구할 수 있으므로, 속력=진동수×파장=2.5 Hz×8 cm=20 cm/s이다.

04 (1) 진행 방향으로 파동이 조금 이동한 모습을 그려 보면, 매질의 운동 방향이 아래인 점이 A, D, E인 것을 알 수 있다.

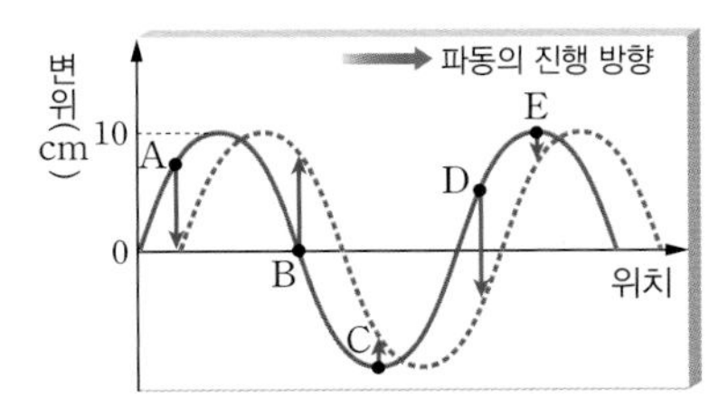

(2) 주기 T는 매질의 한 점이 1번 진동하여 원래의 진동 상태로 되돌아오는 데 걸리는 시간이다. 따라서 현재 마루에 있는 E점은 이 순간부터 $\frac{1}{4}T$의 시간이 지날 때 평형점에 있게 되므로, 변위는 0이 된다.

05 (1) 물결파의 파면에 수직인 방향이 물결파의 진행 방향이다. 또, 물결파의 진행 방향이 법선과 이루는 각은 입사각 또는 굴절각이므로, 그림과 같이 입사각이 굴절각보다 크다.

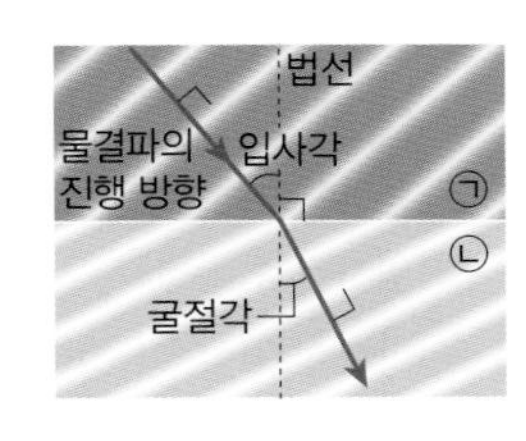

(2) 그림에서 이웃한 파면 사이의 거리는 파장과 같으므로, ㉠에서 물결파의 파장이 ㉡에서보다 더 길다. 물결파가 굴절할 때 진동수는 변하지 않으므로, 파장이 긴 ㉠에서 물결파의 속력도 더 빠르다. 물결파의 속력은 물이 깊을수록 빠르므로, 물의 깊이는 ㉠이 ㉡보다 더 깊다.

06 (1) 스넬 법칙에서 $\frac{\sin i}{\sin r}=\frac{\lambda_1}{\lambda_2}$이다. 문제의 그림에서 $i>r$이므로, $\lambda_1>\lambda_2$이다. 따라서 레이저 빛의 파장은 공기에서가 액체에서보다 더 길다.

(2) 빛이 두 매질의 경계면을 지날 때 진동수는 변하지 않으므로, 빛의 진동수는 공기와 액체에서 같다.

(3) ㄴ, ㄷ. 스넬 법칙$\left(\frac{\sin i}{\sin r}=\frac{n_2}{n_1}=\text{일정}\right)$에 따라 일정한 값을 나타내는 것은 $\frac{\sin i}{\sin r}$, $\frac{n_2}{n_1}$이다.

바로 알기 ㄱ. 입사각 i와 굴절각 r의 비 $\frac{i}{r}$가 일정한 것이 아니고, 입사각 i와 굴절각 r의 사인값의 비 $\frac{\sin i}{\sin r}$가 일정하다.

(4) 스넬 법칙은 $\frac{\sin i}{\sin r}=\frac{n_2}{n_1}$ 또는 $n_1\sin i=n_2\sin r$이다.

07 (1) 각 물질에서 빛의 굴절각을 비교하면 물>유리>다이아몬드이다. 공기에 대한 물질의 상대 굴절률$=\frac{\sin i}{\sin r}$이므로, 입사각 i가 일정할 때 굴절각 r가 작을수록 상대 굴절률이 크다. 따라서 굴절률을 비교하면 물<유리<다이아몬드이다.

(2) $\frac{\sin i}{\sin r}=\frac{v_{\text{공기}}}{v_{\text{물질}}}$에서 입사각 i가 일정할 때 굴절각 r가 작을수록 물질을 지나는 빛의 속력이 느리다. 따라서 공기>물>유리>다이아몬드 순으로 빛의 속력이 빠르다.

08 매질 1에 대한 매질 2의 상대 굴절률은 다음과 같다.

$$n_{12}=\frac{\sin i}{\sin r}=\frac{\sin 45^\circ}{\sin 30^\circ}=\frac{\frac{1}{\sqrt{2}}}{\frac{1}{2}}=\sqrt{2}$$

09 (1) 물속에 잠긴 물체가 꺾여 보이거나 빛이 렌즈를 통과할 때 꺾이는 현상, 또 아지랑이가 아른거리는 현상은 모두 빛의 굴절 때문에 일어난다.

(2) 빛의 굴절 현상은 빛이 서로 다른 매질을 통과할 때 빛의 속력이 변하기 때문에 발생한다.

10 (1) ㄱ. 신기루는 공기의 온도가 연속적으로 변할 때, 공기 안에서 빛이 연속적으로 굴절하여 나타나는 현상이다.

ㄷ. 관측자는 빛이 직진하여 눈에 들어온 것으로 인식하므로, 굴절 현상이 일어나면 물체가 실제의 위치와 다른 곳에 있는 것처럼 보인다.

바로 알기 ㄴ. 공기의 온도가 높을수록 공기의 밀도가 낮으므로 빛의 속력은 빠르다.

(2) 소리가 아래쪽으로 굴절할 때는 소리의 속력이 지면에서 멀수록 빠른 경우이므로, 지면 가까운 곳의 공기 온도가 위쪽보다 낮은 밤 시간대에 나타난다.

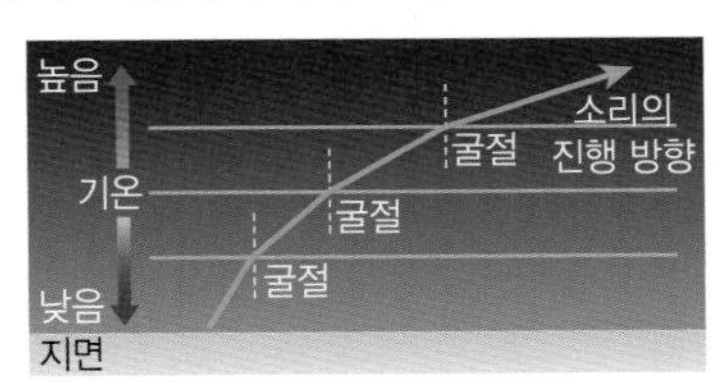

개념 적용 문제 2권 164쪽~169쪽

01 ④ **02** ③ **03** ② **04** ② **05** ④ **06** ③ **07** ④ **08** ①
09 ⑤ **10** ④ **11** ⑤ **12** ①

01 ㄱ. (가)는 매질의 진동 방향과 파동의 진행 방향이 수직이므로 횡파이고, (나)는 매질의 진동 방향과 파동의 진행 방향이 나란하므로 종파이다.

ㄷ. 파동의 속력은 파장을 주기로 나누어 구할 수 있다. (가)와 (나)의 파장의 비가 2 : 1이고 주기의 비도 2 : 1이므로, 두 파동의 속력은 같다.

바로 알기 ㄴ. 횡파의 파장은 마루에서 마루 또는 골에서 골까지의 거리이고, 종파의 파장은 밀한 곳에서 다음 밀한 곳 또는 소한 곳에서 다음 소한 곳까지의 거리이므로, (가)의 파장이 (나)의 파장의 2배이다.

02 ㄷ. (가)에서 파장이 4 cm이고 (나)에서 주기가 4초이므로, 파동의 진행 속력 $v=\frac{\lambda}{T}=\frac{4\text{ cm}}{4\text{ s}}=1\text{ cm/s}$이다.

바로 알기 ㄱ. 진폭은 진동의 중심에서 마루 또는 골까지의 거리이므로, 이 파동의 진폭은 3 cm이다.

ㄴ. (나)에서 0초 이후 A점의 변위가 (−)가 되기 시작하는 것으로 보아, (가)에서 이 순간 A점의 운동 방향은 아래 방향이다. A점이 약간 아래 방향으로 이동했을 때의 파동의 모습을 그려 보면, 파동의 진행 방향이 왼쪽인 것을 알 수 있다.

03 ㄷ. (가)에서 파동의 주기는 매질의 한 점이 1번 진동하는 데 걸리는 시간이므로 0.2초이다. (나)에서 파동의 속력은 위치 – 시간 그래프의 기울기와 같으므로 2 m/s이다. 따라서 파동의 파장 $\lambda=vT=2\text{ m/s}\times0.2\text{ s}=0.4\text{ m}$이다.

바로 알기 ㄱ. 파동의 진행 방향은 x축 방향이고 용수철의 한 점의 진동 방향은 y축 방향으로 서로 수직이므로, 파동의 종류는 횡파이다.

ㄴ. 주기가 0.2초이므로, 진동수는 $f=\frac{1}{T}=\frac{1}{0.2\text{ s}}=5\text{ Hz}$이다.

04 ㄱ. (나)에서 $2y_0$는 수면파 진폭의 2배이다. 따라서 y_A-y_B가 $+2y_0$일 때는 물체 A가 마루에, 물체 B는 골에 있고, y_A-y_B가 $-2y_0$일 때는 물체 A가 골에, 물체 B가 마루에 있다. y_A-y_B가 $+2y_0$인 시각이 반복될 때마다 물체 A는 마루에 있게 되므로, t_0는 수면파의 주기와 같으며 진동수의 역수와 같다. 즉, $t_0=\frac{1}{f_0}$이다.

ㄴ. A와 B의 변위의 차인 y_A-y_B의 최댓값과 최솟값이 각각 $+2y_0$, $-2y_0$이므로, A가 수면파의 마루에 있을 때 B는 수면파의 골에 있다.

바로 알기 ㄷ. A와 B의 위상이 반대이므로, d는 $\frac{\lambda_0}{2}$의 홀수배이다.

05 파동이 서로 다른 매질을 통과할 때 변하지 않는 물리량은 진동수이다. 파동의 속력 $v=f\lambda$이므로, 진동수 f가 일정할 때 파동의 속력 v와 파장 λ는 비례한다. 매질 1, 2에서 파동의 속력이 각각 1 m/s, 1.5 m/s로, 속력의 비가 2 : 3이므로 파장의 비도 2 : 3이어야 한다. 따라서 매질 Ⅰ에서 파장이 2 m이면 매질 2에서 파장은 3 m이다. 또, 매질 1에서 파동의 속력은 1 m/s이므로, 0초일 때 0인 위치에 있던 지점은 3초일 때 3 m인 지점에 도달한다. 따라서 ④가 적절한 파동의 모습이다.

06 ㄷ. 굴절 법칙 $\frac{\sin i}{\sin r}=\frac{v_1}{v_2}=\frac{\lambda_1}{\lambda_2}$에 따라 $\frac{\sin60^\circ}{\sin30^\circ}=\frac{\lambda_1}{\lambda_2}=\sqrt{3}$이다. 따라서 매질 1에서 파동의 파장 $\lambda_1=\lambda$일 때 매질 2에서 파동의 파장 $\lambda_2=\frac{\lambda}{\sqrt{3}}$이다.

바로 알기 ㄱ. 입사각과 굴절각은 파동의 진행 방향과 법선이 이루는 각이다. 파동의 진행 방향은 파면에 수직이므로, 입사각과 굴절각은 각각 파면과 경계면이 이루는 각과 같다. 따라서 입사각은 60°, 굴절각은 30°이다.

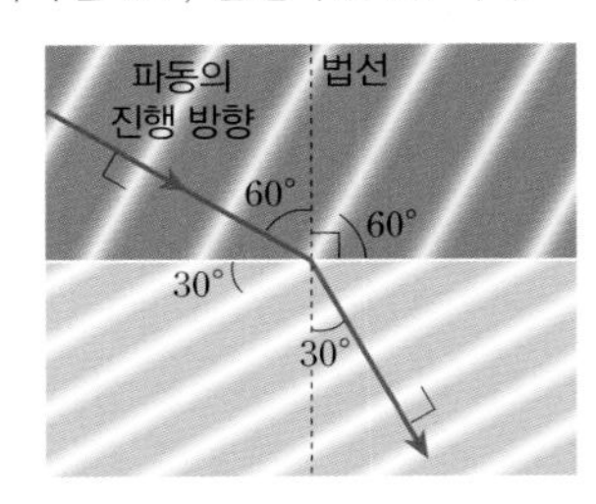

ㄴ. 굴절 법칙 $\frac{\sin i}{\sin r}=\frac{v_1}{v_2}=\frac{\lambda_1}{\lambda_2}$에 따라 $\frac{\sin60^\circ}{\sin30^\circ}=\frac{v_1}{v_2}=\sqrt{3}$이다. 따라서 매질 1에서 파동의 속력 $v_1=v$일 때 매질 2에서 파동의 속력 $v_2=\frac{v}{\sqrt{3}}$이다.

07 • 철수: 물속의 동전 끝에서 반사되어 나오는 빛이 공기로 입사할 때 굴절하여 눈에 들어온다. 이때 눈은 굴절 광선의 연장선상에 동전이 있는 것으로 보게 되므로, 컵에 물을 부으면 안 보이던 동전이 보이게 된다.

• 영희: 물질의 굴절률이 클수록 빛이 굴절하는 정도가 커지므로, 굴절각이 같을 때 입사각은 더 작아진다. 따라서 물 대신 굴절률이 큰 소금물을 부으면 동전에서 나오는 빛이 그림과 같이 더 크게 굴절하므로, 물보다 적게 부어도 동전이 보이기 시작한다.

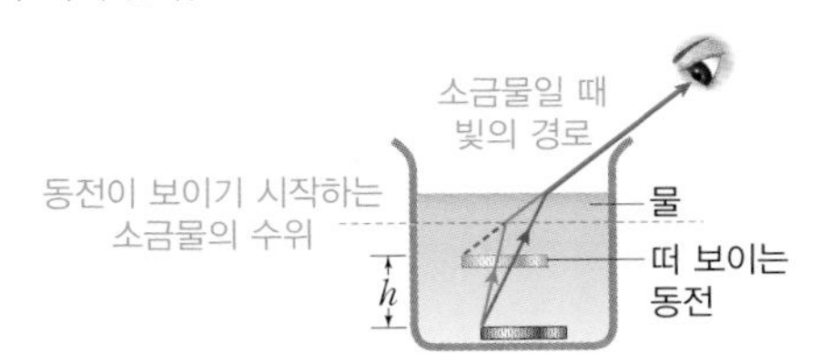

바로 알기 • 민수: (나)에서 물 대신 같은 양의 소금물을 부으면 그림과 같이 떠 보이는 높이 h가 더 커지므로, 민수의 설명은 옳지 않다.

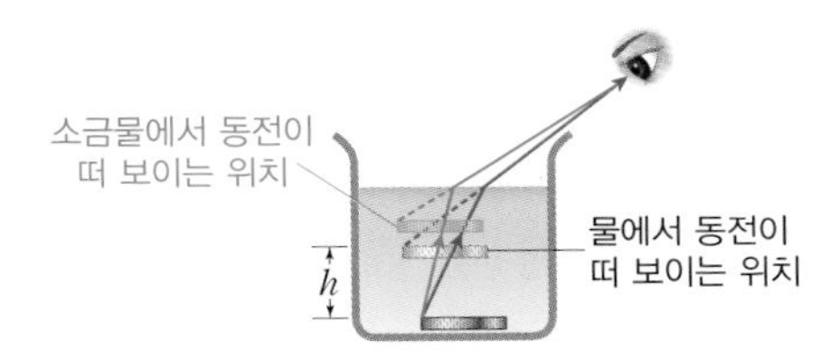

08 ㄱ. (가)에서 빛이 A → B로 진행할 때 $\theta_0 > \theta_B$이므로, 스넬 법칙 $n_A \sin\theta_0 = n_B \sin\theta_B$에 따라 굴절률은 A가 B보다 작다.

바로 알기 ㄴ. $n_A \sin\theta_0 = n_B \sin\theta_B = n_C \sin\theta_C$에서 $\theta_B > \theta_C$이므로 $n_B < n_C$이다. 따라서 단색광의 속력은 B에서가 C에서보다 크다.

ㄷ. (가)와 (나)에서 A로 입사한 단색광이 지나는 2개의 경계면이 서로 평행하므로, 각각 다음 식이 성립한다.

• (가): $n_A \sin\theta_0 = n_B \sin\theta_B = n_{공기} \sin\theta_1$

• (나): $n_A \sin\theta_0 = n_C \sin\theta_C = n_{공기} \sin\theta_2$

따라서 $\theta_1 = \theta_2$이다.

09 ㄱ. 렌즈 안과 밖의 물질이 같으므로, 렌즈를 통과하는 빛은 굴절하지 않는다.

ㄴ. 볼록 렌즈 안의 물에서 빛의 속력은 공기에서보다 느리므로, 빛이 물에서 공기로 나올 때 입사각<굴절각이 된다. 따라서 물에서 공기로 나오는 빛이 모이게 된다.

ㄷ. 볼록 렌즈 안의 공기에서 빛의 속력은 물에서보다 빠르므로, 빛이 공기에서 물로 나올 때 입사각>굴절각이 된다. 따라서 공기에서 물로 나오는 빛이 퍼지게 된다.

10 ㄱ. 진공에서 빛의 속력은 파장에 관계없이 동일하다.

ㄴ. (나)에서 유리의 굴절률은 빛의 파장에 따라 다르다.

바로 알기 ㄷ. 매질의 굴절률이 작을수록 빛의 속력은 빠르다. (나)에서 빛의 파장이 길수록 굴절률이 작으므로, 유리에서 파장이 긴 빨간색 빛의 속력은 파장이 짧은 보라색 빛의 속력보다 빠른 것을 알 수 있다.

11 ㄱ. 소리의 속력은 공기의 온도가 높을수록 빠르다. (가)에서 지면 근처에서 발생한 소리가 퍼질 때 지면 아래쪽으로 굴절하므로, 소리의 속력은 지면에 가까울수록 느리고 지면에서 멀수록 빠르다. 따라서 지면 가까운 곳의 공기 온도가 위쪽보다 낮은 밤에 일어날 수 있는 현상이다.

ㄴ. (나)에서 지면 근처에서 발생한 소리가 퍼질 때 위쪽으로 굴절하므로, 소리의 속력은 지면에 가까울수록 빠르다. 이는 지면 근처에서 파장에 해당하는 파면 사이의 거리가 더 큰 것으로 보아 알 수 있다.

ㄷ. 진동수가 같을 때 파동의 속력은 파장에 비례한다($v = f\lambda$). (다)에서 돌출부 쪽으로 접근하는 파도의 파장, 즉 파면과 파면 사이의 거리가 오목한 곳보다 작으므로, 파도의 속력은 돌출부 쪽이 오목한 곳보다 더 느리다.

12 ㄱ. (가), (나)의 신기루는 대기의 온도가 연속적으로 변할 때 빛의 속력이 달라져 일어나는 굴절 현상 때문에 생긴다.

바로 알기 ㄴ. (가)와 같이 굴절 광선의 연장선상에 생긴 물체의 상이 지면에 보이는 경우는 지면 쪽으로 갈수록 그림과 같이 지면 근처의 공기 온도가 상층보다 높아서 빛의 속력이 빨라지는 경우이다.

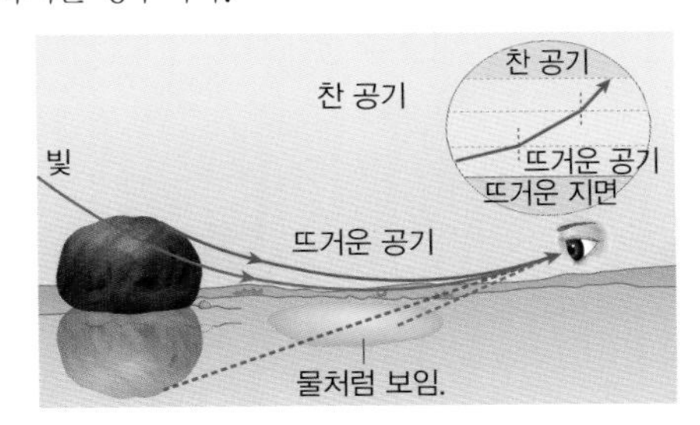

ㄷ. (나)와 같이 굴절 광선의 연장선상에 생긴 물체의 상이 공중에 생기는 경우는 그림과 같이 해수면에 가까울수록 빛의 속력이 느린 경우이다. 따라서 해수면에 가까울수록 굴절률은 크다.

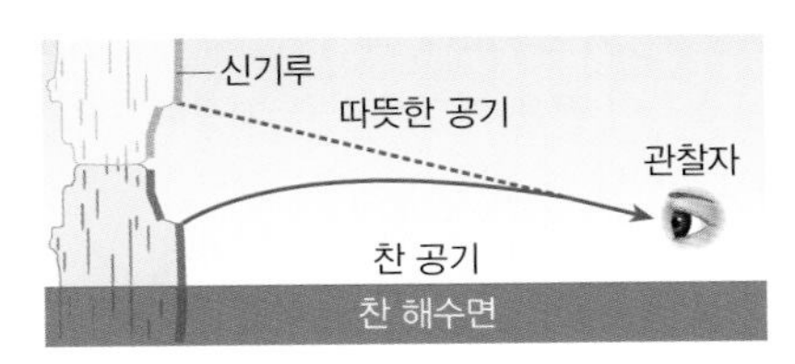

02 전반사와 광통신

탐구 확인 문제 2권 177쪽

01 ②, ③ **02** ㄴ, ㄷ

01 ① 빛이 두 매질의 경계면에서 굴절할 때 입사각과 굴절각의 사인값의 비가 일정하므로, 입사각이 커지면 굴절각도 커진다.

④, ⑤ 전반사는 빛이 굴절률이 큰 매질에서 작은 매질로 입사할 때, 그리고 빛의 입사각이 임계각보다 클 때 일어난다.

바로 알기 ② 스넬 법칙 $n_1\sin i=n_2\sin r$에서 $n_1>n_2$이면 $i<r$이다. 따라서 빛이 굴절률이 큰 매질에서 작은 매질로 입사할 때, 굴절각은 입사각보다 항상 크다.

③ 굴절각이 90°가 될 때의 입사각, 즉 임계각 i_c는 $\sin i_c=\frac{n_{공기}}{n_{매질}}=\frac{1}{n}$(공기의 굴절률≒1)의 관계가 있으므로, 물질의 굴절률이 클수록 임계각이 작다.

02 ㄴ. 유리의 굴절률이 물보다 크므로, 빛이 유리에서 물로 입사할 때 전반사가 일어날 수 있다.

ㄷ. 물의 굴절률이 유리보다 작으므로, 굴절각이 입사각보다 작다.

바로 알기 ㄱ. 유리의 굴절률이 물보다 크므로, 굴절각이 입사각보다 커야 한다.

ㄹ. 물의 굴절률이 유리보다 작으므로, 물에서 유리로 입사하는 빛은 전반사가 일어날 수 없다.

집중 분석 2권 178쪽

유제 ②

유제 ㄷ. (나)에서 코어를 따라 빛이 전반사하며 진행해야 하므로 굴절률은 코어>클래딩이다. 따라서 코어는 굴절률이 큰 매질 A이고, 클래딩은 굴절률이 작은 B이다.

바로 알기 ㄱ. (가)에서 전반사가 일어났으므로, 매질 A의 굴절률은 매질 B보다 크다. 매질 B에서 매질 A로 빛을 입사하면, 굴절률이 작은 매질에서 큰 매질로 빛이 입사하므로 전반사가 일어날 수 없다.

ㄴ. (가)에서 전반사가 일어날 때 θ는 임계각보다 크다. 따라서 (나)에서 코어와 클래딩의 경계에서 임계각은 θ보다 작다.

개념 모아 정리하기 2권 179쪽

❶ 90° ❷ 큰 ❸ 작은 ❹ 클
❺ 작다 ❻ 코어 ❼ 클래딩 ❽ 전반사
❾ 광섬유 ❿ 적어

개념 기본 문제 2권 180쪽~181쪽

01 ㄱ, ㄴ, ㄷ **02** 식용유 **03** B, 30° **04** A>C>B
05 ㄹ **06** ㄱ, ㄴ **07** (1) ㄴ, ㄷ (2) A (3) 작다.
08 (1) 전반사 (2) 송신부 (3) 수신부 (4) 광섬유, 광 증폭기 **09** ㉠ 적다 ㉡ 길다

01 ㄱ. 그림 1~3은 입사 광선이 반사 광선과 굴절 광선으로 나누어지므로, 반사 광선의 세기가 입사 광선의 세기보다 약하다.

ㄴ. 그림 4와 같이 굴절각이 90°일 때의 입사각을 임계각이라고 한다.

ㄷ. 그림 5에서는 빛의 입사각이 임계각보다 크므로, 빛은 전반사한다.

02 전반사는 굴절률이 큰 매질에서 작은 매질로 입사할 때 일어난다. 문제에서 레이저 빛이 식용유에서 물로 입사할 때 전반사하였으므로, 식용유의 굴절률이 물보다 크다.

03 빛이 굴절률 n인 매질에서 굴절률 1인 공기로 입사할 때 임계각 i_c는 $\sin i_c=\frac{1}{n}$이 된다. 즉, 물질의 굴절률 n이 클수록 임계각 i_c가 작으므로, 굴절률이 가장 큰 물질 B의 임계각이 가장 작고, 그 값은 다음과 같다.

$\sin i_c=\frac{1}{n}=\frac{1}{2}\rightarrow i_c=30°$

04 A, B, C의 굴절률을 n_A, n_B, n_C라고 할 때 (가)에서 단색광이 전반사하였으므로, $n_A>n_B$이고, (나)에서 입사각보다 굴절각이 크므로, $n_A>n_C$이다. 한편, 단색광이 동일한 입사각 θ로 입사할 때 (가)에서는 임계각 $\theta_{c(가)}$보다 큰 각도로 입사하였고, (나)에서는 임계각 $\theta_{c(나)}$보다 작은 각도로 입사하였으므로, 다음과 같다.

(가) $\sin\theta>\sin\theta_{c(가)}=\frac{n_B}{n_A}$ (나) $\sin\theta<\sin\theta_{c(나)}=\frac{n_C}{n_A}$

즉, $\frac{n_C}{n_A}>\sin\theta>\frac{n_B}{n_A}$이므로, $n_C>n_B$이다. 따라서 A, B, C의 굴절률의 크기는 $n_A>n_C>n_B$이다.

05 직각 프리즘의 한 변에 단색광이 수직으로 입사할 때 유리에서 공기 중으로 입사하는 단색광의 입사각은 45°가 된다. 따라서 단색광은 임계각보다 큰 각도로 입사하므로, 전반사하여 ㄹ과 같이 진행한다.

06 ㄱ, ㄴ. 쌍안경과 잠망경은 전반사 프리즘에서의 전반사를 이용하여 빛의 경로를 바꾼다.

바로 알기 ㄷ. 반사 망원경은 평면거울과 오목 거울에서의 반사를 이용한다.

07 (1) ㄴ. 광섬유는 빛 신호를 전송해야 하므로, A, B는 모두 투명한 유리 또는 합성수지를 사용하여 만든다.

ㄷ. 광섬유는 굴절률이 큰 코어를 굴절률이 작은 클래딩이 둘러싸고 있는 이중 구조이다. 따라서 코어로 입사한 빛은 코어와 클래딩의 경계면에서 전반사하며 코어를 따라 진행한다.

바로 알기 ㄱ. A는 코어이고, B는 클래딩이다.

(2) 전반사는 굴절률이 큰 매질에서 작은 매질로 빛이 입사할 때 일어나므로, 코어의 굴절률이 클래딩보다 크다.

(3) 코어에서 클래딩으로 빛이 입사할 때 임계각 i_c의 크기는 다음과 같다.

$n_{코어}\sin i_c = n_{클래딩}\sin 90°$

$\sin i_c = \dfrac{1}{\dfrac{n_{코어}}{n_{클래딩}}}$

따라서 $\dfrac{\text{코어의 굴절률}}{\text{클래딩의 굴절률}}$이 클수록 i_c의 크기는 작아진다.

08 (1) 광통신은 굴절률이 큰 코어와 굴절률이 작은 클래딩으로 이루어진 광섬유에서 일어나는 빛의 전반사를 이용한다.

(2) 송신부에서는 음성, 영상 등과 같은 전송하고자 하는 정보를 담은 전기 신호를 빛 신호로 변환한다.

(3) 수신부에서는 광섬유를 통해 전송되어 온 빛 신호를 수신하여 전기 신호로 변환한 후 정보를 분리하여 음성, 영상 등을 재생한다.

(4) 정보 채널 부분에서 빛 신호를 전달하는 장치는 광섬유이고, 약해진 빛 신호를 증폭하는 장치는 광 증폭기이다.

09 구리 도선을 이용한 통신에서는 수 km 마다 증폭기가 필요하다. 그러나 광섬유의 코어는 구리 도선에 비해 에너지 손실이 적다. 따라서 광 증폭기를 설치하는 구간 사이의 거리가 약 80 km로, 구리 도선을 이용한 통신에 비해 더 길다.

개념 적용 문제

2권 182쪽~185쪽

01 ③ **02** ④ **03** ③ **04** ② **05** ⑤ **06** ① **07** ① **08** ④

01 ㄱ. (가)에서 θ_1은 임계각이므로, 단색광의 입사각을 θ_1보다 크게 하면 전반사가 일어난다.

ㄴ. (나)에서 굴절률은 공기가 물보다 작으므로, 단색광의 속력은 공기에서가 물에서보다 크다.

바로 알기 ㄷ. (가)와 (나)에서 임계각은 공기에 대한 매질의 상대 굴절률이 클수록 작다. $\theta_1 < \theta_2$이므로 공기에 대한 상대 굴절률은 유리가 물보다 크다. 단색광을 물에서 유리로 입사시킬 때는 굴절률이 작은 매질에서 큰 매질로 빛이 입사하는 경우이므로, 전반사가 일어나지 않는다.

02 $n_1\sin i_c = n_2\sin 90°$에서 $2\sin 60° = n_2$이므로, $n_2 = 2\times\dfrac{\sqrt{3}}{2} = \sqrt{3}$이다.

03 ㄷ. 쌍안경과 잠망경은 직각 프리즘에서의 빛의 전반사를 이용하여 빛의 진행 경로를 바꾼다. 내시경도 광섬유에서의 빛의 전반사를 이용하므로 원리가 같다.

바로 알기 ㄱ. 직각 프리즘은 빛의 전반사를 이용하여 빛의 진행 방향을 바꾼다.

ㄴ. 거울에서 빛의 반사율은 프리즘에서 전반사할 때 빛의 반사율보다 작으므로, 프리즘 대신 거울을 이용하면 더 밝은 상을 얻을 수 없다.

04 ㄴ. (나)에서 전반사가 일어났으므로, 입사각 θ는 임계각보다 크다.

바로 알기 ㄱ. (가)에서 각 매질의 경계면에 법선을 긋고 입사각과 굴절각을 비교해 보면, 빛의 속력은 물질 A보다 B에서 더 빠르고, 물질 B보다 C에서 더 빠르다. 따라서 빛의 속력은 물질 C에서 가장 빠르다.

ㄷ. 빛의 속력이 A<B<C이므로, 굴절률은 A>B>C이다. 광섬유에서 코어의 굴절률이 클래딩보다 커야 하므로, 클래딩을 B로 만들었을 때 코어는 A로 만들어야 한다.

05 ㄱ. 코어의 굴절률이 클래딩보다 크므로, 단색광의 속력은 코어에서가 클래딩에서보다 작다.

ㄴ, ㄷ. 코어와 클래딩 사이에서 임계각이 i_c일 때, $n_1\sin i_c = n_2\sin 90°$에서 $\sin i_c = \dfrac{1}{\left(\dfrac{n_1}{n_2}\right)}$이다. n_1을 크게 하거나 n_2를 작게 하면 i_c가 작아지므로, 공기와 코어의 경계면에서의 굴절

각(=90°$-i_c$)이 커진다. 굴절각이 커지면 입사각 i의 최댓값 i_m도 커진다. 또, n_1을 크게 하면 굴절각 (90°$-i_c$)일 때의 입사각 i_m이 더 커진다.

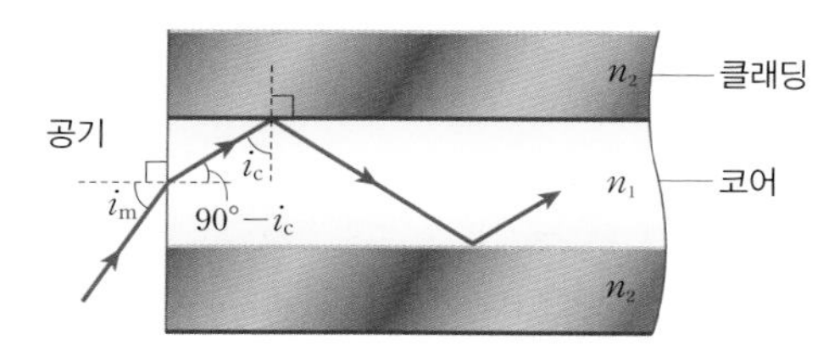

06 ㄱ. 매질 B와 C의 경계면에서의 입사각은 (가)에서가 (나)에서보다 크다. 따라서 같은 입사각 θ로 입사했을 때 매질 B에서의 굴절각은 (가)에서가 (나)에서보다 작은 것을 알 수 있다. 굴절이 크게 일어날수록 두 매질의 굴절률의 차이가 크므로, A의 굴절률은 D의 굴절률보다 작다. 따라서 레이저 빛의 속력은 A에서가 D에서보다 크다.

바로 알기 ㄴ. (가)에서 매질 B에서 매질 C로 입사하는 빛이 전반사하므로, 굴절률은 B가 C보다 크다.

ㄷ. (나)에서 B에 입사하는 입사각을 θ보다 크고 90°보다 작게 하면 굴절각이 커지며, 매질 B와 C의 경계면에 입사하는 빛의 입사각이 작아지므로 전반사가 일어나지 않는다.

07 ㄱ. 광섬유 안에서 전반사가 일어나더라도 그 에너지의 일부는 코어를 이루는 물질에 흡수되기 때문에 먼 거리를 전송하면 빛의 세기가 약해진다. 따라서 중간에 빛의 세기를 다시 강하게 해 주기 위해 광 증폭기를 사용한다.

바로 알기 ㄴ. 광통신은 광섬유의 코어 속으로 들어간 빛이 코어와 클래딩의 경계면에서 전반사하며 코어를 따라 진행하는 원리를 이용한다.

ㄷ. 신호의 변환 단계는 전기 신호 → 빛 신호 → 전기 신호 과정을 거친다.

08 ④ 외부 전자기파의 영향을 받지 않으므로 잡음이나 혼선이 없고 도청이 어렵다.

바로 알기 ① 구리 도선을 이용한 통신보다 에너지 손실이 적어 증폭기를 설치하는 구간 사이의 거리가 길다.

② 광섬유가 급격하게 휘면 빛이 전반사하지 못하고 굴절하여 나갈 수 있으므로, 신호가 끊어진다.

③ 광통신은 빛을 이용하여 정보를 전달하므로, 기존의 구리 도선을 이용한 유선 통신보다 전달할 수 있는 정보의 양이 많다.

⑤ 설치된 광케이블이 끊어지면 수리하기가 어렵다.

03 전자기파 스펙트럼

개념 모아 정리하기 2권 194쪽

❶ 자기장 ❷ 전하 ❸ 수직 ❹ 횡파
❺ 빛 ❻ $f\lambda$ ❼ 적외선 ❽ 자외선
❾ 마이크로파 ❿ 살균 ⓫ 투과

개념 기본 문제 2권 195쪽

01 (1) 전자기파 (2) ㄱ, ㄴ, ㄹ **02** (1) 90° (2) ㄴ, ㄷ **03** (1) 진동수 (2) A: X선, B: 적외선 (3) 감마(γ)선 **04** (가) 적외선 (나) 자외선 (다) 적외선 **05** (1) (가) (2) (나) (3) (다)

01 (1) 전기장의 변화와 자기장의 변화가 서로를 번갈아 유도하며 공간을 퍼져 나가는 파동은 전자기파이다.

(2) ㄱ. 전자기파는 전기장과 자기장의 진동 방향이 전자기파의 진행 방향과 수직이므로 횡파이다.

ㄴ. 전자기파는 파동의 형태로 에너지를 전달하지만 매질이 없어도 진행하는 파동이다.

ㄹ. 전자기파는 파동으로서 반사, 굴절, 회절, 간섭 현상을 일으킨다.

바로 알기 ㄷ. 전자기파의 진공에서의 속력은 진동수와 관계없이 빛의 속력으로 일정하다.

02 (1) 전자기파는 횡파로, 전기장과 자기장의 진동 방향이 전자기파의 진행 방향과 수직을 이룬다.

(2) ㄴ. 전자기파의 파장은 L이므로, 진동수는 $f=\dfrac{c}{\lambda}=\dfrac{c}{L}$이다.

ㄷ. 파장 L이 클수록 회절이 잘 일어난다.

바로 알기 ㄱ. 이 전자기파의 파장은 L이다.

03 (1) 감마(γ)선이 진동수가 가장 크고 라디오파가 진동수가 가장 작으므로, 물리량은 진동수이다.

(2) A는 자외선보다 진동수가 큰 X선이고, B는 가시광선보다 진동수가 작은 적외선이다.

(3) 같은 조건일 때 진동수가 클수록 에너지가 크다.

04 (가) 열화상 카메라는 물체의 표면으로부터 방출되는 적외선을 측정하여 물체의 온도를 측정한다.

(나) 식기 소독기는 세균의 단백질 합성을 방해하여 살균 작용을 하는 자외선을 이용한다.

(다) 리모컨의 버튼을 누르면 적외선 신호가 방출된다.

05 (1) 물체의 온도를 측정하는 온도계에 이용되는 전자기파는 적외선이므로, (가)에서 햇빛을 프리즘으로 분산시켰을 때 빨간색 바깥쪽에 나타나는 전자기파와 같다.
(2) 전자레인지에 사용되는 전자기파는 마이크로파이므로, (나)에서 휴대 전화의 통신에 사용되는 전자기파와 같다.
(3) 항암 치료에 사용되는 전자기파는 감마(γ)선이므로, (다)에서 파장이 가장 짧고 투과력이 매우 강한 전자기파와 같다.

개념 적용 문제 2권 196쪽~197쪽

01 ⑤ **02** ④ **03** ① **04** ⑤

01 ㄱ. 전자기파는 전기장과 자기장의 진동 방향이 전자기파의 진행 방향과 수직을 이루는데, 전기장 방향에서 자기장 방향으로 오른나사를 돌릴 때 나사의 진행 방향이 전자기파의 진행 방향이다. 전자기파의 진행 방향이 z 방향이므로 ㉠은 전기장, ㉡은 자기장이다.

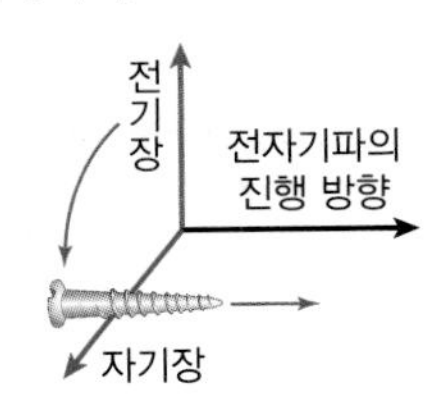

ㄴ. 그림을 보면 전기장과 자기장이 진동하며 그 세기가 주기적으로 변할 때, 전기장의 세기가 최대인 지점에서 자기장의 세기도 최대인 것을 알 수 있다.
ㄷ. 전자기파가 진행하면 원형 도선을 통과하는 자기장의 세기와 방향이 계속 변하므로, 원형 도선에 유도 전류가 발생한다.

02 • B: 자외선보다 진동수가 작고 적외선보다 진동수가 큰 전자기파는 가시광선이다.
• C: 레이더와 위성 통신에 사용되는 마이크로파는 적외선보다 진동수가 작고 라디오파보다 진동수가 크므로 ㉢에 속한다.
바로 알기 • A: 전자기파는 진공에서 파장에 관계없이 모두 빛의 속력과 같은 속력으로 진행하므로, 학생 A의 설명은 옳지 않다.

03 ㄱ. (가)의 흉부 사진에 이용된 전자기파는 X선이며, X선은 투과력이 강해서 공항에서 수하물을 검사하는 데에도 사용된다.
바로 알기 ㄴ. (나)의 전자레인지에 이용되는 전자기파는 마이크로파이다. 물체에 흡수되어 온도를 높이는 열작용을 하여 열선이라고도 하는 전자기파는 적외선이다.
ㄷ. (다)에 이용된 전자기파는 라디오파이다. 진동수가 클수록 많은 양의 정보를 보낼 수 있는데, 라디오파의 진동수는 마이크로파보다 작으므로, 마이크로파보다 같은 시간에 더 많은 정보를 전달할 수 없다.

04 ㄴ. 방범용 CCTV가 밤에 녹화할 때 이용하는 전자기파는 적외선으로 C 영역에 속한다.
ㄷ. 전자레인지에서 이용하는 전자기파는 마이크로파(전파)로 D 영역에 속한다.
바로 알기 ㄱ. 형광 작용이 있어 위조지폐 감별에 이용하는 전자기파는 자외선이므로, B 영역에 속한다.

04 파동의 간섭

탐구 확인 문제 2권 207쪽

01 ④ **02** (1) (가) – 상쇄 간섭, (나) – 보강 간섭 (2) 넓어진다.

01 ① 두 소리가 같은 위상으로 만나 보강 간섭이 일어나는 곳에서는 합성파의 진폭이 커진다. 따라서 공기의 진폭이 크므로, 소리가 크게 들린다.
② 상쇄 간섭은 두 파동이 반대 위상으로 중첩되어 진폭이 줄어드는 현상이다.
③ 두 스피커로부터 같은 거리에 있는 지점에서는 경로차가 0이다. 따라서 두 소리가 같은 위상으로 만나므로 보강 간섭이 일어난다.
⑤ 두 스피커에서 거리가 같은 가운데 지점은 보강 간섭이 일어난다. 두 번째 보강 간섭이 일어나는 지점은 두 스피커 에서의 거리 차가 반파장의 2배, 즉 거리차가 파장과 같은 지점이다. 따라서 소리의 파장이 길수록 두 번째 보강 간섭이 일어나는 지점은 중앙에서 멀어지므로, 보강 간섭이 일어나는 간격이 넓어진다.
바로 알기 ④ 두 스피커로부터의 거리 차가 파장과 같은 곳, 즉 경로차가 반파장의 짝수 배인 지점은 두 소리가 같은 위상으로 만나므로, 보강 간섭이 일어난다.

02 (1) (가)는 두 소리가 반대 위상으로 만나므로 상쇄 간섭이 일어나고, (나)는 두 소리가 같은 위상으로 만나므로 보강 간섭이 일어난다.

(2) 두 스피커의 간격이 더 좁아지면, 두 스피커로부터 경로차가 반파장의 짝수 배가 되는 지점 또는 홀수 배가 되는 지점 사이의 간격이 넓어지므로, 아래 그림에서와 같이 간섭이 일어나는 간격이 넓어진다.

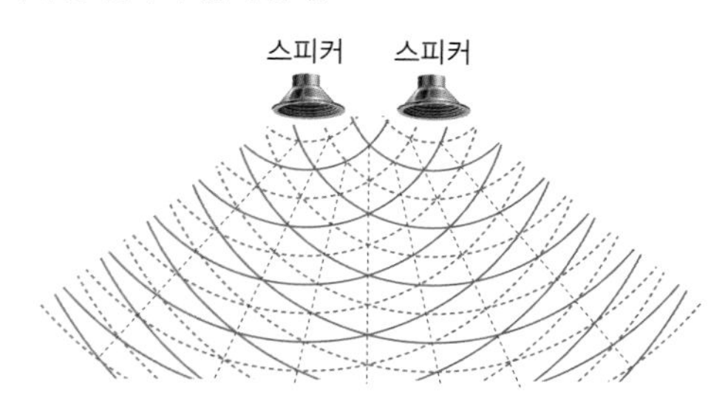

집중 분석 2권 208쪽

유제 ①

유제 ㄱ. p에서는 골과 골이 만나므로 보강 간섭이 일어난다.

바로 알기 ㄴ. q에서는 마루와 마루가 만나므로 보강 간섭이 일어난다.

ㄷ. p, q, r 중 수면의 높이가 가장 낮은 곳은 골과 골이 만나는 p이다.

개념 모아 정리하기 2권 211쪽

❶ 독립성	❷ 같은	❸ 반대	❹ 변하
❺ 일정	❻ 커	❼ 작아	❽ 반대
❾ 보강	❿ 상쇄	⓫ 상쇄	

개념 기본 문제 2권 212쪽~213쪽

01 2 cm **02** 파동의 독립성 **03** (1) 해설 참조 (2) (가) 보강 간섭 (나) 상쇄 간섭 **04** (1) ㉠ 같은 ㉡ 보강 ㉢ 반대 ㉣ 상쇄 (2) A>B **05** (1) A – 보강 간섭, B – 상쇄 간섭 (2) B **06** ㄱ, ㄴ, ㄷ **07** (1) 간섭 (2) ㄱ, ㄴ **08** (1) (나) (2) ㄱ, ㄷ **09** ㄱ, ㄴ, ㄹ **10** 간섭

01 합성파의 변위는 5 cm−3 cm=2 cm이다.

02 파동이 중첩 후 파동의 모양과 운동 방향이 변하지 않는 성질을 파동의 독립성이라고 하며, 여러 악기가 동시에 연주되어도 각각의 소리를 구분할 수 있는 것은 파동의 독립성 때문이다.

03 (1) 두 파동이 한 지점에서 중첩될 때 그 지점에서 매질의 변위는 그 점을 지나는 각각의 파동의 변위를 더한 것과 같다.

모범 답안

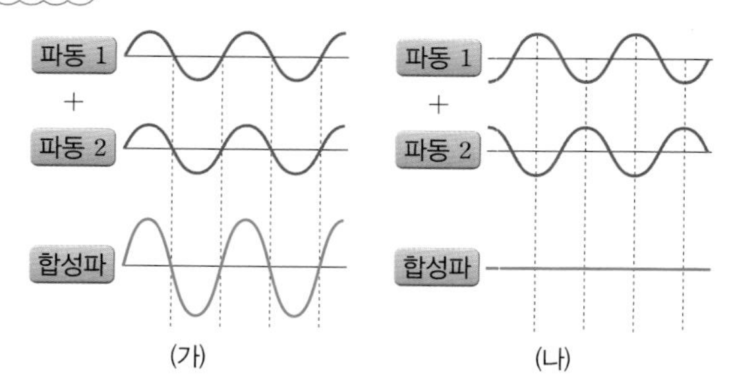

(2) (가)에서는 두 파동이 같은 위상으로 만나 합성파의 진폭이 커지므로 보강 간섭이다. (나)에서는 두 파동이 반대 위상으로 만나 합성파의 진폭이 작아지므로 상쇄 간섭이다.

04 (1) (가)의 선은 밝고 어두운 무늬가 나타나는 지점을 연결한 것이므로 두 물결파가 같은 위상으로 만나 보강 간섭이 일어나는 곳이다. (나)의 선은 밝기의 변화가 없는 마디선을 연결한 것으로 두 물결파가 반대 위상으로 만나 상쇄 간섭이 일어나는 곳이다.

(2) (가)에서 A는 보강 간섭이 일어나므로 수면이 크게 진동하고, (나)에서 B는 상쇄 간섭이 일어나므로 수면이 거의 진동하지 않는다.

05 (1) A에서는 소리가 크게 들리므로 보강 간섭이 일어나고, B에서는 소리가 작게 들리므로 상쇄 간섭이 일어난다.

(2) 소음을 제거하기 위해서는 소음과 반대 위상의 소리를 보내 상쇄 간섭이 일어나도록 한다. 따라서 B와 관계가 있다.

06 ㄱ. (가)와 (나)에서 두 빛의 경로차가 각각 0, 반파장의 2배이므로, 스크린에서 만나는 두 빛은 보강 간섭 한다. 보강 간섭 하는 지점의 밝기는 밝다.

ㄴ. (다)에서 두 빛의 경로차는 반파장만큼이므로, 스크린에서 만나는 두 빛은 상쇄 간섭 한다. 상쇄 간섭 하는 지점의 밝기는 어둡다.

ㄷ. (가)와 (나)에서와 같이 보강 간섭이 일어나기 위한 조건은 두 빛의 경로차가 반파장의 짝수 배일 때다.

07 (1) 비누 막이 무지갯빛을 띠는 현상은 얇은 비누 막의 앞면과 뒷면에서 반사하는 빛이 서로 간섭하여 특정한 색의 빛이 나타나는 것이다.

(2) ㄱ. 비누 막의 두께는 중력에 의해 아래로 갈수록 두꺼워진다.

ㄴ. 비누 막의 두께에 따라 빛 A와 B의 경로차가 달라지므로, 보강 간섭 하는 빛의 파장이 달라지고, 나타나는 색깔도 달라진다.

바로 알기 ㄷ. 빨간색 빛이 보강 간섭 하는 지점만 밝게 나타나므로, 비누 막에는 밝고 어두운 무늬가 번갈아 나타난다.

08 (1) 무반사 코팅을 한 렌즈를 이용한 안경은 상쇄 간섭으로 반사광이 적은 (나)이다.

(2) ㄱ. 자동차 소음기는 배기음의 통로를 2개로 나누어 한 통로를 다른 통로보다 배기음의 반 파장만큼 길게 함으로써, 이 두 통로를 통과한 배기음이 만날 때 상쇄 간섭이 일어나는 원리를 이용해 소음을 감소시킨다.

ㄷ. 홀로그램 이미지는 빛의 간섭 현상을 이용해 보는 방향과 각도에 따라 색깔과 문양이 달라지도록 한 것이다.

바로 알기 ㄴ. 광섬유는 클래딩과 코어의 경계면에서 일어나는 빛의 전반사를 이용하여 빛을 전달한다.

09 ㄱ. 지폐의 숫자가 보는 각도에 따라 다른 색깔로 보이는 것은 색 변환 잉크로 그려진 숫자를 보는 각도에 따라서 보강 간섭 하는 빛의 파장이 달라지기 때문이다.

ㄴ. 비행기 내부에서 엔진 소음을 크게 느끼지 못하는 것은 엔진에서 발생하는 소음을 마이크로 감지하여 반대 위상의 소리를 내부에서 발생시킴으로써 상쇄 간섭이 일어나도록 하기 때문이다.

ㄹ. 모르포 나비는 날개의 얇은 층에서 반사된 빛 가운데 파란색 빛이 보강 간섭을 하여 날개가 파란색으로 보인다.

바로 알기 ㄷ. 다이아몬드가 반짝거리는 것은 다이아몬드에서 공기 중으로 입사하는 빛의 임계각이 24.3°로 다른 물질에 비해 비교적 작아서, 빛이 다이아몬드 내부에서 여러 번 전반사하며 진행하기 때문이다.

10 현악기는 줄이 진동하여 소리가 난다. 줄의 한쪽에서 발생한 파동이 고정된 양끝 지점에서 반사하면서 파장과 진폭이 같고 진행 방향이 서로 반대인 파동이 서로 간섭하여 정상파가 발생한다. 이때 줄의 길이에 따라 특정한 진동수의 소리가 나고, 이 소리가 울림통에서 보강 간섭을 일으켜 소리가 더 크게 증폭된다.

개념 적용 문제 2권 214쪽~218쪽

01 ① **02** ⑤ **03** ② **04** ③ **05** ① **06** ④ **07** ③ **08** ② **09** ⑤ **10** ④

01 3초 동안 파동 P가 오른쪽으로 3 m 이동하므로 위치가 6 m인 지점에서의 파동 P의 변위는 -1 m가 되고, 파동 Q는 왼쪽으로 3 m 이동하므로 위치가 6 m인 지점에서의 파동 Q의 변위는 -1 m가 된다. 따라서 위치가 6 m인 지점에서 중첩된 파동의 변위는 $-1\text{ m}-1\text{ m}=-2\text{ m}$이다.

02 ㄱ. (나)의 순간 p에서는 두 파동의 골과 골이, r에서는 두 파동의 마루와 마루가 만나므로 모두 진폭이 최대가 되는 보강 간섭이 일어나는 지점이다. 따라서 p의 진폭은 r에서와 같다.

ㄴ. $\frac{T}{2}$초 후 마루와 골이 반대가 되므로, p는 마루와 마루가 만나 변위는 진폭의 2배가 되고, q는 골과 마루가 만나 변위가 0이 된다. 따라서 p의 높이가 q보다 높다.

ㄷ. S_1과 S_2에서 r까지의 거리는 각각 λ, 2λ이므로, 경로차는 λ이다.

03 스피커 A에서 관찰자까지의 거리는 2.5 m이므로, 두 스피커로부터 관찰자까지의 경로차는 0.5 m이다. 상쇄 간섭이 일어나는 지점의 경로차는 반파장의 홀수 배이므로, $0.5\text{ m}=\frac{\lambda}{2}(2m+1)$에서 $\lambda=\frac{1}{2m+1}$이다. $m=0$일 때 파장 $\lambda=1$ m로 가장 큰 값을 갖는다.

04 ㄱ. P에서 밝은 무늬가 나타난 것은 두 빛이 같은 위상으로 만나 보강 간섭 하기 때문이다.

ㄷ. 스크린의 중앙에서 멀어질수록 빛의 세기는 약해지므로 간섭무늬의 밝기는 점점 줄어든다.

바로 알기 ㄴ. 보강 간섭이 일어나는 지점의 경로차는 반파장의 짝수 배이다. P점은 스크린의 중앙으로부터 첫 번째 보강 간섭이 일어나는 지점으로, $s=\frac{\lambda}{2}(2m)$에서 $m=1$을 대입하면 $s=\lambda$이다.

05 ㄱ. 여객기 엔진에서 발생하는 소음을 마이크로 감지한 후 반대 위상의 소리를 만들어 내부 스피커로 발생시키면, 엔진 소음과 상쇄 간섭이 일어나 소음이 줄어든다.

바로 알기 ㄴ, ㄷ. 자동차 소음기는 한 통로가 다른 통로보다 배기음의 반파장만큼 길기 때문에, 이 두 통로를 통과한 소리가 P점에서 만날 때 상쇄 간섭이 일어나 소음이 줄어든다.

06 ㄴ. A는 소음과 상쇄 간섭 하기 위한 파동이므로, 위상이 외부 소음과 반대이다.
ㄷ. ㉠은 A와 외부 소음이 상쇄 간섭 하는 과정을 나타낸 것이다.
바로 알기 ㄱ. A는 소음 제거 회로에서 발생시키는 파동이다.

07 ㄱ. (가)의 빛의 삼원색의 합성에서 초록색 빛과 자홍색 빛이 합성되면 흰색 빛이 되는 것을 알 수 있다. 반대로 흰색 빛에서 초록색 빛이 빠지면 자홍색 빛만 남는다. 따라서 A가 자홍색으로 보일 때 비누 막의 안쪽 면과 바깥쪽 면에서 반사하는 초록색 빛의 상쇄 간섭이 일어난다.
ㄷ. 시간이 지나면 중력에 의해 비눗방울 막의 두께가 점점 변하므로 비눗방울 안쪽 면과 바깥쪽 면에서 반사하는 빛의 경로차가 달라진다. 경로차가 달라지면 상쇄 간섭 하는 빛의 파장이 달라져 다른 색으로 보인다.
바로 알기 ㄴ. 다른 각도에서 비눗방울을 보게 되면 비누 막 안쪽 면과 바깥쪽 면에서 반사하는 빛의 경로차가 달라지므로, 상쇄 간섭 하는 빛의 파장이 달라져 다른 색으로 보인다.

08 ㄴ. 코팅막의 윗면과 아랫면에서 각각 반사하는 빛 A와 B가 상쇄 간섭 할 때 렌즈를 투과하는 빛 C의 양이 최대가 된다.
바로 알기 ㄱ. 무반사 코팅을 할 때는 렌즈를 투과하는 빛 C의 양이 최대가 되도록 하기 위해, A와 B가 상쇄 간섭 하도록 코팅 막의 두께를 정한다.
ㄷ. 렌즈를 코팅하지 않으면 렌즈 표면에서 반사하는 빛 때문에 렌즈를 투과하는 빛 C의 양이 감소한다.

09 ㄱ. 잉크의 표면과 안쪽 면에서 반사하는 빛 a와 b가 중첩하여 간섭을 일으킨다.
ㄴ, ㄷ. a와 b의 경로차는 보는 각도에 따라 달라지며, a와 b의 경로차에 따라 보강 간섭 하는 빛의 파장이 달라지므로 숫자의 색깔이 다르게 보인다.

10 ㄱ. DVD에 홈의 형태로 기록된 정보를 읽기 위해 DVD에 레이저 빛을 비춘다. 이때 반사층에서 반사되는 빛이 간섭하여 세기가 변하는 것을 감지하여 정보를 읽는다.
ㄷ. DVD 홈의 깊이는 $\frac{\lambda}{4}$와 같으므로, 빛 C과 빛 D의 경로차는 $\frac{\lambda}{2}$가 되어 상쇄 간섭 한다.
바로 알기 ㄴ. 빛 A와 B는 경로차가 0이므로 보강 간섭을 한다.

통합 실전 문제

2권 220쪽~225쪽

01 ② 02 ⑤ 03 ① 04 ③ 05 ④ 06 ① 07 ①
08 ⑤ 09 ① 10 ③ 11 ② 12 ④

01 ㄱ. 파동의 진행 방향은 x축, 줄의 진동 방향은 y축으로 서로 수직이므로 파동의 종류는 횡파이다.
ㄴ. (가)에서 파동의 파장 $\lambda=0.2$ m, (나)에서 파동의 주기 $T=0.4$초이므로, 파동의 속력은 다음과 같다.
$v=\frac{\lambda}{T}=\frac{0.2\text{ m}}{0.4\text{ s}}=0.5\text{ m/s}$
바로 알기 ㄷ. 0초에서 0.1초까지 P의 변위 방향은 $+y$ 방향이므로, 이 파동은 $-x$ 방향으로 진행하고 있다.

02 ㄴ. 매질의 경계면에 평행하므로 $\sin i=n_A\sin\theta_A=n_B\sin\theta_B=\sin r$가 된다. 따라서 i와 r는 같다.
ㄷ. $i=r$이므로 (나)에서 빛의 진행 경로는 (가)에서의 반대 경로와 일치한다. 따라서 a와 b는 같다.
바로 알기 ㄱ. 단색광이 A에서 B로 입사할 때 입사각이 굴절각보다 크므로, 단색광의 속력은 A에서가 B에서보다 크다.

03 ㄷ. 굴절률이 작을수록 빛의 속력이 빠르므로, 물질 내부에서 굴절하는 정도가 작은 A의 속력이 B보다 크다.
바로 알기 ㄱ. (나)에서 빛이 공기에서 물질로 입사할 때 입사각보다 굴절각이 작으므로, 물질의 굴절률은 공기보다 크다.
ㄴ. (가)에서 빛의 파장이 클수록 굴절률이 작고 (나)에서 굴절하는 정도가 A가 B보다 작으므로, 파장은 A가 B보다 크다.

04 ㄷ. 매질에서 빛의 속력 변화로 빛의 진행 경로가 휘어지는 성질을 굴절이라고 한다.
바로 알기 ㄱ. 대기도 지구 중력을 받기 때문에 높이가 0~약 10 km인 대류권에 존재하는 공기의 질량이 전체 대기권 질량의 75 % 이상을 차지할 정도로 대기의 밀도는 지면에 가까울수록 크다.
ㄴ. 빛의 속력은 공기의 밀도가 클수록 느리므로, 빛의 속력은 지면에 가까울수록 느려진다.

05 ㄱ. 빛이 유리에서 물체로 입사할 때 입사각보다 굴절각이 더 크므로, 빛의 속력은 유리에서가 물체에서보다 느리다.

ㄷ. 물체에 대한 유리의 상대 굴절률이 클수록 임계각이 작아진다. 따라서 물체만 굴절률이 더 작은 것으로 바꾸면, 물체에 대한 유리의 상대 굴절률이 커져서 임계각이 더 작아지므로 θ_c의 입사각에서도 전반사가 일어난다.

바로 알기 ㄴ. 빛을 i_0보다 큰 각으로 유리에 입사시키면, 공기와 유리의 경계면에서 굴절각이 커진다. 따라서 유리와 물체의 경계면에 입사하는 빛의 입사각이 임계각 θ_c보다 작아져 전반사가 일어나지 않는다.

06 ㄱ. (가)에서 입사각보다 굴절각이 크므로, 굴절률이 큰 매질에서 작은 매질로 빛이 입사하는 경우이다. 따라서 굴절률은 A가 B보다 크다.

바로 알기 ㄴ. 광섬유에서 빛이 코어를 따라 전반사하며 진행하므로, 코어는 굴절률이 큰 A로, 클래딩은 굴절률이 작은 B로 이루어져 있다.

ㄷ. (가)에서 $0° <$ 입사각 $< 73.6°$일 때 전반사가 일어나지 않았으므로, (나)에서 전반사가 일어나는 각 θ의 범위는 $0° < \theta < 73.6°$에 해당하지 않는다.

07 ㄱ. 안테나 속에서 전하의 진동은 가속 운동이며, 전하가 가속 운동을 할 때 전자기파가 발생한다.

바로 알기 ㄴ. 아래위로 진동하는 전하의 운동 방향과 나란한 방향으로 발생하여 폐곡선이 되는 것은 전기장을 나타내고, 종이면에 수직으로 들어오는 것(×)과 나가는 것(•)은 전기장에 수직인 자기장을 나타낸다.

ㄷ. 안테나 속 전하의 진동수가 클수록 전자기파의 진동수가 커진다. 매질이 일정하면 전자기파의 속력도 거의 일정하다.

08 ㄴ. B는 X선으로, 고속의 전자를 금속박에 충돌시킬 때 발생한다.

ㄷ. 파장이 짧을수록 직진성이 강하고, 파장이 길수록 회절이 잘 일어나 멀리 전파된다. B가 A보다 진동수가 커서 파장이 짧으므로, 직진성이 더 강하다.

바로 알기 ㄱ. (가)에서 컴퓨터 단층(CT) 촬영에 이용되는 전자기파는 X선으로 B에 속한다.

09 두 파동 A와 B가 중첩되기 전에 O의 변위는 0, 두 파동이 처음 중첩되기 시작했을 때 O의 변위는 $1\ \mathrm{cm} - 2\ \mathrm{cm} = -1\ \mathrm{cm}$이며, 중첩이 더 진행된 후의 변위는 $2\ \mathrm{cm} - 1\ \mathrm{cm} = 1\ \mathrm{cm}$, 중첩이 끝난 뒤 변위는 0이다. 따라서 O의 변위는 $0 \rightarrow -1\ \mathrm{cm} \rightarrow 1\ \mathrm{cm} \rightarrow 0$으로 변하는 ①번이 가장 적절하다.

10 ㄱ. S_1과 S_2 사이의 거리는 $3\lambda = 9\ \mathrm{cm}$이므로 물결파의 파장 $\lambda = 3\ \mathrm{cm}$이고 진동수 f는 5 Hz이다. 따라서 물결파의 속력은 $v = f\lambda = 5\ \mathrm{Hz} \times 3\ \mathrm{cm} = 15\ \mathrm{cm/s}$이다.

ㄷ. 물의 깊이가 일정하면 물결파의 속력도 일정하다. 따라서 물결파의 진동수를 2배로 하면 파장이 $\frac{1}{2}$배가 되므로, 현재 마루의 위치는 그대로 마루가 되고 골의 위치도 마루가 된다. 이때 Q에서는 마루와 마루가 만나는 보강 간섭이 일어난다.

바로 알기 ㄴ. 물결파의 진동수는 5 Hz이고, 주기는 진동수의 역수이므로 0.2초이다. 따라서 P에서 수면은 0.2초의 주기로 진동한다.

11 ㄱ. 소리의 파장은 $v = f\lambda$의 식에서 $340\ \mathrm{m/s} = 680\ \mathrm{Hz} \times \lambda$에서 $\lambda = 0.5\ \mathrm{m}$이다. 보강 간섭이 일어나는 지점들은 경로차가 반파장의 짝수 배인 지점들이므로, 경로차$= \frac{\lambda}{2}(2m)$이 성립하는 점들이다. 스피커 A, B 사이의 거리를 L이라 하고 스피커 A에서 소음 측정기까지의 거리를 x라고 할 때, 철수가 있는 지점에서 A, B까지의 경로차는 다음과 같다.

$x - (L - x) = 2x - L$

경로차가 $\frac{\lambda}{2}(2m)$일 때 보강 간섭이 일어나는 지점을 x_1, 경로차가 $\frac{\lambda}{2}2(m+1)$일 때 보강 간섭이 일어나는 지점을 x_2라 하면 다음과 같다.

$$2x_1 - L = \frac{\lambda}{2}2m \rightarrow x_1 = \frac{\lambda m + L}{2}$$

$$2x_2 - L = \frac{\lambda}{2}2(m+1) \rightarrow x_2 = \frac{\lambda(m+1) + L}{2}$$

따라서 x_1과 x_2 사이의 거리는 다음과 같다.

$$x_2 - x_1 = \frac{\lambda}{2} = 0.25\ \mathrm{m}$$

따라서 소리가 크게 측정되는 이웃한 지점 사이의 거리는 0.25 m이다.

ㄴ. 소리의 진동수만 변화시키면 소리의 파장 λ가 달라지므로, 소리가 크게 측정되는 이웃한 두 지점 사이의 거리 $\frac{\lambda}{2}$도 달라진다.

바로 알기 ㄷ. 두 스피커 사이의 거리를 변화시키더라도 소리의 파장 λ가 변하지 않으므로, 소리가 크게 측정되는 이웃한 두 지점 사이의 거리 $\frac{\lambda}{2}$는 달라지지 않는다.

12 ④ 기름막에서 나타나는 무지갯빛 무늬는 얇은 막에 의한 빛의 간섭 현상으로 생기는 것이며, 공작새의 깃털이 아름다운 색을 띠는 것도 빛의 간섭 현상에 의한 것이다.

바로 알기 ① 파도가 해안가로 다가갈수록 파면이 점점 해안선에 나란해지는 것은 해안선이 오목한 곳과 볼록한 곳의 수심 변화에 따라 파도가 연속적으로 굴절하기 때문이다.

② 신기루는 빛이 밀도가 다른 공기층을 통과할 때 굴절하여 나타난다.

③ 물속에 잠긴 다리가 짧아 보이는 현상은 빛이 물에서 공기로 나올 때 굴절하기 때문에 나타난다.

⑤ 물에 백조의 모습이 비치는 것은 빛의 반사에 의한 현상이다.

사고력 확장 문제

2권 226쪽~229쪽

01 (1) (가)에서 단색광이 프리즘에서 매질 A로 나올 때 경계면 쪽으로 굴절되었으므로, 입사각이 굴절각보다 더 작다. 법선과 이루는 각이 작은 매질에서의 빛의 속력이 더 느리므로, 단색광의 속력은 프리즘에서가 매질 A에서보다 작다.

(2) (나)에서 단색광이 프리즘에서 매질 B로 나올 때 입사각이 30°, 굴절각이 45°이므로, 프리즘에 대한 매질 B의 굴절률은 $\frac{n_B}{n_{프}}=\frac{\sin30°}{\sin45°}=\frac{1}{\sqrt{2}}$이다. 프리즘과 매질 B에서의 단색광의 파장의 비는 굴절률에 반비례하므로 $1:\sqrt{2}$이다.

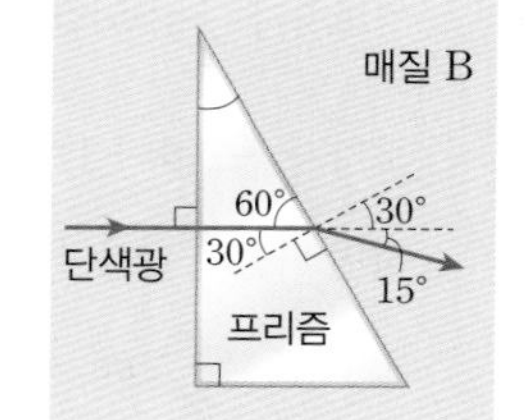

(3) (가)에서 단색광이 프리즘에서 매질 A로 나올 때 입사각이 30°, 굴절각이 60°이므로, 프리즘에 대한 매질 A의 굴절률은 $\frac{n_A}{n_{프}}=\frac{\sin30°}{\sin60°}=\frac{1}{\sqrt{3}}$이다.

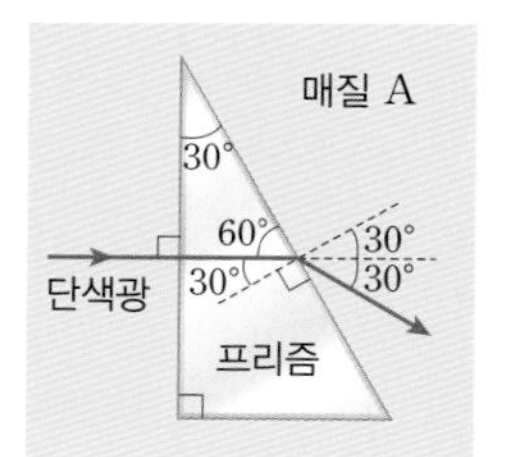

(나)에서 프리즘에 대한 매질 B의 굴절률은 $\frac{n_B}{n_{프}}=\frac{1}{\sqrt{2}}$이다.

따라서 매질 A에 대한 매질 B의 굴절률은 다음과 같다.

$$\frac{n_B}{n_A}=\frac{\text{프리즘에 대한 B의 굴절률}}{\text{프리즘에 대한 A의 굴절률}}=\frac{\frac{1}{\sqrt{2}}}{\frac{1}{\sqrt{3}}}=\sqrt{\frac{3}{2}}$$

모범 답안 (1) (가)에서 단색광이 프리즘에서 매질 A로 나올 때 입사각이 굴절각보다 작으므로, 단색광의 속력은 프리즘에서가 매질 A에서보다 작다.

(2) (나)에서 단색광이 프리즘에서 매질 B로 나올 때 입사각이 30°, 굴절각이 45°이므로, 굴절 법칙에 의해 프리즘과 매질 B에서의 단색광의 파장의 비는 다음과 같다.

$\frac{\lambda_{프}}{\lambda_B}=\frac{\sin30°}{\sin45°}=\frac{1}{\sqrt{2}}$

$\lambda_{프}:\lambda_B=1:\sqrt{2}$

(3) (가)에서 프리즘에 대한 매질 A의 굴절률은 다음과 같다.

$\frac{n_A}{n_{프}}=\frac{\sin30°}{\sin60°}=\frac{1}{\sqrt{3}}$

(나)에서 프리즘에 대한 매질 B의 굴절률은 다음과 같다.

$\frac{n_B}{n_{프}}=\frac{\sin30°}{\sin45°}=\frac{1}{\sqrt{2}}$

따라서 매질 A에 대한 매질 B의 굴절률은 $\frac{n_B}{n_A}=\sqrt{\frac{3}{2}}$이다.

	채점 기준	배점(%)
(1)	입사각과 굴절각의 크기를 비교하거나 굴절 방향을 분석하여 단색광의 속력을 옳게 비교한 경우	20
	단색광의 속력만을 옳게 비교한 경우	10
(2)	굴절 법칙을 사용하여 프리즘과 매질 B에서 단색광의 파장의 비를 옳게 구한 경우	40
	단색광의 파장의 비만 옳게 구한 경우	20
(3)	A에 대한 B의 굴절률을 구하는 과정을 굴절 법칙으로 옳게 서술한 경우	40
	A에 대한 B의 굴절률만 옳게 구한 경우	20

02 빛은 굴절률이 작은 매질로 들어갈수록 속력이 빨라진다. P점에서 Q점으로 가는 동안 굴절률은 감소하므로 빛의 속력은 증가한다. 파동은 매질이 달라지더라도 진동수는 달라지지 않으므로, 빛 역시 마찬가지로 진동수는 달라지지 않는다. 또, 빛의 속력은 진동수와 파장의 곱으로, 진동수가 일정할 때 속력이 증가하므로 파장도 점점 증가한다.

모범 답안 매질의 굴절률이 작을수록 빛의 속력이 빠르므로, P점에서 Q점으로 가는 동안 빛의 속력이 증가한다. 빛의 진동수는 매질의 굴절률에 관계없이 일정하며, 진동수가 일정할 때 속력과 파장이 비례하므로, P점에서 Q점으로 가는 동안 파장도 증가한다.

채점 기준	배점(%)
굴절률과 빛의 속력의 관계, 속력과 진동수 및 파장의 관계를 근거로 빛의 속력, 파장, 진동수의 변화를 옳게 서술한 경우	100
빛의 속력과 파장 및 진동수의 변화만 옳게 서술한 경우	50

03 (1) P에서 a는 전반사하고 b는 전반사하지 않았으므로, a의 임계각이 b의 임계각보다 작다. 임계각이 작을수록 굴절률이 크고 빛의 속력이 작으므로, 프리즘에서의 속력은 a가 b보다 작다. (나)에서 굴절률이 클수록 파장이 작으므로 파장은 a가 b보다 작다. 공기(≈진공)에서 빛의 속력은 진동수에 관계없이 거의 일정하므로 $v=f\lambda$에서 진동수와 파장은 반비례한다. 따라서 진동수는 파장이 작은 a가 b보다 크다.

(2) 빛이 프리즘에서 Q로 입사할 때 입사각 θ는 동일하므로, 굴절 법칙에 의해 프리즘의 굴절률이 작을수록 굴절각 r는 작아진다.

$n_{프}\sin\theta=\sin r$

따라서 굴절각이 더 작은 R를 지나는 단색광은 굴절률이 작은 b이다.

모범 답안 (1) 프리즘에서의 속력은 a가 b보다 작고, 진동수는 a가 b보다 크다.

(2) Q에서 굴절하는 정도는 R가 S보다 작으므로, R를 지나는 것은 굴절률이 작은 b이다.

	채점 기준	배점(%)
(1)	a와 b의 속력과 진동수를 옳게 비교한 경우	40
	a와 b의 속력 또는 진동수 중 한 가지만 옳게 비교한 경우	20
(2)	Q에서 R와 S가 굴절하는 정도를 비교하고 R를 지나는 것이 b라고 쓴 경우	60
	R를 지나는 것이 b라고만 쓴 경우	30

04 단색광이 입사하는 높이가 h일 때 유리봉에서 공기로 입사하는 빛의 입사각을 i라고 하면, 오른쪽 그림과 같이 $\sin i=\frac{h}{R}$가 된다. 전반사가 일어나는 조건은 단색광의 입사각 i가 임계각 i_c보다 클 때이다.

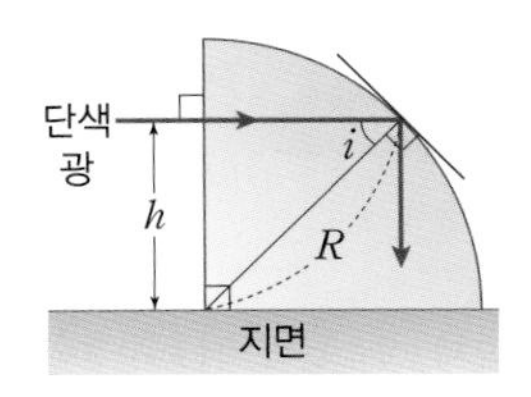

모범 답안 유리봉에서 공기로 단색광이 입사할 때 전반사의 임계각 i_c는 $\sin i_c=\frac{1}{n}$이다. 단색광의 입사각 i가 $\sin i>\sin i_c$일 때 전반사가 일어나고, $\sin i=\frac{h}{R}$이므로, 전반사가 일어나기 위한 h의 범위는 $h>\frac{R}{n}$이다.

채점 기준	배점(%)
h의 범위와 구하는 과정을 옳게 서술한 경우	100
h의 범위만 옳게 쓴 경우	50

05 **모범 답안** (1) A에서 두 음원까지의 경로차는 d이며, $d=0.5$ m일 때 상쇄 간섭이 일어난다. 상쇄 간섭은 반파장의 홀수 배일 때 일어나므로, $0.5\text{ m}=\frac{\lambda}{2}(2m+1)$에서 $m=0$을 대입하면 파장 $\lambda=1$ m이다.

(2) A와 B에서 $d=\frac{\lambda}{2}, \frac{3\lambda}{2}, \frac{5\lambda}{2}, \cdots$일 때 상쇄 간섭이 일어난다. $d=\frac{\lambda}{2}$일 때는 A와 B에서만 상쇄 간섭이 일어나지만, $d=\frac{3\lambda}{2}$일 때는 A와 B에 상쇄 간섭이 일어나고 A와 P 사이에 그리고 P와 B 사이에 경로차$=\frac{\lambda}{2}$가 되는 상쇄 간섭이 일어나는 곳이 또 존재한다. 즉, d가 증가할수록 반원 위에서 상쇄 간섭이 일어나는 지점의 개수는 증가한다.

	채점 기준	배점(%)
(1)	A에서 두 음원까지의 경로차 d가 상쇄 간섭 또는 보강 간섭 조건을 만족하는 식으로부터 소리의 파장을 구한 경우	40
	소리의 파장만을 구한 경우	20
(2)	d가 증가할수록 A와 P 사이, P와 B 사이에 상쇄 간섭이 일어나는 지점이 계속 생기는 과정을 서술하고 상쇄 간섭이 일어나는 지점의 개수가 증가한다고 서술한 경우	60
	상쇄 간섭이 일어나는 지점의 개수가 증가한다고만 서술한 경우	30

06 (가)에서 거울을 Δx만큼 움직이면 경로 1, 2를 통해 스크린의 P에 도달한 두 레이저 빛의 경로차는 $2\Delta x$만큼 달라진다. (나)에서 $\Delta x=4\times10^{-7}$ m일 때마다 보강 또는 상쇄 간섭이 일어나는 것으로 보아, 경로차가 $2\Delta x=8\times10^{-7}$ m만큼씩 달라질 때마다 보강 또는 상쇄 간섭이 일어나는 것을 알 수 있다. P에서 보강 간섭이 일어나는 경로차를 d라고 하면, $\Delta d=\frac{\lambda}{2}2(m+1)-\frac{\lambda}{2}2m=\lambda$에서와 같이 경로차가 한 파장씩 증가할 때마다 보강 간섭이 일어나므로, $2\Delta x$는 한 파장과 같다. 따라서 레이저 빛의 파장 $\lambda=2\Delta x=8\times10^{-7}$ m이다.

모범 답안 (나)에서 $\Delta x=4\times10^{-7}$ m일 때마다 보강 간섭 또는 상쇄 간섭이 일어나므로, P에서 경로차가 $2\Delta x=8\times10^{-7}$ m만큼씩 달라질 때마다 보강 또는 상쇄 간섭이 일어난다. 경로차가 한 파장씩 증가할 때마다 같은 종류의 간섭이 일어나므로, $2\Delta x$는 한 파장과 같다. 따라서 레이저 빛의 파장 $\lambda=2\Delta x=8\times10^{-7}$ m이다.

채점 기준	배점(%)
P에서 같은 종류의 간섭이 일어날 때의 경로차의 변화는 $2\Delta x$이며, 이 값이 빛의 파장과 같다고 서술하고 빛의 파장을 옳게 구한 경우	100
레이저 빛의 파장이 Δx의 2배라고만 서술하고 빛의 파장을 옳게 구한 경우	50

07 (1) 투명 박막의 윗면에서 반사한 빛과 아랫면에서 반사한 빛이 상쇄 간섭을 할 때 반사된 빛이 최소가 된다. 두 빛이 상쇄 간섭을 하려면 경로차가 반파장의 홀수 배가 되어야 하므로, 투명 박막 속에서 빛의 파장을 λ_n이라 할 때 얇은 투명 박막의 두께 h는 다음과 같다.

$$\frac{\lambda_n}{2}=2h \rightarrow h=\frac{\lambda_n}{4}$$

공기 중에서 빛의 파장을 λ, 투명 박막의 굴절률을 n이라 할 때 굴절 법칙에 의해 λ_n은 다음과 같다.

$$\frac{\lambda_n}{\lambda}=\frac{1}{n} \rightarrow \lambda_n=\frac{\lambda}{n}$$

따라서 투명 박막의 윗면에서 반사한 빛과 아랫면에서 반사한 빛이 상쇄 간섭 하기 위한 투명 박막의 최소 두께는 다음과 같다.

$$h=\frac{\lambda_n}{4}=\frac{\lambda}{4n}=\frac{550\text{ nm}}{4\times1.45}=94.8\text{ nm}$$

모범 답안 투명 박막의 두께를 h라 할 때 투명 박막의 윗면과 아랫면에서 반사된 빛의 경로차가 반파장이 되어야 상쇄 간섭이 일어나므로, h는 다음과 같다.

$$\frac{\lambda_n}{2}=2h$$

$$h=\frac{\lambda_n}{4}=\frac{\lambda}{4n}=\frac{550\text{ nm}}{4\times1.45}=94.8\text{ nm}$$

채점 기준	배점(%)
상쇄 간섭이 일어날 조건과 굴절 법칙을 이용하여 투명 박막의 두께를 옳게 구한 경우	100
투명 박막의 두께를 옳게 구하였으나, 상쇄 간섭이 일어날 조건과 굴절 법칙을 명확하게 제시하지 않은 경우	50

08 (1) (가)와 (나)에서 슬릿의 간격이 같을 때 적색광의 경우 간섭무늬의 간격이 더 넓으므로, 파장이 길수록 간섭무늬의 간격이 넓어진다는 것을 알 수 있다.

(2) (가)와 (나)에서 파장이 길수록 간섭무늬의 간격이 더 넓으므로, 여러 가지 파장의 빛이 섞인 백색광의 경우 파장별로 간섭무늬의 간격이 달라져서 색이 나누어진다. 따라서 간섭무늬의 바깥쪽에 빨간색이 나타나고 중앙에 백색이 나타난다.

모범 답안 (1) (나)의 적색광이 (가) 청색광보다 간섭무늬의 간격이 더 넓으므로, 파장이 길수록 간섭무늬의 간격이 넓어진다.

(2) 여러 가지 파장의 빛이 섞인 백색광의 경우 파장에 따라 간섭무늬의 간격이 달라져 색이 나누어지므로, 간섭무늬의 바깥쪽에 파장이 긴 빨간색이, 그리고 중앙으로 갈수록 파장이 짧은 빛 순으로 나타나고 중앙에 백색이 나타난다.

	채점 기준	배점(%)
(1)	(가)와 (나)의 실험 결과를 근거로 파장과 간섭무늬의 관계를 옳게 서술한 경우	50
	파장과 간섭무늬의 관계만 옳게 서술한 경우	30
(2)	여러 가지 파장의 빛이 섞인 백색광의 경우 파장별로 간섭무늬의 간격이 달라져서 색이 나누어진다라고 서술한 경우	50
	파장에 따라 간섭무늬의 간격이 달라져서 색이 나누어진다라고 서술한 경우	30

2. 빛과 물질의 이중성

01 빛의 이중성

집중 분석 2권 240쪽

유제 ①

유제 ㄱ. 문턱 진동수 이상의 빛에서만 광전 효과가 일어나므로, A의 진동수는 아연판의 문턱 진동수보다 크고, B의 진동수는 아연판의 문턱 진동수보다 작다. 따라서 진동수는 A가 B보다 크다.

바로 알기 ㄴ. 빛의 세기는 단위 시간당 입사하는 광자의 수에 비례하므로, A의 세기를 증가시키면 금속판에서 단위 시간당 방출되는 광전자의 수가 증가한다. 그러나 광자 1개의 에너지는 변하지 않으므로, 광전자의 최대 운동 에너지는 변하지 않는다.

ㄷ. B의 진동수는 문턱 진동수보다 작으므로 아무리 세기를 증가시켜도 광전 효과가 일어나지 않아 금속박이 오므라들지 않는다.

개념 모아 정리하기 2권 243쪽

❶ 입자 ❷ 파동 ❸ 문턱 진동수 ❹ 진동수
❺ 세기 ❻ 광자(광양자) ❼ hf ❽ 간섭
❾ 광전 효과 ❿ 세기 ⓫ 입자

개념 기본 문제 2권 244쪽~245쪽

01 (1) ㄴ (2) ㉠ 진동수 ㉡ 세기 **02** (1) 4.1 eV (2) 1.6 eV
03 ㄱ, ㄴ, ㄷ **04** (1) (나) (2) $hf \geq W$ (3) $E_k = hf - W$
05 플랑크 상수 **06** • 파동성: ㄱ, ㄷ • 입자성: ㄴ **07** ㄱ
08 ㉠ 띠 간격 ㉡ 전자 ㉢ 양공 **09** (가) A (나) A, B (다) B
10 (1) ㄱ, ㄴ (2) 세기 (3) 디지털카메라, 천체 망원경, CCTV, 스캐너, 내시경, 차량용 블랙박스 등

01 (1) ㄴ. 광전 효과가 일어나기 위해서는 금속판에 문턱 진동수 이상의 빛을 비추어야 하므로, 빛의 진동수를 증가시켜야 한다. 빛의 파장은 진동수에 반비례하므로, 빛의 파장을 특정한 값 이하로 감소시키면 아연판에서 광전 효과가 일어난다.

바로 알기 ㄱ, ㄷ. 광전 효과가 일어나지 않는 빛은 문턱 진동수 이하의 빛이므로, 아무리 빛의 세기를 증가시키거나 빛을 비추는 시간을 길게 해도 광전 효과가 일어나지 않는다.

(2) 광자의 에너지는 진동수에 비례하므로, 광자와 일대일로 충돌하여 방출되는 광전자의 최대 운동 에너지는 빛의 진동수가 클수록 커진다. 또, 빛의 세기가 셀수록 단위 시간당 전자와 충돌하는 광자의 수도 많아지므로, 단위 시간당 방출되는 광전자의 수는 빛의 세기가 셀수록 많아진다.

02 (1) 진동수 f인 광자의 에너지는 hf이므로, 파장이 300 nm인 빛의 광자 1개의 에너지는 다음과 같다.

$$E = hf = \frac{hc}{\lambda}$$
$$= \frac{(6.6\times10^{-34}\ \mathrm{J\cdot s})\times(3.0\times10^{8}\ \mathrm{m/s})}{300\times10^{-9}\ \mathrm{m}}$$
$$= 6.6\times10^{-19}\ \mathrm{J} = \frac{6.6\times10^{-19}\ \mathrm{J}\times1\ \mathrm{eV}}{1.6\times10^{-19}\ \mathrm{J}}$$
$$\fallingdotseq 4.1\ \mathrm{eV}$$

(2) 금속판에 입사한 광자 1개의 에너지가 4.1 eV이므로, 금속판에서 방출된 광전자의 최대 운동 에너지는 광자의 에너지에서 금속의 일함수를 뺀 값으로 다음과 같다.

$$E_k = hf - W = 4.1\ \mathrm{eV} - 2.5\ \mathrm{eV} = 1.6\ \mathrm{eV}$$

03 ㄱ, ㄴ. 광양자설에 의하면 빛은 불연속적인 에너지 양자인 광자(광양자)의 흐름이며, 진동수가 f인 빛의 광자 1개의 에너지는 hf이다.

ㄷ. 광양자설에 의하면 빛의 세기는 단위 시간당 입사하는 광자의 수에 비례한다.

04 (1) 광전 효과는 광자 1개의 에너지가 금속에서 전자 1개를 떼어 내는 데 필요한 최소한의 에너지인 일함수 W보다 클 때 일어나므로 (나)에서 일어난다.

(2) 광자의 에너지 hf가 일함수 W 이상일 때 광전 효과가 일어나므로, $hf \geq W$인 조건에서 광전 효과가 일어난다.

(3) 방출되는 광전자의 최대 운동 에너지는 광자의 에너지에서 일함수를 뺀 값이므로, $E_k = hf - W$이다.

05 광전 효과가 일어날 때 광전자의 최대 운동 에너지는 입사한 광자 1개의 에너지에서 금속의 일함수를 뺀 값과 같다. 진동수 f인 광자 1개의 에너지는 $E = hf$이므로, 광전자의 최대 운동 에너지 E_k와 진동수 f의 관계는 다음과 같다.

$$E_k = hf - W$$

따라서 진동수를 x축, 광전자의 최대 운동 에너지를 y축으로 나타낼 때 기울기는 플랑크 상수 h와 같다.

06 ㄱ, ㄷ. 빛이 좁은 틈을 지나 양쪽으로 넓게 퍼지는 회절 현상과 두 빛이 중첩하여 진폭이 변하는 간섭 현상은 빛의 파동성으로 설명할 수 있다.

ㄴ. 금속에 특정한 진동수 이상의 빛을 비출 때 일어나는 광전 효과는 빛의 입자성으로 설명할 수 있다.

07 ㄱ. 빛의 회절과 간섭 현상은 빛의 파동성의 증거이고, 광전 효과는 빛의 입자성의 증거이다. 이처럼 빛은 어떤 경우에는 파동의 성질을, 또 다른 경우에는 입자의 성질을 나타낸다.

바로 알기 ㄴ. 빛의 파동성을 관찰할 수 있는 실험에서는 입자성이 나타나지 않고, 빛의 입자성을 관찰할 수 있는 실험에서는 파동성이 나타나지 않는다. 즉, 빛의 파동성과 입자성은 동시에 나타나지는 않는다.

ㄷ. 빛의 세기에 관계없이 광전자의 방출 여부가 빛의 진동수에만 관계되는 광전 효과는 빛의 입자성을 보여 주는 현상이다.

08 광 다이오드의 p−n 접합면에 빛이 입사하여 발생한 전자와 양공 쌍에 의해 전류가 흐른다.

09 각 화소에서 생성된 전자는 전기력에 의해 (+)전압이 걸려 있는 전극 아래에 쌓인다. 따라서 (가)~(다)에서 각 전극에 걸리는 전압은 다음과 같다.

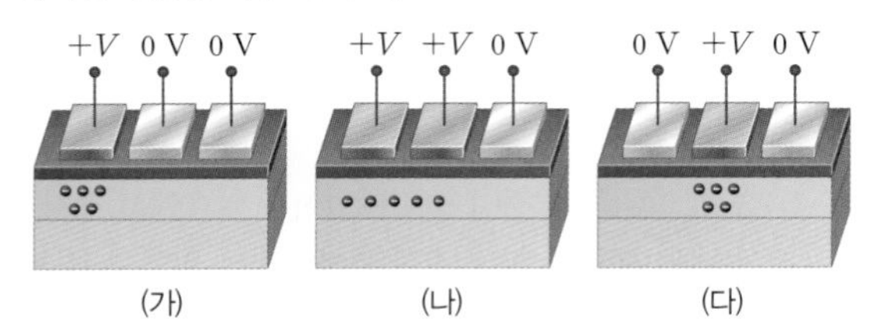

10 (1) ㄱ, ㄴ. 디지털카메라에서 필름 대신 사용하는 CCD는 반도체에서 일어나는 광전 효과를 이용하여 영상을 기록한다.

바로 알기 ㄷ. CCD는 빛의 세기만 감지할 수 있으므로, 컬러 필터를 부착하여 빛의 색깔을 감지한다.

(2) CCD의 각 화소에 도달하는 빛의 세기가 셀수록 단위 시간당 더 많은 수의 광자가 도달하는 것을 의미한다. 따라서 각 화소에는 빛의 세기에 비례하여 전자가 생긴다.

(3) CCD는 영상 정보를 기록하는 용도로 사용되거나 빛을 인식하는 여러 기구에 광센서로 활용된다.

개념 적용 문제

2권 246쪽~249쪽

01 ① **02** ⑤ **03** ③ **04** ① **05** ④ **06** ② **07** ⑤ **08** ②

01 ㄱ. A의 진동수는 문턱 진동수 f_0보다 작으므로, A를 비추었을 때는 광전 효과가 일어나지 않는다.

바로 알기 ㄴ. 광전자의 최대 운동 에너지는 빛의 진동수가 클수록 크므로, 진동수가 가장 큰 빛 C를 비추었을 때 광전자의 최대 운동 에너지가 가장 크다.

ㄷ. 단위 시간당 방출되는 광전자의 수는 빛의 세기에 비례하므로, 세기가 가장 센 빛 B를 비추었을 때 단위 시간당 방출되는 광전자의 수가 가장 많다.

02 ㄱ. 단색광의 진동수가 $2f_0$보다 작아지는 8초 이후에 광전 효과가 일어나지 않았으므로, 금속판의 문턱 진동수는 $2f_0$이다.

ㄴ. 광전류의 세기는 광전관에서 단위 시간당 방출되는 광전자의 수에 비례하므로 빛의 세기에 비례한다. 따라서 광전 효과가 일어나는 0~8초 사이에서 빛의 세기가 가장 센 8초인 순간에 광전류가 가장 세게 흐른다.

ㄷ. 광전자의 최대 운동 에너지는 빛의 진동수가 클수록 크므로, 진동수가 $4f_0$로 가장 큰 4초일 때가 광전자의 최대 운동 에너지가 가장 크다.

03 ㄷ. 문턱 진동수가 f_0이므로 금속의 일함수는 $W=hf_0$이다. 단색광 c와 d를 비출 때 방출되는 광전자의 최대 운동 에너지는 각각 다음과 같다.

- c를 비출 때: $E_k=hf-W=1.5hf_0-hf_0=0.5hf_0$
- d를 비출 때: $E_k=hf-W=2hf_0-hf_0=hf_0$

따라서 광전자의 최대 운동 에너지는 d를 비출 때가 c를 비출 때의 2배이다.

바로 알기 ㄱ. 단위 시간당 방출되는 광전자의 수는 빛의 세기에 비례하지만, a의 진동수는 문턱 진동수보다 작아 광전 효과가 일어나지 않는다. 진동수가 문턱 진동수보다 큰 단색광 b, c, d 중에서 빛의 세기가 가장 센 b를 비출 때가 단위 시간당 방출되는 광전자의 수가 가장 많다.

ㄴ. 빛의 세기는 b가 c의 2배이므로, 단위 시간당 방출되는 광전자의 수는 b가 c보다 많다. 회로에 흐르는 전류의 세기는 단위 시간당 방출되는 광전자의 수에 비례하므로, 광전류의 세기는 b를 비출 때가 c를 비출 때보다 크다.

04 ㄱ. 실험 Ⅳ에서 C만 켰을 때 광전자가 방출되지 않았으므로, C의 진동수는 금속의 문턱 진동수보다 작다.

바로 알기 ㄴ. 금속의 문턱 진동수보다 작은 진동수의 단색광 C는 광전 효과를 일으키지 않으므로 제외하고 비교했을 때, 실험 Ⅰ, Ⅱ에서 B만 켰을 때가 A만 켰을 때보다 광전자의 최대 운동 에너지가 더 크므로, 단색광의 진동수는 A보다 B가 더 크다. 실험 Ⅲ에서 A와 B를 동시에 켰을 때인 방출되는 광전자의 최대 운동 에너지는 B만 켰을 때인 실험 Ⅱ의 결과와 같으므로, ㉠은 $2E_0$이다.

ㄷ. 파장은 진동수에 반비례하고, 단색광의 진동수는 A보다 B가 더 크므로, 파장은 A보다 B가 짧다.

05 ㄴ. (가)와 같이 형광 무늬가 나타나게 하려면 전자가 들뜬상태가 되기 위해 필요한 최소 에너지 이상의 에너지를 갖는 광자를 흡수해야 한다. 그런데 가시광선 광자 1개의 에너지는 이보다 작기 때문에 지폐에 가시광선을 아무리 오래 비추더라도 형광 무늬가 나타나지 않는다.

ㄷ. 빛이 파동이라면 빛의 에너지는 빛의 세기에 따라서도 달라지며, 또 전자에 연속적으로 전달되어야 한다. 따라서 지폐에 아무리 진동수가 작은 빛을 비추더라도 센 빛을 비추거나 충분히 오래 비추는 경우 전자에 충분한 에너지가 전달되어

지폐에 형광 무늬가 나타나야 한다. 그러나 진동수가 작은 가시광선의 세기를 증가시켜 비출 때는 형광 무늬가 나타나지 않았으므로, 이 현상은 빛의 파동성으로는 설명할 수 없다. 그러나 빛이 입자라면 광자와 전자가 일대일로 작용하고 광자 1개의 에너지는 빛의 진동수에만 비례하므로, 빛의 세기나 빛을 비추는 시간에 관계없이 진동수가 작은 가시광선에서는 형광 무늬가 나타나지 않는다. 따라서 자외선을 쪼일 때만 지폐에 형광 무늬가 나타나는 현상은 빛의 입자성으로 설명할 수 있다.

바로 알기 ㄱ. 자외선은 가시광선보다 진동수가 크므로, 형광 현상이 나타나는 것은 빛의 진동수와 관계있다.

06 ㄷ. 빛의 진행 과정은 파동성으로, 빛이 사진 건판을 감광시키는 과정은 입자성으로 설명할 수 있다. 따라서 빛은 입자성과 파동성을 모두 가지고 있음을 알 수 있다.

바로 알기 ㄱ. 빛이 렌즈를 지나 사진 건판에 도달하기까지의 빛의 진행 과정은 빛의 파동성으로 설명할 수 있다.
ㄴ. 광자가 사진 건판에 도달하면, 광자가 자신의 에너지를 사진 건판의 화합물 입자에 전달하여 감광된다. 따라서 사진 건판에 도달한 빛이 사진 건판을 감광시키는 과정은 빛의 입자성으로 설명할 수 있다.

07 ㄱ. 마이크로 렌즈는 작은 볼록 렌즈로 빛을 모아 CCD의 광 다이오드에 비춘다.
ㄴ. 컬러 필터를 통과한 빛은 세 가지 색의 빛으로 분리된 후 각각의 광 다이오드에서 전기적 신호로 바뀌어 빛의 세기를 측정한다. 이렇게 측정된 빛의 세기로부터 그 지점의 색이 결정된다.
ㄷ. CCD의 각 화소에서 빛의 세기에 비례하여 발생한 전자의 양을 측정하기 위해, 인접한 전극에 순차적으로 전압을 걸어서 전자를 수직, 수평 방향으로 이동시켜 전하량 측정 장치로 전송한다.

08 ㄴ. CCD의 단위 면적당 화소수가 클수록 CCD에서 발생하는 전기 신호로 이루어진 정보의 양이 많아지므로 고화질의 상을 얻을 수 있다.

바로 알기 ㄱ. CCD에서 발생하는 전자의 수는 빛의 세기에 비례하므로, CCD에서 발생하는 전기 신호는 아날로그 신호이다.
ㄷ. CCD는 빛을 비출 때 전자가 발생하는 광전 효과에 의해 작동되므로, 빛의 입자성을 이용하여 영상을 기록하는 장치이다.

02 물질의 이중성

집중 분석 2권 257쪽

유제 ④

유제 ㄱ. 입자가 가속되어 속력이 증가하면 입자의 운동 에너지 $\frac{1}{2}mv^2$에서 v가 커지므로, 입자의 운동 에너지도 점점 증가한다.
ㄷ. 입자의 물질파 파장 $\lambda=\frac{h}{mv}$에서 속력 v가 증가하면 파장은 점점 짧아진다.

바로 알기 ㄴ. 운동량 mv에서 입자의 속력 v가 커지므로, 운동량의 크기도 점점 증가한다.

개념 모아 정리하기 2권 259쪽

❶ 물질파 ❷ $\frac{h}{mv}$ ❸ 회절 ❹ 회절
❺ 이중성 ❻ 짧(작) ❼ 우수하(높) ❽ 자기

개념 기본 문제 2권 260쪽

01 (1) ㄱ, ㄴ, ㄷ (2) 해설 참조 (3) 전자 **02** 파동성 **03** ㄱ, ㄷ
04 (1) ㉠ 유리 ㉡ 자기 (2) 파동성 (3) 짧기(작기) **05** (1) 주 (2) 투
(3) 주 (4) 투 (5) 투

01 (1) ㄱ, ㄴ. 물질파는 운동하는 입자가 파동성을 나타낼 때의 파동이므로, 정지해 있는 입자는 파동성을 나타내지 않는다.
ㄷ. 물질파 파장 $\lambda=\frac{h}{mv}$에서 입자의 속력 v가 클수록 파장 λ는 짧아진다.

(2)
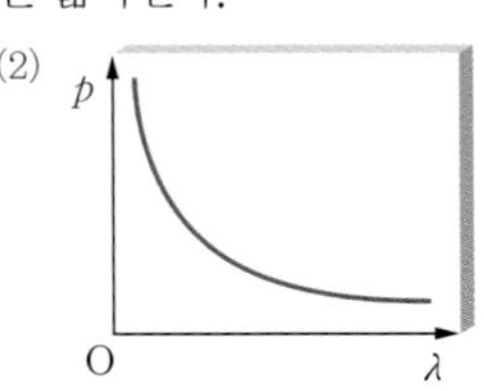

(3) 운동 에너지 $\frac{1}{2}mv^2=\frac{(mv)^2}{2m}=\frac{1}{2m}\left(\frac{h}{\lambda}\right)^2$에서 물질파 파장 λ가 같을 때 질량 m이 작을수록 운동 에너지가 크다. 따라서 질량이 작은 전자의 운동 에너지가 중성자보다 더 크다.

02 데이비슨·거머 실험에서 니켈 결정에 전자선이 입사할 때 입사 방향과 특정한 각을 이루며 튀어나온 전자의 수가 가장 많았다. 이것은 니켈 결정의 규칙적인 원자 배열이 만드는 면에서 반사하는 전자의 물질파가 회절하여 특정한 각도에서 보강 간섭을 하는 것이므로 전자의 파동성을 알 수 있다. 또, 톰슨의 실험에서 알루미늄 박막에 X선과 동일한 물질파 파장을 갖는 전자선을 쪼일 때 X선의 회절 무늬와 같은 형태의 무늬를 보이므로 전자의 파동성을 알 수 있다.

03 ㄱ. 물질 입자는 빛과 마찬가지로 입자와 파동의 두 가지 성질을 모두 가지는 이중성을 나타낸다.

ㄷ. 일상생활에서 마주치는 물체의 경우에는 물질파 파장이 너무 짧아 파동성을 관찰하기 어렵다.

바로 알기 ㄴ. 미시 세계의 입자는 물질파 파장이 비교적 커서 파동성을 관찰할 수 있다. 특히 원자 내부와 같이 좁은 공간에 갇힌 전자의 운동은 파동성이 잘 나타난다. 미시 세계의 입자의 예로 전자의 경우에 전자의 회절 현상으로 파동성을 관찰할 수 있다.

04 (1) 광학 현미경은 유리 렌즈로 가시광선을 굴절시켜 확대된 상을 얻고, 전자 현미경은 자기렌즈로 전자선을 굴절시켜 확대된 상을 얻는다.

(2) 전자 현미경은 전자가 나타내는 물질파를 이용하므로 전자의 파동성을 이용한다.

(3) 시료를 관찰할 때 사용하는 파동의 파장이 짧을수록 분해능이 우수하다. 따라서 전자 현미경에서는 전자의 물질파 파장을 가시광선의 파장보다 짧게 하여 분해능을 높일 수 있다.

05 (1) 전자선을 시료의 표면에 차례대로 쪼여 시료에서 튀어나오는 2차 전자를 측정하여 시료 표면의 입체 영상을 관찰하는 것은 주사 전자 현미경(SEM)이다.

(2) 시료를 투과한 전자선으로 시료의 2차원적 단면 영상을 관찰하는 현미경은 투과 전자 현미경(TEM)이다.

(3) 주사 전자 현미경(SEM)의 시료는 표면을 금속이나 탄소로 얇게 코팅하여 전기 전도성을 좋게 해야 시료의 표면에 전자를 쪼일 때 표면에 전하가 쌓여 관찰이 어렵게 되는 것을 방지할 수 있다.

(4) 투과 전자 현미경(TEM)은 시료를 얇게 해야 전자가 시료를 투과하는 동안 속력이 느려져서 전자의 물질파 파장이 커져 분해능이 떨어지는 것을 방지할 수 있다.

(5) 투과 전자 현미경(TEM)의 분해능이 주사 전자 현미경(SEM)보다 더 우수하다.

개념 적용 문제

2권 261쪽~264쪽

01 ④ **02** ① **03** ④ **04** ③ **05** ③ **06** ② **07** ① **08** ⑤

01 입자의 운동 에너지를 E, 물질파 파장을 λ라고 할 때 질량 m은 다음과 같다.

$$E=\frac{1}{2}mv^2=\frac{(mv)^2}{2m}=\frac{1}{2m}\left(\frac{h}{\lambda}\right)^2 \rightarrow m=\frac{1}{2E}\left(\frac{h}{\lambda}\right)^2$$

따라서 A, B의 질량비는 다음과 같다.

$$m_A : m_B=\frac{1}{2E}\left(\frac{h}{2\lambda}\right)^2 : \frac{1}{2\times 3E}\left(\frac{h}{\lambda}\right)^2=3:4$$

02 ㄱ. 데이비슨·거머 실험은 전자의 파동성을 확인한 실험이다.

바로 알기 ㄴ. (나)와 같이 니켈 결정에 쪼인 전자선이 특정한 각도로 많이 산란되는 것은 전자의 물질파가 니켈 결정 표면에서 회절하여 특정한 각도에서 보강 간섭 한 것으로 해석할 수 있다.

ㄷ. 전자의 물질파가 보강 간섭 하는 각도는 회절하여 나온 파동의 경로차가 반파장의 짝수배를 만족하는 각도이다. 따라서 물질파의 파장에 따라 보강 간섭이 일어나는 각도는 달라지며, 전자의 물질파 파장은 전자를 가속하는 전압이 클수록 짧아진다.

03 ㄱ. (나)에서 전자선을 알루미늄 박막에 쪼여 주었을 때 회절 무늬가 나타났으므로, 전자선도 X선처럼 회절을 일으키는 것을 알 수 있다.

ㄷ. 회절은 파동의 특징이므로, (가), (나)로부터 X선과 전자선 모두 파동의 성질을 가지는 것을 알 수 있다.

바로 알기 ㄴ. 전자선도 파동성을 나타내기는 하지만 전자기파에 속하지는 않는다.

04 ㄱ. 간섭 현상은 파동의 특성이므로, 전자선을 이중 슬릿에 통과시켰을 때 나타나는 간섭무늬는 전자가 가지는 파동성 때문에 나타난다.

ㄷ. 전자의 속력 v를 감소시키면 $\lambda=\frac{h}{mv}$에서 물질파 파장 λ가 증가한다. 파장이 증가하면 간섭무늬 사이의 간격이 커지므로 Δx가 커진다.

바로 알기 ㄴ. 전자 1개를 쏘았을 때는 형광판에 1개의 점이 나타나므로, 간섭무늬는 나타나지 않는다. 그러나 많은 수의 전자를 보냈을 때는 간섭무늬의 밝은 부분에 해당하는 영역에서는 비교적 많은 수의 전자가 도달하고, 어두운 부분에 해당하는 영역에서는 적은 수의 전자가 도달하여 간섭무늬가 나타난다.

ㄹ. 단위 시간당 발생하는 전자 수를 증가시켜도 전자의 물질파 파장은 변하지 않는다. 따라서 간섭무늬는 더 선명하게 나타나지만 Δx는 변하지 않는다.

05 (가)에서 두 점을 파장이 긴 빨간색 빛으로 관측했을 때 빛이 렌즈를 지나며 회절하는 정도가 커서 두 점의 회절 무늬가 많이 겹쳐진다. 따라서 두 점의 상이 잘 구별되지 않는다. 그러나 (나)에서 동일한 두 점을 파란색 빛으로 관측했을 때 빛이 렌즈를 지나며 회절하는 정도가 작아 두 점의 회절 무늬가 적게 겹쳐지므로, 두 점의 상이 잘 구별된다. 따라서 광학 현미경의 분해능은 파장이 짧은 빛을 사용한 (나)가 더 좋다.

06 ㄷ. 전자의 속력 v가 클수록 물질파 파장이 짧아지므로, 회절 현상이 덜 일어나 현미경의 분해능이 높아진다.

바로 알기 ㄱ. 전자의 물질파 파장 $\lambda=\frac{h}{mv}$에서 v가 클수록 λ가 짧아진다.
ㄴ. 전자를 가속시키는 데 한 일 eV가 전자의 운동 에너지로 전환되므로, $eV=\frac{1}{2}mv^2$이다. 따라서 전자총에서 전자를 가속시키는 전압 V가 클수록 전자의 속력은 빨라진다.

07 ㄱ. (가)는 주사 전자 현미경(SEM)으로 관찰한 짚신벌레의 모습이고, (나)는 광학 현미경으로 관찰한 모습이다. 전자 현미경에서 사용하는 전자의 물질파는 가시광선보다 파장이 짧으므로, 현미경의 분해능은 (가)가 (나)보다 높다.

바로 알기 ㄴ. 주사 전자 현미경(SEM)은 시료의 표면에 전자를 쪼였을 때 방출되는 2차 전자로 상을 얻는다.
ㄷ. 전자 현미경은 시료와 자기렌즈의 거리가 고정되어 있고, 자기렌즈의 전류 세기를 조절하여 렌즈의 초점 거리를 조절한다. 반면, 광학 현미경은 유리 렌즈의 초점 거리는 일정하고, 렌즈 사이의 거리를 조절하여 초점을 맞춘다.

08 ㄴ. (가)는 투과 전자 현미경(TEM)의 구조를 나타낸 것이다. 투과 전자 현미경(TEM)은 전자선을 시료에 투과시켜 상을 만들기 때문에 시료를 얇게 만들어야 뚜렷한 상을 관찰할 수 있다.
ㄷ. (나)는 주사 전자 현미경(SEM)의 구조를 나타낸 것이다. 주사 전자 현미경(SEM)은 전자가 시료의 표면에 부딪힐 때 시료에서 방출되는 2차 전자를 검출기로 검출하여 상을 만들기 때문에 시료 표면의 전기 전도성이 좋아야 뚜렷한 상을 관찰할 수 있다.

바로 알기 ㄱ. 투과 전자 현미경(TEM)의 분해능은 주사 전자 현미경(SEM)보다 높다. 분해능은 파동의 파장이 짧을수록 좋아지므로, 사용하는 전자의 물질파 파장은 투과 전자 현미경(TEM)인 (가)가 주사 전자 현미경(SEM)인 (나)보다 짧다.

통합 실전 문제

2권 266쪽~269쪽

01 ⑤ **02** ② **03** ③ **04** ③ **05** ① **06** ① **07** ④ **08** ②

01 ㄴ. 단위 시간당 방출되는 광전자의 수는 빛의 세기가 클수록 많다. 진동수 f_B인 단색광의 세기가 진동수 f_C인 단색광보다 크므로, 세슘판에서 방출되는 광전자의 수는 진동수 f_B인 단색광을 비추었을 때가 f_C인 단색광을 비추었을 때보다 많다.
ㄷ. 광전 효과가 일어날 때 방출되는 광전자의 최대 운동 에너지는 광자 1개의 에너지에서 금속판의 일함수를 뺀 것과 같다. 따라서 세슘판에서 방출되는 광전자의 최대 운동 에너지는 빛의 진동수가 클수록 크다. 진동수는 $f_B<f_C$이므로 광전자의 최대 운동 에너지는 진동수 f_B인 단색광을 비추었을 때가 f_C인 단색광을 비추었을 때보다 작다.

바로 알기 ㄱ. 세슘의 문턱 진동수가 f_0이므로 세슘의 일함수는 hf_0이다. $f_A<f_0$이므로 세슘의 일함수는 hf_A보다 크다.

02 ㄴ. 단색광 A를 비추었을 때 금속 P에서는 전자가 방출되지 않았고 금속 Q에서만 전자가 방출되었으므로, 금속판의 일함수는 P가 Q보다 크다.

바로 알기 ㄱ. C를 두 금속 P와 Q에 비추었을 때 광전자가 모두 방출되지 않았으므로, C의 진동수는 P와 Q의 문턱 진동수보다 작다. 문턱 진동수보다 작은 빛은 빛의 세기를 아무리 증가시켜도 광전자가 방출되지 않으므로, C의 세기를 증가시켜도 P와 Q에서 광전자가 방출되지 않는다.
ㄷ. B는 두 금속 P와 Q에서 전자를 모두 방출시키므로 진동수가 가장 큰 파란색 빛이고, A는 금속 Q에서만 전자를 방출시키므로 진동수가 두 번째로 큰 초록색이다. C는 진동수가 가장 작은 빨간색이다. 따라서 단색광의 파장은 진동수가 가장 작은 C가 가장 크다.

03 (가) 비눗방울이나 물 위에 뜬 기름막이 알록달록한 색을 띠는 것은 얇은 막의 윗면과 아랫면에서 반사하는 빛이 간섭하

여 나타나는 현상이다. 간섭은 파동의 특성이므로 빛의 파동성과 관계된다.
(나) 태양 전지를 이용해 발전을 하는 것은 반도체에서 일어나는 광전 효과를 이용한다. 광전 효과는 빛의 입자성과 관계된다.
(다) 이중 슬릿을 통과한 빛이 스크린에 밝고 어두운 간섭무늬를 만드는 것은 빛의 파동성과 관계된다.

04 ㄱ. CCD의 각 화소는 일종의 광 다이오드로 빛을 쪼일 때 전자가 발생하는 광전 효과를 이용한다.
ㄴ. 광 다이오드에 반도체의 띠 간격 이상의 에너지를 가진 빛을 쪼일 때 원자가 띠의 전자가 전도띠로 전이하면서 전자와 양공 쌍이 생성된다. 따라서 CCD의 화소에서 일어나는 광전 효과는 반도체의 띠 간격 이상의 에너지를 가진 빛을 비추어야 일어난다.
바로 알기 ㄷ. CCD의 각 화소에서 광전 효과에 의해 발생하는 전자의 양은 단위 시간당 입사하는 광자의 수, 즉 빛의 세기에 비례한다.

05 ㄴ. 물질파 파장은 $\lambda=\frac{h}{mv}$이므로 질량과 속력의 곱이 가장 큰 B의 물질파 파장이 가장 짧다.
바로 알기 ㄱ. A와 D의 운동량 mv는 같다. 운동 에너지 $\frac{1}{2}mv^2=\frac{(mv)^2}{2m}$에서 운동량이 같을 때 운동 에너지는 질량이 작을수록 크므로, 운동 에너지는 질량이 작은 A가 D보다 크다.
ㄷ. 운동량은 질량과 속력의 곱이므로 C가 가장 작다.

06 ㄱ. 간섭은 파동의 특성으로, (나)에서 이중 슬릿에 전자를 입사했을 때 스크린에 간섭무늬가 나타난 것은 전자가 파동성을 띠는 것을 의미한다.
바로 알기 ㄴ. 스크린에 도달한 전자의 분포가 (가)의 간섭무늬와 비슷한 것은 전자가 도달할 확률이 그러함을 의미한다. 간섭무늬에서 밝은 부분에 해당하는 영역은 전자가 도달할 확률이 높은 것이고, 어두운 부분에 해당하는 영역은 전자가 도달할 확률이 낮은 것이다. 즉, 전자를 1개씩 쏘며 실험해도 동일한 결과가 나타난다.
ㄷ. (나)에서 간섭무늬가 나타난 것은 전자의 물질파가 슬릿 S_1, S_2를 지나며 중첩되기 때문이다. 따라서 슬릿을 1개씩 열고 실험하면 간섭무늬가 사라지고, 전자가 많이 도달한 지점이 2개만 나타난다.

07 ㄱ. 양성자의 운동 에너지는 qV이므로, 전하량이 2배인 알파(α) 입자의 운동 에너지는 $2qV$가 된다. 운동 에너지가 E, 질량 m일 때 속력 $v=\sqrt{\frac{2E}{m}}$이므로, 양성자와 알파(α) 입자의 속력 비는 다음과 같다.

$$v_{양성자} : v_{\alpha}=\sqrt{\frac{2qV}{m}} : \sqrt{\frac{2\times2qV}{4m}}=\sqrt{2} : 1$$

ㄷ. 입자의 운동량이 p일 때 운동 에너지

$E=\frac{1}{2}mv^2=\frac{(mv)^2}{2m}=\frac{p^2}{2m}$이므로, 운동하는 입자의 물질파 파장은 다음과 같다.

$$\lambda=\frac{h}{p}=\frac{h}{\sqrt{2mE}}$$

따라서 가속 전압을 2배로 하여 입자의 운동 에너지가 2배가 되면, 물질파 파장은 $\frac{1}{\sqrt{2}}$배가 된다.
바로 알기 ㄴ. 양성자와 알파(α) 입자의 물질파 파장의 비는 다음과 같다.

$$\lambda_{양성자} : \lambda_{\alpha}=\frac{h}{\sqrt{2mqV}} : \frac{h}{\sqrt{2\times4m\times2qV}}=2\sqrt{2} : 1$$

08 ㄴ. 가속 전압이 클수록 전자의 속력이 빨라지며 전자의 물질파 파장은 짧아진다. 전자의 물질파 파장이 짧을수록 분해능이 높아지므로, (가)의 분해능이 (나)보다 높다.
바로 알기 ㄱ. (가)는 전자선을 시료에 투과시켜 상을 관찰하므로 투과 전자 현미경(TEM)이고, (나)는 전자선을 시료 표면에 차례대로 쪼여 주어 상을 관찰하므로 주사 전자 현미경(SEM)이다.
ㄷ. 시료의 전기 전도도가 좋아야 하는 것은 주사 전자 현미경(SEM)이므로, (나)가 이에 해당한다.

사고력 확장 문제

2권 270쪽~271쪽

01 (1) 문턱 진동수는 광자 1개의 에너지가 금속의 일함수와 같은 빛의 진동수이므로, 이때 광전자의 최대 운동 에너지는 0이 된다. 따라서 (나)에서 최대 운동 에너지가 0일 때 빛의 진동수를 비교해 보면, 문턱 진동수는 금속 A가 금속 B보다 작다. 일함수는 금속 표면에서 전자 1개를 떼어 내는 데 필요한 에너지로, 일함수가 클수록 문턱 진동수가 커진다 ($W=hf_0$). 따라서 일함수도 A가 B보다 작다.

(2) f_1은 금속 A의 문턱 진동수보다 크므로, A에 진동수 f_1인 빛을 비추면 광전 효과가 일어난다. 그러나 f_1은 금속 B의 문턱 진동수보다 작으므로, B에 진동수 f_1인 빛을 비추면 광전 효과가 일어나지 않는다.

(3) f_2는 두 금속 A, B의 문턱 진동수보다 크므로, 두 금속 A, B에 각각 진동수 f_2인 빛을 비추었을 때 광전 효과가 모두 일어난다. 이때 광전자의 최대 운동 에너지($\frac{1}{2}mv^2=hf-W$)는 광자의 에너지에서 금속의 일함수를 뺀 값이므로 빛의 진동수가 같을 때 금속의 일함수가 작을수록 크다. 따라서 일함수가 작은 금속 A에서 방출되는 광전자의 최대 운동 에너지가 금속 B에서보다 크다.

모범 답안 (1) 금속 A의 문턱 진동수가 금속 B의 문턱 진동수보다 작고, A의 일함수가 B의 일함수보다 작다.

(2) 금속 A에서만 광전 효과가 일어난다.

(3) • 공통점: 두 금속 A, B에서 모두 광전 효과가 일어난다.

• 차이점: 금속 A에서 방출되는 광전자의 최대 운동 에너지가 금속 B에서 방출되는 광전자의 최대 운동 에너지보다 크다.

	채점 기준	배점(%)
(1)	문턱 진동수와 일함수를 모두 옳게 비교한 경우	20
	둘 중 한 가지만 옳게 비교한 경우	10
(2)	A, B의 결과를 모두 옳게 쓴 경우	20
	A, B의 결과를 옳게 쓰지 못한 경우	0
(3)	공통점과 차이점을 모두 옳게 설명한 경우	60
	공통점과 차이점 중 한 가지만 옳게 설명한 경우	30

02 (1) 단위 시간당 금속판에서 방출되는 광전자의 수는 빛의 세기에 비례한다.

모범 답안 (1) 단색광 A보다 B의 세기가 더 세므로, 단색광 B를 쪼였을 때 단위 시간당 방출되는 광전자의 수가 단색광 A를 쪼였을 때보다 더 많다.

(2) 단색광 A를 쪼였을 때 방출되는 광전자의 최대 운동 에너지 $5E_0=hf_A-E_0$에서 $hf_A=6E_0$이고, 단색광 C를 쪼였을 때 방출되는 광전자의 최대 운동 에너지 $2E_0=hf_C-E_0$에서 $hf_C=3E_0$이다. 따라서 단색광 A의 진동수는 C의 진동수의 2배이다.

	채점 기준	배점(%)
(1)	빛의 세기에 대해 언급하며 방출되는 광전자의 수를 옳게 비교하여 설명한 경우	40
	방출되는 광전자의 수만 옳게 비교한 경우	20
(2)	광전자의 최대 운동 에너지 식을 이용해 단색광 A와 C의 진동수를 옳게 비교한 경우	60
	단색광 A와 C의 진동수만 옳게 비교한 경우	30

03 (1) (가)에서 전자들을 바람개비에 쏘아 충돌시켰을 때 바람개비가 회전하는 현상은 운동량 보존 법칙으로 설명할 수 있다. 이로부터 전자가 질량을 가진 입자임을 알 수 있으므로 전자의 입자성을 확인할 수 있다.

(2) (나)에서 전자가 입자라면 전자의 양이 많은 지점이 두 군데 생겨야 한다. 그러나 이중 슬릿에 빛을 쏘았을 때와 비슷한 간섭무늬가 나타났고, 간섭은 파동의 특성이므로 이 실험에서 전자의 파동성을 확인할 수 있다.

(3) (가) 실험에서는 전자의 입자성을 확인할 수 있고, (나) 실험에서는 전자의 파동성을 확인할 수 있다. 이처럼 전자는 파동과 입자의 성질을 모두 가진다.

모범 답안 (1) (가)에서 바람개비가 회전하는 현상은 전자가 질량을 가진 입자로서 운동량을 전달하는 것으로 설명할 수 있으므로, 전자의 입자성을 확인할 수 있다.

(2) (나)에서 전자들이 벽에 도달하는 수가 많은 지점과 적은 지점이 번갈아 가면서 나타나는 현상은 파동의 간섭으로 설명할 수 있으므로, 전자의 파동성을 확인할 수 있다.

(3) 전자는 입자성과 파동성을 함께 가지는 이중성을 띤다는 것을 알 수 있다.

	채점 기준	배점(%)
(1)	전자가 질량을 가진 입자로서 운동량을 전달한다는 설명을 근거로, 전자의 입자성을 확인할 수 있다고 설명한 경우	30
	전자의 입자성을 확인할 수 있다고만 서술한 경우	20
(2)	벽에 나타난 무늬가 간섭무늬임을 근거로, 전자의 파동성을 확인할 수 있다고 설명한 경우	30
	전자의 파동성을 확인할 수 있다고만 설명한 경우	20
(3)	이중성이라는 용어를 사용하여 옳게 설명한 경우	40
	입자성과 파동성을 모두 가진다고만 설명한 경우	20

04 현미경에서 회절 현상이 적게 일어나야 가까이 있는 두 물체를 구별해 볼 수 있는 분해능이 좋아지는데, 파장이 긴 빨간색 빛을 사용한 (가)보다 파장이 짧은 파란색 빛을 사용한 (나)에서 분해능이 더 높으므로, 분해능은 파장이 짧을수록 높아진다는 것을 알 수 있다.

모범 답안 빛이 렌즈를 통과할 때 넓게 퍼지는 회절 현상 때문에 두 점의 상이 겹쳐 보인다. 파장이 짧은 파란색 빛을 사용한 (나)에서 두 점의 상이 잘 구분되므로 분해능은 파장이 짧을수록 높아진다는 것을 알 수 있다.

채점 기준	배점(%)
회절 현상의 원인을 설명하고, (가)와 (나)의 차이를 근거로 분해능과 파장의 관계를 옳게 설명한 경우	100
분해능과 파장의 관계만을 옳게 설명한 경우	50

논구술 대비 문제

II. 물질과 전자기장

실전 문제 1 2권 276쪽

예시 답안 (1) 정사각형 도선이 속도 v로 시간 $t=0$일 때 자기장 영역에 진입하여 $t=\frac{a}{v}$에 완전히 진입할 때까지 시간에 따른 자기 선속 변화율은 $\frac{\Delta\Phi}{\Delta t}=Bav$로 일정하므로, 유도 기전력은 $V=-Bav$로 일정하다.

정사각형 도선이 자기장 영역에 완전히 들어가 있는 동안은 도선을 통과하는 자기 선속이 일정하므로, 이때 유도 기전력은 0이다.

정사각형 도선이 $t=\frac{d}{v}$에서 $t=\frac{d+a}{v}$까지 자기장 영역을 빠져 나오는 동안은 시간에 따른 자기 선속 변화율이 $\frac{\Delta\Phi}{\Delta t}=-Bav$로 일정하므로, 이때의 유도 기전력은 $V=Bav$로 일정하다. 따라서 시간에 따른 유도 기전력은 오른쪽 그림과 같다.

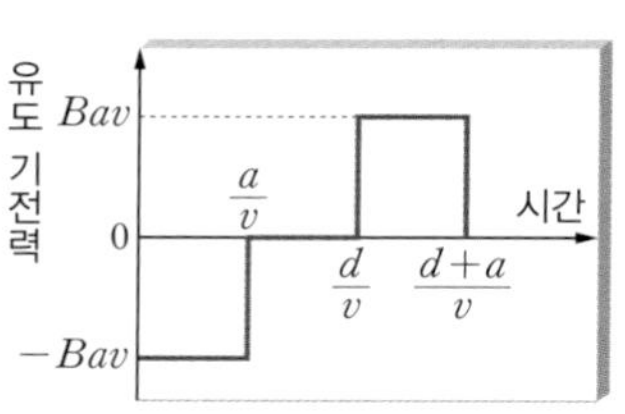

(2) 높이 h에서 자유 낙하하는 정사각형 도선이 자기장에 진입하는 순간 속력 v는 역학적 에너지 보존 법칙에 따라 $v=\sqrt{2gh}$이다. 유도 기전력의 크기는 $V=Bav$이므로, 유도 기전력의 크기는 $\sqrt{h}$에 비례한다.

정사각형 도선의 저항을 R라고 할 때 도선에서 소모되는 전력은 $P=\frac{V^2}{R}=\frac{(Bav)^2}{R}$이고, 시간은 $\Delta t=\frac{2a}{v}$이므로 정사각형 도선에서 발생한 열에너지는 $P\Delta t=\frac{2B^2a^3v}{R}$이다. 따라서 정사각형 도선에서 발생한 열에너지도 $\sqrt{h}$에 비례한다.

실전 문제 2 2권 277쪽

예시 답안 (1) 전자가 $n=4$에서 $n=2$로 전이할 때 방출하는 빛의 파장 λ_a는 $E_4-E_2=\frac{hc}{\lambda_a}$이고, 전자가 $n=2$에서 $n=3$으로 전이할 때 흡수하는 빛의 파장 λ_b는 $E_3-E_2=\frac{hc}{\lambda_b}$이다. 따라서 두 파장의 비는 다음과 같다.

$$\frac{\lambda_a}{\lambda_b}=\frac{E_3-E_2}{E_4-E_2}=\frac{-\frac{1}{9}+\frac{1}{4}}{-\frac{1}{16}+\frac{1}{4}}=\frac{20}{27}$$

(2) 전자가 $n=4$에서 $n=3$으로 전이할 때 방출하는 빛의 파장 λ_c는 $E_4-E_3=\frac{hc}{\lambda_c}$이다. 이 식에서 E_4-E_3은 다음과 같이 나타낼 수 있다.

$$E_4-E_3=(E_4-E_2)-(E_3-E_2) \rightarrow \frac{hc}{\lambda_c}=\frac{hc}{\lambda_a}-\frac{hc}{\lambda_b}$$

따라서 위 식을 λ_c에 대해 정리하면, λ_c와 λ_a, λ_b의 관계는 다음과 같다.

$$\lambda_c=\frac{\lambda_a\lambda_b}{\lambda_b-\lambda_a}$$

III. 파동과 정보통신

실전 문제 1 2권 280쪽

예시 답안 (1) 소리굽쇠가 귀에 접근할 때 들리는 소리의 진동수는 도플러 효과에 의해 $f'=f\frac{V}{V-v}=f\frac{340\text{ m/s}}{340\text{ m/s}-v}=392\text{ Hz}$이다.

반대로 소리굽쇠가 귀에서 멀어질 때 들리는 소리의 진동수는 $f'=f\frac{V}{V+v}=f\frac{340\text{ m/s}}{340\text{ m/s}+v}=349\text{ Hz}$이다.

따라서 두 식을 정리하면 소리굽쇠의 속력 v는 다음과 같다.

$(340\text{ m/s}-v)\times392\text{ Hz}=(340\text{ m/s}+v)\times349\text{ Hz} \rightarrow v\approx19.7\text{ m/s}$

이 값을 첫 번째 식에 대입하면 소리굽쇠의 진동수 f는 다음과 같다.

$$f'=f\frac{V}{V-v}=f\frac{340\text{ m/s}}{340\text{ m/s}-19.7\text{ m/s}}=392\text{ Hz} \rightarrow f\fallingdotseq369\text{ Hz}$$

(2) 별빛의 파장이 길어지므로 별빛의 진동수는 작아진다. 진동수가 작아지는 것은 별이 멀어지는 것이므로 도플러 효과에 의해 별의 진동수의 식은 $f'=f\frac{c}{c+v}$가 된다. 빛의 속력 $c=f\lambda=f'\lambda'$이므로 $\frac{c}{\lambda'}=\frac{c}{\lambda}\times\frac{c}{c+v}$에서 $\lambda'=\lambda\left(1+\frac{v}{c}\right)$이다. $\lambda'=6001\text{ Å}$, $\lambda=6000\text{ Å}$이므로 별이 멀어지는 속도 v는 다음과 같다.

$$6001\text{ Å}=6000\text{ Å}\left(1+\frac{v}{c}\right) \rightarrow \frac{1}{6000}=\frac{v}{c}$$

$$v=\frac{3\times10^8\text{ m/s}}{6\times10^3}=5\times10^4\text{ m/s}$$

실전 문제 2 2권 281쪽

예시 답안 (1) 양극 P의 전압이 (−)값을 가지면 음극에서 방출된 전자가 양극으로부터 척력을 받게 되어 양극으로 점점 흘러 들어가지 않게 되므로, 회로에 흐르는 광전류의 세기가 감소한다. 그러나 음극에서 방출되는 전자의 운동 에너지 때문에 양극 P의 전압이 (−)값을 가지더라도 전류는 곧 0이 되지 않는다. 전압을 증가시켜 어느 일정한 값 $-V_0$가 되면 양극으로부터 받는 척력이 광전자에 한 일과 광전자의 최대 운동 에너지가 같아지며 양극으로 흘러들어가는 광전자의 수가 0이 되는데, 이때 비로소 광전류의 세기가 0이 된다.

(2) 광전자의 최대 운동 에너지가 클수록 광전류의 세기가 0이 되는 양극의 전압의 크기가 크다. 빛 A를 비추었을 때가 빛 B를 비추었을 때보다 광전류의 세기가 0이 되는 양극의 전압의 크기가 크므로, 빛 A를 비추었을 때 방출되는 광전자의 최대 운동 에너지가 더 크다. 광전자의 최대 운동 에너지 $\frac{1}{2}mv^2=hf-W$에 따라 빛의 진동수가 클수록 광전자의 최대 운동 에너지가 크므로, 빛 A의 진동수가 빛 B의 진동수보다 크다.

(3) 단위 시간당 방출되는 광전자의 수는 빛의 세기에 비례하고, 단위 시간당 방출되는 광전자의 수가 많을수록 광전류의 최댓값이 크다. 빛 A를 비춘 경우에 흐르는 광전류의 최댓값이 빛 B를 비춘 경우보다 크므로, 빛 A의 세기는 빛 B보다 세다.